10 août 97

Mon très très cher Simon

Ton épopée ne fait que
commencer puisse-t-elle
être tout ce que tu
veux.

X X X je   X X
X X X   "   X X
        ma Lou.

La Grande Epopée des Celtes

Première époque

LES CONQUERANTS DE L'ILE VERTE

DU MÊME AUTEUR
CHEZ LE MÊME ÉDITEUR

LE CYCLE DU GRAAL
Première époque :
La Naissance du Roi Arthur
Deuxième époque :
Les Chevaliers de la Table Ronde
Troisième époque :
Lancelot du Lac
Quatrième époque :
La Fée Morgane
Cinquième époque :
Gauvain et les chemins d'Avalon
Sixième époque :
Perceval le Gallois
Septième époque :
Galaad et le Roi Pêcheur
Huitième époque :
La Mort du Roi Arthur

JEAN MARKALE

La Grande Epopée des Celtes

Première époque
LES CONQUERANTS DE L'ILE VERTE

Pygmalion
Gérard Watelet

Paris

Sur simple demande aux
*Éditions Pygmalion/Gérard Watelet, 70, avenue de Breteuil,
75007 Paris,*
vous recevrez gratuitement notre catalogue
qui vous tiendra au courant de nos dernières publications.

AVANT-PROPOS

Aux frontières du réel

Ainsi, toujours poussés vers de nouveaux rivages,
Dans la nuit éternelle emportés sans retour,
Ne pourrons-nous jamais, sur l'océan des âges,
Jeter l'ancre un seul jour ?
LAMARTINE, Le Lac.

Une civilisation, quelle qu'elle soit, ancienne ou moderne, n'est reconnue comme telle dans son identité et dans sa spécificité qu'à travers une tradition transmise de génération en génération et qui en constitue le témoignage essentiel. Cette tradition rassemble la mémoire d'un peuple ou d'un groupe de peuples qui vivent dans des conditions sinon semblables, du moins équivalentes ; et elle peut s'exprimer selon des modes très divers, allant de la simple coutume aux spéculations intellectuelles les plus raffinées. Mais, dans l'histoire de l'humanité, on en a toujours privilégié l'expression par l'écriture, parce que celle-ci était considérée comme le moyen le plus sûr et le plus fidèle de conserver la mémoire du passé. Il va de soi que la Grèce est le pays d'Hésiode, Homère, Eschyle, Hérodote et Platon, même si la sculpture occupe une place de choix dans notre vision scolaire de sa civilisation dont on a dit et répété qu'elle constituait un *miracle*

7

sans lequel rien n'eût été possible. Ainsi, pour les Grecs, le problème de la reconnaissance de leur identité culturelle ne se pose-t-il pas : ils ont laissé suffisamment d'écrits pour qu'on les classe parmi les peuples « civilisés ». Mais que dire alors de tous les autres peuples qui, pour une raison ou pour une autre, ne connaissaient pas l'écriture ou ne l'ont jamais utilisée ?

Il fut un temps où toute civilisation dépourvue d'écriture était rejetée comme incertaine, incohérente et *primitive*, en vertu de la croyance en la célèbre « mentalité prélogique » si chère à l'école sociologique française du début du XXe siècle. Cette idéologie, car c'en est une, est l'aboutissement d'un système construit sur l'universalité d'une Raison unique et qui justifiait toute entreprise de colonisation, culturelle ou autre, et de *mission*, quelles qu'en fussent les intentions ; elle a longtemps privé l'humanité d'une part très importante d'elle-même puisqu'elle écartait, sans discussion, tout ce qui n'appartenait pas aux normes en usage dans un système de référence immuable et incontestable. Qu'elle procédât d'ignorance ou de mépris envers la différence, peu importe. On n'en est plus là. Il ne fait plus de doute pour personne que les édificateurs de mégalithes, actifs du 5e au 2e millénaire avant notre ère, et dont on ne connaît ni le nom ni la langue, étaient les magnifiques artisans d'une brillante civilisation qui couvrit une grande partie de l'Europe et la marqua pour jamais de son empreinte. En fait d'écrits, pourtant, ils n'ont rien laissé. D'eux ne subsistent que des monuments, ainsi que de mystérieux signes gravés sur la pierre et qui, pour être plus magiques que scripturaires, témoignent assurément non seulement d'un grand sens artistique mais d'une pensée très organisée et déjà presque scientifique. Il est vrai que l'étude de ces signes et celle de l'architecture extraordinairement complexe de ces monuments, l'analyse et la confrontation des divers objets archéologiques contemporains, permettent désormais de reconstituer, fût-ce de façon incomplète et conjecturale, une certaine tradition propre à la civilisation dite mégalithique.

Le cas de la tradition celtique est tout à fait analogue. Jamais il n'est venu à l'idée de personne de nier l'existence des Celtes : on en a même fait les uniques prédécesseurs des Romains, leur attribuant sans aucun discernement tous les vestiges qu'on savait antérieurs à ceux-ci. Mais c'est toujours avec un mépris affiché qu'on a traité ces peuples dont le seul défaut paraît bien être de n'avoir pas succombé aux charmes de l'écriture. Car c'est une réalité incontestable : les Celtes n'écrivirent rien avant leur christianisation, c'est-à-dire avant que des moines érudits et patients ne recueillissent dans de précieux manuscrits les témoignages oraux d'un passé qui était le leur et qu'ils voulurent à tout prix sauver de l'oubli. Ainsi disposons-nous de témoignages qui, si incomplets ou déformés qu'ils soient, n'en livrent pas moins les vestiges de ce qui était l'âme des peuples celtes. Mais, au fait, qui sont ces derniers ?

La vérité oblige à dire qu'on ne le sait trop. En aucun cas, il ne peut s'agir d'un groupe racial ou ethnique délimité, tant est vaste et imprécis leur champ d'action, tant est confuse et contradictoire la morphologie de ceux qu'on a appelés Celtes et qui comporte autant de petits bruns trapus que de grands blonds aux yeux bleus. En évoquant, à leur propos, des *peuples parlant une langue celtique*, on risquerait moins de se tromper. Encore faut-il faire la part des choses. Les Cimbres et les Teutons, qui se firent exterminer par Marius et les Romains, étaient incontestablement de souche germanique, mais ils portaient des noms celtiques : *Cimbres* est le gaulois *combroges*, signifiant « du même pays » (et qui a donné le gallois *Cymri*) ; *Teutons* provient d'une racine celtique d'où est issu l'irlandais *tuath*, « tribu », et que l'on reconnaît dans le nom du dieu gaulois *Teutatès* (ou *Toutatis*), littéralement « père du

9

peuple », et dans le terme générique actuel *deutsch*, « allemand », ce qui n'est pas un moindre paradoxe. Quant aux Celtes de la même époque, nouvelle difficulté : la plupart d'entre eux ne parlent plus une langue celtique, comme en témoignent certains Bretons armoricains (de Haute Bretagne), un grand nombre de Gallois, les neuf dixièmes des Irlandais, sans parler des Galiciens ni des autres peuples européens jadis classés comme Celtes ou soumis à une certaine domination celtique. D'ailleurs, les auteurs de l'Antiquité classique n'avaient pas sur ce point de vision plus claire que la nôtre : ils confondent volontiers Celtes et Germains, ou bien ils font des premiers de vagues « Hyperboréens », voire des « Cimmériens » vivant dans un sombre univers aux limites de l'Autre Monde. Le moins qu'on puisse dire est que les Celtes, dont il est cependant impossible de nier l'existence, sont des peuples quasi mythiques, ou du moins mythologiques. Cela justifierait amplement la propension des Celtes à mêler intimement le réel et l'imaginaire et, lorsqu'ils ont entrepris de fixer leur histoire, à inventer délibérément celle-ci en fonction de leurs mythes fondateurs.

De toute façon, on eût bien étonné les Gaulois enfermés dans Alésia si on leur avait affirmé qu'ils étaient des Celtes. Certes, le terme *Keltoi* existait de longue date, mais il était grec et avait été utilisé par les historiens grecs par souci de classification. Or, les Gaulois avaient déjà bien du mal à se sentir Gaulois, comme le prouvent les difficultés de Vercingétorix et les acrobaties oratoires dont il dut user dans son discours de Bibracte (mont Beuvray), en 52 avant notre ère, pour tenter d'assurer une cohésion « patriotique » ou « nationale » à la coalition de peuples qui avaient pris les armes contre les Romains. Un Gaulois était avant tout membre d'un « peuple », d'une « tribu », donc d'un *tuath* : le reste n'avait aucune importance. Et il en a toujours été ainsi : « Ni les Irlandais, ni les Gallois, ni les Bas-Bretons du Moyen Age ne se donnèrent à eux-mêmes le nom de "Celtes". Cette dénomination commune, sous laquelle on comprend de nos jours les anciens Ecossais, Irlandais, Gallois, Cornouaillais et Bretons, repose sur la ressemblance des langues primitivement parlées par ces divers peuples et sur une vague parenté ethnique. » [1] Cette constatation est toujours valable et rend compte des difficultés qu'on peut rencontrer chaque fois qu'on essaie de définir les Celtes, leur tradition et leur civilisation.

Les Celtes apparaissent dans l'histoire aux environs de l'an 500 avant notre ère, si l'on en croit les auteurs grecs. Cela ne signifie nullement qu'ils n'eussent point constitué auparavant des groupes sociaux fortement implantés dans certaines régions de l'Europe. L'archéologie vient ici combler les défaillances de l'histoire et met en évidence l'apparition d'une nouvelle forme de civilisation où le fer joue un rôle essentiel. On a nommé cette période le Premier Age du Fer, ou encore la Civilisation de Hallstatt, du nom d'une station archéologique d'Autriche. Il est en effet vraisemblable que le domaine primitif des Celtes, divisé en principautés indépendantes, fabuleusement riches et raffinées si l'on en croit le mobilier funéraire des *tumuli*, s'étendait au nord des Alpes, entre les monts de Bohême et le Harz, avec des prolongements au sud du Danube. On s'accorde aujourd'hui pour affirmer

---

1. Dom Louis Gougaud, *Les Chrétientés celtiques*, Paris, 1911, p. 1 (Avant-propos). L'auteur ajoute dans une note de la même page : « Le scepticisme des savants va s'accentuant de plus en plus, touchant la valeur du concept de race. Tacite, parlant des Bretons (insulaires), faisait déjà une part prédominante à l'ambiance, à l'adaptation, au milieu, au détriment de l'idée de race. » Cette réflexion parfaitement lucide intervenait au moment où le soi-disant « initié » Edouard Schuré, digne disciple de Gobineau et précurseur de certains théoriciens de fâcheuse mémoire, prônait les valeurs de la « race » celtique d'origine nordique et aryenne.

11

que c'est à partir de cette région que les peuples classés comme Celtes ont commencé leurs migrations, celles-ci étant essentiellement dirigées vers l'ouest, et ce en plusieurs vagues successives, peut-être dès la fin de l'Age du Bronze, c'est-à-dire entre − 900 et − 700. On doit retenir de ce fait que les Celtes, ou dits tels (certains les appellent commodément « Proto-Celtes »), sont avant tout des terriens, éleveurs, agriculteurs et artisans : s'ils se sont retrouvés ensuite sur les franges atlantiques, ce n'est certainement pas parce qu'ils cherchaient le voisinage de la mer, mais qu'ils furent contraints, pour des raisons encore inconnues, à se réfugier dans les limites extrêmes de l'ancien monde.

On pense que ce noyau primitif des Celtes résultait de migrations antérieures de peuples indo-européens. Là encore, il faut s'entendre sur ce terme : il ne peut désigner que des groupements humains parlant une langue commune − du moins à l'origine − et possédant des techniques et des structures sociales identiques. C'est la seule acception possible du terme, à l'exclusion de toute autre qui ferait intervenir une notion de race. Une fois installés dans le triangle Bohême-Autriche-Harz, les Celtes primitifs, soit pour cause de surpopulation, soit parce qu'ils étaient menacés par d'autres émigrants venus de l'est, se seraient alors lancés vers l'ouest afin de découvrir de nouveaux territoires où s'établir. Le fait n'a rien d'exceptionnel et concerna nombre de peuples au cours de l'histoire. Mais c'est ainsi qu'on peut affirmer que tous les Celtes, aujourd'hui si bien enracinés en Europe occidentale et extrême-occidentale, franchirent le Rhin avant de s'installer dans les pays où l'histoire les a reconnus.

Grâce à l'étude de la répartition des sites archéologiques et de leur datation et eu égard aux repères toponymiques et à quelques rares vestiges épigraphiques, on peut affirmer que le flux migratoire des Celtes en Europe occidentale se produisit en deux périodes bien distinctes. La première, chronologiquement, se situe à la charnière des Ages du Bronze et du Fer et concerne un groupe de peuples qui parlaient une langue celtique encore proche de l'indo-européen commun, langue qui, sous la forme de nombreux archaïsmes, s'est survécue jusqu'à nos jours dans le gaélique d'Irlande, de Man et d'Ecosse. On a donné à ce groupe le nom de *goidélique* ou *gaélique*, ou encore de *Celtes en Q* parce qu'ils ont conservé, comme les Latins d'ailleurs, l'usage du son **Q** indo-européen primitif (par exemple, « cinq », du latin *quinque*, se dit *coic* en gaélique). Le second flux migratoire intervint après l'an – 500, par vagues successives, la dernière étant celle des Belges, au Iᵉʳ siècle avant notre ère. Ce groupe est appelé, non sans arbitraire, *brittonique* parce qu'il comprend, en plus des Gaulois et des Belges, les anciens Bretons insulaires dont les descendants actuels sont les Gallois, les Cornouaillais et les Bretons armoricains. Sur le plan linguistique, on qualifie ces peuples de *Celtes en P*, parce que leurs diverses composantes ont opéré, comme les Grecs, la transformation du **Q** primitif indo-européen en son **P**, comme le montre le même exemple de « cinq » qui se dit *pemp* en gallois et breton, *pente* en grec.

Tels étaient les peuples, probablement de petites tribus indépendantes les unes des autres, qui, au cours du premier millénaire avant notre ère, envahirent l'Europe occidentale, y compris la plaine du Pô (Gaule cisalpine) et le nord-ouest de la péninsule ibérique, sans parler des expéditions qui, au cours du IIᵉ siècle, aboutirent dans les Balkans à la formation du royaume des Galates. Cependant, en Asie Mineure, ces migrations doivent être ramenées à leurs justes proportions. Ces fameux Celtes, quels qu'ils fussent, n'étaient pas nombreux : ils constituaient seulement une élite guerrière, technique et intellectuelle. Or, les pays dans lesquels ils se retrouvèrent étaient habités par des populations dont nous ignorons tout, mais qui ne furent certainement pas anéanties par les nouveaux maîtres. Bien au contraire : les Celtes avaient besoin de main-d'œuvre, voire d'esclaves. Ils s'efforcèrent donc de dominer les populations autochtones en les *celtisant*, c'est-à-dire en leur apprenant leur langue, leurs coutumes, leurs techniques et leur religion, ce druidisme qui était commun à l'ensemble des groupes dits celtiques. Et ils leur imposèrent leurs structures sociales indo-européennes, leur mode de vie, leur façon de penser. A partir de là, le temps fit son œuvre inéluctable d'assimilation, les autochtones se révélant bientôt de nouveaux Celtes et les premiers Celtes se retrouvant eux-mêmes modifiés par l'apport des civilisations indigènes. Ce processus d'interaction – fort banal – contribua à la formation de ce qu'on appelle aujourd'hui la civilisation celtique.

Toutefois, ces vagues successives de migrations et de brassages ne manquèrent pas de provoquer des déplacements internes de populations. Les premiers envahisseurs de langue celtique – appelons-les par commodité les Gaëls – se virent rejetés encore plus à l'ouest : ainsi s'explique la spécificité de l'Irlande, isolée aux limites extrêmes du monde ancien, et qui a conservé, plus que tout autre pays à dominante celtique, les traditions les plus archaïques et les plus révélatrices. « L'évidence de l'archéologie suggère que les Celtes arrivèrent en Irlande en venant de Grande-Bretagne : leur route peut être tracée à travers le Cumberland et le Wigtownshire pour aboutir au nord-est de l'Ulster. » [1] Telle est l'opinion du celtisant irlandais Myles Dillon, tandis que l'un de ses compatriotes, O'Rahilly, assignait aux Gaëls un itinéraire direct à partir de la Gaule. Au fond, les deux thèses ne sont pas contradictoires, car il put intervenir plusieurs migrations. C'est en tout cas ce que les Irlandais du

---

1. Myles Dillon, *Early Irish literature*, Dublin, 1994, p. XI.

Moyen Age prétendaient lorsqu'ils essayaient de reconstituer les âges les plus reculés de leur histoire. L'essentiel est de savoir que les deux groupes, gaélique et brittonique, coexistèrent longtemps avant de se figer séparément dans les moules de l'histoire moderne, et que tous deux avaient une souche commune.

Or, un arbre ne vit que si la sève qui le parcourt nourrit, sans distinction de branche, la moindre de ses feuilles. La grande aventure des Celtes ne s'est réalisée que parce qu'une même sève animait à l'origine l'être social qui en fut le point de départ. Cette sève, on peut l'identifier à ce qu'on appelle *la Tradition*, c'est-à-dire à ce qui doit être transmis de génération en génération afin que chacune d'entre elles conserve le sens d'une certaine identité et les moyens de l'exprimer à travers les péripéties de l'histoire.

En premier lieu, cette tradition consiste en un *corpus* d'informations héritées d'un passé toujours présenté comme remontant à l'aube de l'humanité, à ce qu'on appelle la nuit des temps. Et le problème de la tradition celtique se pose alors de façon incontournable : comment a-t-elle pu se transmettre, puisque sa première transcription ne date que des premiers siècles du christianisme, et dans le cadre même de la chrétienté ? On peut certes déplorer que cette absence d'écriture nous prive de témoignages essentiels pour la connaissance de la tradition celtique ancienne ; mais cette non-utilisation de l'écriture, loin d'attester une quelconque incapacité, résultait d'un choix délibéré des élites celtes, autrement dit des druides, à la fois prêtres, philosophes, historiens, poètes et mages. Jules César est parfaitement clair sur ce point : « Les druides, affirme-t-il, estiment que la religion ne leur permet pas de confier à l'écriture la matière de leur enseignement [...] parce qu'ils ne veulent pas que leur doctrine soit divulguée ni que, d'autre part, leurs élèves, se fiant à l'écriture, négligent leur mémoire » (*De bello gallico*, VI, 14).

Voilà d'ailleurs pourquoi les disciples des druides apprenaient, pendant une vingtaine d'années, des milliers de vers qui résumaient, de manière mnémotechnique, l'ensemble de la tradition celtique.

L'existence d'une telle tradition orale est largement attestée. Le Grec Strabon (IV, 4) dit que les poètes des Celtes sont « les bardes, c'est-à-dire les chantres sacrés ». Un autre Grec, Diodore de Sicile, fournit d'utiles précisions (V, 29 et 31) : « Avant de livrer bataille, ils chantent les prouesses de leurs ancêtres et vantent leurs propres vertus, tandis qu'ils insultent leurs adversaires [...]. Ils s'expriment par énigmes [...]. Ils emploient beaucoup l'hyperbole. » Le Latin Pomponius Méla remarque que « ces peuples ont une éloquence qui leur est propre » (III, 2) ; quant au poète Lucain, il apostrophe, dans *La Pharsale* (I, v. 50 *sqq*.), les poètes gaulois en ces termes : « Vous dont les chants de gloire rappellent au lointain avenir la mémoire des fortes âmes disparues dans les combats, bardes, vous épanchez sans crainte votre veine féconde ! » Enfin, s'il fallait une reconnaissance quasi officielle, il faudrait aller la chercher chez l'historien grec Polybe, pourtant très méfiant sur les faits qu'il rapporte. Après avoir brossé un tableau des peuples gaulois de la Cisalpine, il assure (II, 17) que « les auteurs d'histoires dramatiques racontent à leur sujet force légendes merveilleuses ».

Ce sont précisément les conflits qui opposèrent les Romains aux Gaulois de Cisalpine, vers l'an 387 avant notre ère, qui ont provoqué le plus de commentaires au sujet d'une tradition épique que les Celtes véhiculaient de génération en génération. Car, à y bien réfléchir, les événements rapportés par Tite-Live, historien latin, certes, mais originaire précisément de Gaule cisalpine, sont beaucoup plus proches de la légende que de l'histoire et semblent avoir été puisés directement dans un fonds traditionnel véhiculé par les Gaulois eux-mêmes et dont l'auteur avait une connaissance approfondie. « L'histoire des guerres gauloises, dit Henri Hubert, est quelque chose de bien singulier, d'assez fabuleux et de très épique. » [1] Et, à ce propos, Camille Jullian fait justement remarquer que « la défaite des Romains, dit nettement Tite-Live, fut due à l'effroi magique (*miraculum*) que leur inspira le cri de guerre des Celtes. Les récits de Tite-Live, d'Appien et de Plutarque, colorés, détaillés, précis, pleins d'esprit religieux, assez favorables aux Celtes [...], m'ont toujours paru inspirés en partie de quelque épopée gauloise » [2].

Car il s'agit bien d'épopée. La définition classique du terme, « récit poétique de faits héroïques », n'empêche pas d'ajouter que le genre concerne toujours des faits d'un lointain passé, pour la plupart incontrôlables mais qui font partie intégrante de la mémoire collective d'un peuple ou d'un ensemble social quel qu'il soit. L'épopée gauloise qu'a signalée Camille Jullian et conservée Tite-Live *en langue latine* n'est certes pas de l'histoire : c'est une des composantes de la tradition. Est-ce à dire pour autant que la tradition celtique, inscrite dans le cadre d'une civilisation qui refusait l'écriture, ne peut nous être connue que par l'intermédiaire d'autres civilisations ? On serait tenté de le croire, car l'épopée gauloise dont il est question ne nous est parvenue qu'à travers les écrits – prétendument historiques – que Grecs et Latins ont consacrés aux guerres entreprises par Rome contre les habitants de la Cisalpine et aux expéditions celtiques dans les Balkans [3]. De même en va-t-il pour l'épopée *bretonne* (c'est-à-dire

---

1. Henri Hubert, *Les Celtes*, Paris, 1932, II, p. 37.
2. Camille Jullian, *Histoire de la Gaule*, Paris, 1920, reprint 1993, I, p. 294.
3. J'ai étudié longuement les circonstances de ces épopées mi-historiques, mi-légendaires et leur diffusion dans deux chapitres, « Rome et l'épopée celtique », « Delphes et l'aventure celtique », de mon ouvrage de synthèse sur *Les Celtes et la civilisation celtique*, Paris, Payot, 1969, reprint 1992.

de la Bretagne insulaire) autour du fabuleux roi Arthur : les exploits supposés de celui-ci et de ses chevaliers, les péripéties de la quête du Graal, toutes matières que l'on considère actuellement comme d'essence celtique, ne nous sont, exception faite de quelques textes gallois, connus que dans des versions rédigées en langues non celtiques – français (dialecte anglo-normand), anglais ou allemand notamment. D'où une situation pour le moins paradoxale [1].

Il existe, certes, des versions de ces épopées rédigées ou transcrites en des langues celtiques, mais elles sont très tardives, ne remontant pas en deçà de ce qu'on appelle le haut Moyen Age. La première question qu'elles posent est leur authenticité, c'est-à-dire si elles rendent compte d'une réalité culturelle celtique incontestable. Le fait que leur mise par écrit ait été réalisée dans un cadre chrétien, avec toutes les incompréhensions ou toutes les censures que cela suppose, peut jeter un doute à cet égard, et, à tout le moins, légitimer quelque réserve.

Il serait d'ailleurs temps de faire justice une fois pour toutes de la notion d'*authenticité* qui s'attache à la tradition. Qu'est-ce qui est en effet authentique dans la Tradition sinon la tradition elle-même ? Par qui a donc été écrite la *Genèse* biblique ? Sûrement pas par les témoins des premiers âges de l'humanité. Par qui ont été écrits les Evangiles ? Sûrement pas par les évangélistes présumés : au demeurant, l'Eglise romaine, très prudente en l'espèce, utilise un terme latin qui dit bien ce qu'il veut dire, *secundum Johannem* (ou *Marcum*, ou *Lucam*, ou *Mattheum*). Le mot *secundum* n'a jamais signifié « par », et la traduc-

---

1. On pourra trouver des détails complémentaires sur ce sujet dans mes études sur *Le roi Arthur et la société celtique*, Paris, Payot, 1976, reprint 1994, et *Merlin l'Enchanteur*, Paris, Retz, 1981, reprint Albin Michel, 1992. Le problème est également abordé dans les huit volumes de ma réécriture des romans de la Table Ronde, *Le cycle du Graal*, Paris, Pygmalion, 1992-1995, et, beaucoup plus largement commenté, dans ma *Petite Encyclopédie du Graal*, Paris, Pygmalion, 1997.

tion française officielle, « selon », n'est qu'un pis-aller pour « d'après la tradition de ». Et, sans entrer dans de savantes exégèses, il est nécessaire de replacer les prétendus poèmes homériques dans leur contexte : Homère n'a jamais existé historiquement, il n'est que le prête-nom de nombreux *rhapsodes* (littéralement, « couseurs de chants ») qui tentaient d'insérer dans un plan d'ensemble d'innombrables légendes ou récits hérités d'une tradition orale venue de la nuit des temps. Il ne viendrait à personne aujourd'hui l'idée saugrenue de prétendre que *L'Iliade* et *L'Odyssée* sont des œuvres d'un seul auteur et d'ajouter que cet auteur, Homère en l'occurrence, fut le témoin des événements qu'il relate. Ces deux ouvrages ne sont que des récupérations très tardives de légendes orales concernant les dieux et les héros de la Grèce antique ; et c'est d'ailleurs en cela qu'ils sont passionnants, car ils constituent des témoignages irrécusables d'un passé qui, sans eux, eût été englouti dans les marécages de l'oubli.

Il faut cependant savoir que les récits homériques ne sont rien d'autre que l'expression d'une tradition archaïque en une langue déjà classique et à l'usage d'un public qui n'était plus celui qu'ils décrivaient. Il en est de même pour les épopées celtiques. Si elles ont été mises par écrit bien après les faits relatés (si tant est que ces faits fussent réels, ce qui est loin d'être prouvé), ou plutôt bien après qu'ils eurent été élaborés, cela ne veut absolument pas dire que la tradition qu'elles véhiculent ne soit pas authentique. De fait, en matière d'épopée, le problème de l'authenticité ne devrait jamais être posé, car il débouche nécessairement sur un non-sens : en ce domaine, rien n'est vrai, rien n'est faux ; tout est, sous une forme imagée, symbolique, codée, témoignage de la réalité profonde d'une civilisation.

« Si l'on considère les dates, c'est la saga irlandaise qui nous fournit le type le plus ancien de l'épopée celtique. » [1]

---

1. Georges Dottin, *Les Littératures celtiques*, Paris, 1923, p. 52.

Cette affirmation de Georges Dottin ne peut guère être récusée, puisque ce sont les manuscrits irlandais, écrits en langue gaélique, qui nous ont transmis le plus grand nombre de récits épiques dont l'étude interne prouve abondamment l'ancienneté, notamment par rapport à ceux qui sont collectés dans les manuscrits du pays de Galles. Et l'on sait, par cette même étude interne des textes, que c'est à partir du VIIe siècle de notre ère que les moines irlandais commencèrent leur patient travail de mise par écrit de la tradition orale gaélique qui était encore leur à l'époque.

Bien entendu, ces premiers manuscrits ont disparu, usés par le temps. C'est le cas de tous les manuscrits qui proviennent de l'Antiquité et du haut Moyen Age. Il ne faut pas croire que les manuscrits si précieusement conservés – et soignés ! – de nos jours dans les bibliothèques et les archives soient des originaux. Ils sont seulement les copies de manuscrits plus anciens dont on voulait par ce biais préserver le contenu, bien avant que l'imprimerie ne fît illusion sur la pérennité de l'écrit. Ni les livres, ni les parchemins, ni les vélins ne sont à l'abri de la dégradation. Quand les moines irlandais mettaient par écrit les grandes épopées du passé, ils savaient pertinemment que d'autres, plus tard, prendraient le relais et prolongeraient leur ouvrage. Il n'est donc pas étonnant que les manuscrits dont on dispose actuellement, et auxquels les techniques scientifiques modernes assurent une durée de vie supérieure, ne soient guère antérieurs au Xe siècle. Mais quelques risques, tant d'erreur et de simplification que d'adaptation, de transposition, que comportent de telles copies, leur contenu lui-même, et c'est le plus important, ne s'en trouve pas mis en cause.

Il existe trois manuscrits capitaux concernant l'épopée irlandaise – soit, par conséquent, la plus ancienne épopée celtique : ce sont le **Livre de la Vache Brune** (*Leabhar na hUidré*), ainsi nommé à cause de sa reliure, et qui, écrit avant 1106 dans le célèbre enclos monastique de

Clonmacnoise, est actuellement conservé à la Royal Irish Academy de Dublin ; le **Livre de Leinster** (*Leabhar Laigen*), antérieur à 1160, qui se trouve au Trinity College de Dublin ; enfin le manuscrit dit **Rawlinson B 502**, également du XIIᵉ siècle, à la Bodleian Library d'Oxford. Tous trois contiennent l'essentiel et le plus ancien de la tradition gaélique. Toutefois, l'Irlande a persisté à recourir aux manuscrits non seulement pendant le Moyen Age, mais au cours de ce qu'on appelle les Temps Modernes, et ce surtout pour diffuser les ouvrages en gaélique, lesquels étaient sinon interdits, du moins occultés par l'occupant anglais. Nombre d'autres précieux manuscrits permettent ainsi d'élargir notre champ de connaissance de l'épopée irlandaise. Mentionnons notamment le **Livre jaune de Lecan**, du XVᵉ siècle (Trinity College), le **Livre de Ballymote**, également du XVᵉ siècle (Royal Irish Academy), le **Livre de Lismore**, du même siècle, actuellement propriété privée, sans oublier le **Livre de Fermoy**, du XIVᵉ siècle, plus spécialisé dans les textes religieux chrétiens. Quantité d'autres, enfin, moins importants, recèlent parfois des perles rares. Ils sont en tout une centaine, pour la plupart conservés à la Royal Irish Academy. Si l'on compare cette abondance, face à la pauvreté des rares manuscrits gallois et à l'inexistence des manuscrits bretons avant le XVIᵉ siècle, on ne peut que s'émerveiller. Sans l'Irlande, nous ne connaîtrions rien de l'ancienne épopée des Celtes.

Que contiennent ces inestimables manuscrits ? La réponse est simple : « Des collections très variées de récits en prose et en vers, autant sacrés que profanes. On y trouve de la légende, de l'histoire et de l'hagiographie, de la poésie bardique et lyrique, des traités médicaux et juridiques, tout cela en vieux, moyen et moderne gaélique, sans souci de classification. » [1] Ce qui est remarquable,

---

1. G. Dottin, *Les Littératures celtiques.*

c'est le mélange, dans un même récit, de la prose et de la poésie. « Les parties en prose, dont l'étendue varie selon les manuscrits, semblent n'avoir été d'abord que de simples canevas sur lesquels l'improvisateur brodait à sa guise ; à mesure que les poèmes disparaissaient, elles prenaient leur place. » [1] Ces canevas renvoient d'évidence à l'époque où l'écriture était interdite par les druides : la tradition se transmettait oralement au moyen des vers que les apprentis étudiaient pendant vingt ans, quitte à étoffer leurs récits quand ils le jugeaient utile. D'ailleurs, la plupart du temps, les parties en vers des récits épiques sont marquées par un archaïsme très net qui les rend parfois incompréhensibles mais prouve leur antiquité. On en arrive à considérer tous ces récits comme des réactualisations de contes traditionnels issus du fond des âges. Le phénomène est très particulier à l'Irlande, car, au pays de Galles, très peu de parties en vers ont subsisté dans les récits en prose et, en Bretagne armoricaine, seules quelques complaintes dramatiques, les *gwerziou*, ont survécu aux turbulences de l'histoire et rappellent tant bien que mal les grandes épopées que devaient chanter les bardes d'autrefois.

Ces grandes épopées, on les découvre dans les manuscrits irlandais mais, la plupart du temps, à l'état de fragments, d'épisodes qui peuvent se suffire à eux-mêmes quoiqu'on n'en comprenne vraiment le sens qu'à condition de les rattacher à d'autres. Quelques épopées qui ont pour personnage central un héros bien connu se présentent sous une forme élaborée et complète : ainsi, la célèbre *Razzia des bœufs de Cualngé*, véritable monument littéraire qu'on a souvent comparé à *L'Iliade*, et qui est centrée autour du redoutable guerrier Cûchulainn. Celui-ci est d'ailleurs le héros de bien d'autres histoires épisodiques,

---

1. G. Dottin, *Les Littératures celtiques*.

et il en va de même pour la plupart des acteurs, qu'ils soient des « dieux », des « démons », des humains ou des êtres féeriques : tout se passe comme si les personnages des épopées étaient avant tout des symboles préexistant à tout récit organisé et dont on s'efforçait d'éclairer la signification profonde en leur prêtant des aventures prétendument historiques. Cette tendance, qui semble fondamentale chez tous les Celtes, contredit formellement la thèse d'Evhémère selon laquelle les dieux ne sont que des humains divinisés. En effet, surtout dans les récits qu'on peut classer comme mythologiques, les dieux apparaissent nettement incarnés dans l'histoire, dût cette histoire ne reposer sur aucun fait réel. Ici, apparaît une autre caractéristique des Celtes : quand ils ignorent l'histoire de leur passé ou l'ont oubliée, ils l'inventent. On peut même aller plus loin : quand ils ne sont pas satisfaits de leur histoire vécue, ils la nient et en fabriquent une autre, beaucoup plus conforme à leur mentalité. Chez les Celtes, la prééminence du mythe par rapport à la réalité quotidienne est d'une évidence absolue.

Mais tout cela ne se prête guère à une classification de type habituel. Les épopées irlandaises se présentent dans un désordre qui peut s'apparenter à du flou artistique. Les personnages mythologiques reparaissent constamment dans les récits d'essence historique, et les détails réalistes envahissent les contes qui font la part belle au surnaturel : c'est que, dans la mentalité celtique, irlandaise ou autre, il n'existe aucune frontière entre le monde visible et le monde invisible. Le surnaturel, comme son nom l'indique, n'est que le naturel survolé d'un peu plus haut pour en révéler les réalités cachées. Dans ce cas, le réel, qui sert de base à tout récit événementiel, apparaît comme transcendé, comme un authentique *surréel*, un monde de la pensée intérieure, à l'image de cet univers du *sidh*, c'est-à-dire de l'Autre Monde, qui, selon la croyance irlandaise, se trouve à l'intérieur des grands tertres mégalithiques où demeurent dieux et héros : d'ailleurs, ces tertres sont ouverts à chaque fête de *Samain* (nuit de la Toussaint), et cela permet l'intercommunicabilité des deux mondes. Quoi de plus naturel ? Il n'y a pas de merveilleux dans l'épopée celtique, il y a seulement du fantastique. En fait, c'est le réel qui, à force de subir des métamorphoses, devient fantastique.

Comportements étranges, décors surréalistes, désordre du fond comme de la forme : telles sont les caractéristiques de l'épopée primitive des Celtes, en particulier de celle que les Gaëls d'Irlande ont cru bon de transmettre à la postérité. Ce désordre a de quoi surprendre qui vit encore à l'ombre – et à l'abri – d'un rassurant aristotélisme bâti sur la logique du vrai et du faux. Mais les Celtes n'ont jamais connu Aristote ou jamais voulu suivre ses appels à la raison commune : ils ont préféré en rester à la dialectique pré-socratique, antérieure au miracle grec, et prétendre, comme le faisait Héraclite, que « les chemins qui montent sont aussi ceux qui descendent ». Ce n'est même pas du paradoxe, c'est de la logique pure qui démontre que tout jugement humain dépend de son système de référence, autrement dit de la polarité de l'action : tout dépend de ce qu'on entend par « haut » et par « bas ». D'ailleurs, les Latins, pourtant réputés *logiques*, utilisaient le même terme, *altus*, pour qualifier la hauteur et la profondeur, on l'a sans doute bien oublié. Quant au désordre surprenant de l'épopée celtique, il n'est qu'apparence trompeuse : les poètes et conteurs irlandais savaient très bien à quoi s'en tenir là-dessus, car certains d'entre eux ont restitué le plan d'ensemble de ces contes mythologiques épars ou fragmentaires, procédant en cela comme un Chrétien de Troyes et les auteurs français du Moyen Age qui, à travers des contes arthuriens apparemment dépourvus de continuité, écrivirent et prolongèrent la grande épopée du Graal et de la Table Ronde. Les épopées irlandaises forment en effet un cycle parfaitement cohérent qui, s'il n'est pas toujours facile à discerner, apparaît à l'analyse comme un schéma d'une rigueur implacable.

C'est ainsi que fut rédigé avant l'an 1168 le célèbre **Livre des Conquêtes** (*Leabhar Gabala*), qui est une sorte de compilation de contes mythologiques liés aux peuplements successifs de l'Irlande, depuis les origines jusqu'au début du christianisme. On sait maintenant qu'il résulte d'une mise en prose d'un cycle de poèmes prétendument historiques attribués à un certain Gilla Caemain, qui mourut en 1072, et dont l'œuvre est aujourd'hui perdue. Mais, tel qu'il est, et bien représentatif du milieu intellectuel du XIIe siècle, hanté par le souci de prouver une identité gaélique face à l'invasion anglo-normande, cet ouvrage est infiniment précieux, car il permet de mieux comprendre l'enchaînement des divers récits qui ont pour but de *refaire* l'histoire de l'Irlande pour mieux en marquer la spécificité et la valeur. C'est ainsi qu'apparaissent de nombreuses références bibliques, le souci des Irlandais étant de se raccrocher à une filiation honorable et quasi divine, comme l'avaient fait les Romains avec la fable d'Enée, fils de Vénus, et comme le faisaient à la même époque les Bretons insulaires, par la plume de Geoffroy de Monmouth, en affirmant que leur ancêtre éponyme Brutus était un descendant d'Enée, donc d'essence troyenne et divine. C'est évidemment prendre ses désirs pour des réalités. Mais c'était également concilier la tradition druidique païenne avec la tradition judéo-chrétienne en passant par l'Egypte et la Grèce. Et il en sera de même quelques siècles plus tard avec l'*Histoire d'Irlande* de Geoffroy Keating qui, écrite aux alentours de 1640 et reprise dans de nombreux manuscrits, fut imprimée seulement en 1723 avec une traduction anglaise. Ni dans le *Livre des Conquêtes*, ni dans l'*Histoire d'Irlande*, il ne faut chercher autre chose que des témoignages de l'ancienne épopée celtique, laquelle défie le temps et l'espace.

Néanmoins, si toute réalité historique est absente de ces récits, il n'en reste pas moins vrai qu'ils contiennent de nombreux éléments philosophiques et métaphysiques, et des réflexions sociologiques que ne renieraient pas les anthropologues modernes. Ainsi, la liste, et les caractéristiques des divers peuples qui ont occupé l'Ile Verte – c'est-à-dire l'Irlande – depuis le déluge est tout à fait éclairante. Les premiers occupants, la tribu de Partholon, sont des êtres qu'on peut classer comme végétatifs, uniquement préoccupés de survivre, de s'abriter et de procréer : c'est une image symbolique qui correspond au stade le plus primaire de la civilisation. Les deuxièmes occupants sont les membres de la tribu de Nemed : or, le mot *nemed* signifie « sacré », ce qui indique nettement l'apparition d'une réflexion métaphysique ou religieuse dans une société jusqu'alors repliée sur ses uniques besoins matériels. Les troisièmes occupants sont les Fir Bolg : là aussi, le nom est significatif, car *fir* veut dire « hommes » (voir le latin *vir*) et *bolg* provient d'une racine indo-européenne qui a également donné le latin *fulgur*, « foudre » [1]. Il est évident que les Fir Bolg sont avant tout des forgerons, maîtres du feu et inventeurs de techniques artisanales nouvelles, destinées tant à la guerre qu'aux travaux agricoles.

Les quatrièmes envahisseurs de l'Irlande sont les fameux *Tuatha Dé Danann*, soit les « Tribus de la déesse Dana », déesse-mère dont il faut rapprocher le nom des nombreux termes voisins du Proche-Orient, en particulier Tanaït, ou encore Anaïta, ainsi que de fleuves comme le Don et le Danube (*Tanaïs*). La tradition prétend qu'ils venaient « des îles du nord du monde » et qu'ils étaient

---

1. On a proposé pour ce nom des significations quelque peu délirantes, en particulier « hommes-sacs », ce qui ne veut strictement rien dire. Il en a été de même pour le peuple des Belges, eux aussi considérés comme des « hommes-sacs ».

les introducteurs en Irlande de la science, de la magie et du druidisme. Ils représentent donc une société fortement hiérarchisée à la mode indo-européenne, sur des principes plus ou moins théocratiques, et dotée d'une organisation sacerdotale prépondérante. D'ailleurs, les héros des *Tuatha Dé Danann* ne sont autres que les anciennes divinités du druidisme celtique triomphant.

Les cinquièmes conquérants de l'Ile Verte sont appelés, dans les récits, « les Fils de Milé », ou encore les « Milésiens », et on les fait venir d'Orient par l'Espagne. Ils correspondent exactement aux Gaëls et représentent la société irlandaise traditionnelle, telle que l'ont découverte les premiers missionnaires chrétiens, et telle qu'elle existait encore à l'arrivée des Anglo-Normands d'Henry II Plantagenêt, malgré une christianisation qui avait eu soin de remplacer les druides par des prêtres, des abbés et des évêques auprès des chefs de clans ou de tribus. Cette invasion des Milésiens correspond à la naissance d'une société fondée sur l'équilibre des deux forces composantes, politique (les Gaëls) et religieuse (les druides, donc les *Tuatha Dé Danann*). Car, après la victoire des Fils de Milé sur les *Tuatha*, ceux-ci ne sont pas éliminés : selon un accord solennel, les *Tuatha* ont la possession des tertres et des îles merveilleuses qui entourent – mythiquement – l'Irlande, tandis que les Gaëls occupent la surface de l'île. On ne peut mieux symboliser l'harmonie entre le monde visible et le monde invisible, harmonie qui s'exprime dans la structure de la société celtique par l'incontournable collaboration entre le druide et le roi, collaboration sans laquelle aucun groupe ne peut exister.

D'ailleurs, la société décrite dans l'épopée est composite : les *Tuatha* ont beau être des êtres féeriques ou divins, ils se mêlent aux humains et interviennent dans leurs affaires. De plus, les éléments originaires de la tribu de Nemed et de celle des Fir Bolg sont toujours présents. Et tout ce monde est constamment confronté à un mystérieux peuple, celui des *Fomoré*, êtres gigantesques qui, habitant les îles lointaines, ont de nombreux points communs avec les Cyclopes de la tradition hellénique et les Géants de la mythologie germano-scandinave. Comme eux, ils sont fauteurs de troubles et s'attaquent à chaque vague de conquérants de l'Ile Verte. Ils symbolisent évidemment les forces obscures de l'inconscient, les puissances de destruction et de désordre qu'il faut sans cesse combattre pour assurer non seulement l'équilibre, mais la survie, de toute société dite civilisée.

De fait, la confrontation est permanente. Rien n'est jamais définitif, et la remise en question générale s'opère au rythme des saisons et des jours. Pendant de longues périodes de latence, la tension s'accumule, s'accroît, s'exacerbe et finit par éclater : ce sont alors des guerres, des expéditions aventureuses, des dénouements inattendus. Or, ces crises ne sont pas distribuées au hasard dans le récit épique : à l'analyse, on s'aperçoit qu'elles coïncident toujours avec une date essentielle du calendrier celtique, preuve qu'il s'agit d'événements en quelque sorte rituels commémorés selon un plan bien déterminé et hautement significatif. Les invasions, par exemple, sont toujours datées des environs du 1er mai, les guerres au cours desquelles succombe un roi des environs du 1er novembre. L'ensemble obéit à un schéma directeur que les multiples auteurs de récits épiques connaissaient parfaitement, ce qui suppose que le corpus de l'épopée celtique d'Irlande exprimait pour sa part la tradition la plus ancienne et la plus spécifique des peuples celtes originels à toutes les migrations et à toutes les vicissitudes auxquelles elle avait donc survécu [1].

---

1. Selon toute vraisemblance, l'épopée irlandaise, qui a gardé une grande partie de ses archaïsmes, témoigne plus que toute autre tradition européenne de l'existence d'une épopée primitive indo-européenne, ou indo-iranienne, car la comparaison qu'on peut en faire avec

On sait en effet que le calendrier des Celtes était ordonné autour d'un axe fondamental allant de la fête de *Samain* (1er novembre) à celle de *Beltaine* (1er mai) [1], c'est-à-dire en fonction des entrée et sortie de l'hiver. La datation des invasions à la fin de l'hiver et au début de la saison estivale correspond donc bien à une réalité symbolique : il s'agit à chaque fois d'un renouveau, d'une nouvelle naissance, d'un nouveau cycle. Quant à la mort d'un roi au début de l'hiver, il n'est que la constatation d'un certain endormissement, d'une mise en sommeil des fonctions royale, guerrière et pastorale, celle-ci étant particulièrement importante dans le cas de l'Irlande, puisque l'Ile Verte a toujours été et demeure le pays par excellence de l'élevage, et que la structure sociale des Gaëls est très nettement inspirée par les nécessités de subvenir à l'entretien, à la sauvegarde et à l'accroissement du cheptel, seule richesse véritable de ces peuples encore très marqués par le nomadisme et dont les frontières ne vont jamais au-delà de la portée du regard du roi, autrement dit dont la prospérité dépend de la capacité du roi à assurer l'entretien des troupeaux. C'est une donnée très importante à

les récits des Ossètes, peuples du nord du Caucase qui descendent des Scythes et des Sarmates, est particulièrement éclairante : on retrouve dans les deux traditions, pourtant bien éloignées par le temps et l'espace, les mêmes épisodes et les mêmes personnages, sous d'autres noms évidemment. On peut lire à ce sujet, dispersés dans des revues, maints articles de Joël Grisward, et surtout deux ouvrages de Georges Dumézil, *Romans de Scythie et d'alentour*, Paris, Payot, 1978, et *Le Livre des héros*, Paris, Gallimard, 1965-1989, ce dernier ouvrage comportant des traductions complètes de récits ossètes qui présentent d'étonnantes similitudes avec les récits irlandais. Il est donc tout à fait normal de prétendre à l'existence de cette épopée primitive, ce qui justifie toute recherche d'un schéma narratif originel.

1. Étant donné que l'année celtique comportait douze mois lunaires, plus un mois intercalaire pour rattraper le cycle solaire, et que chaque mois commençait à la pleine lune, les fêtes de *Samain* et de *Beltaine* ne tombaient pas à des dates fixes : il serait plus juste de dire « à la pleine lune la plus proche du 1er novembre ou du 1er mai ».

considérer si l'on veut comprendre, à travers son expression irlandaise, le sens profond de l'épopée celtique.

Il y a donc dans cet amas de récits apparemment indépendants une cohérence qui sous-tend un ensemble de situations régies selon les coutumes et les croyances des anciens Celtes. Une comparaison s'impose dès lors, même si elle semble paradoxale : les divers récits recueillis dans les manuscrits irlandais forment une véritable *saga* (bien que ce terme soit réservé aux ensembles scandinaves), analogue à celle qu'Honoré de Balzac a tentée en écrivant les multiples épisodes autonomes de *La Comédie humaine*. Tout y est, en effet : des tranches de vie quotidienne, des luttes perpétuelles d'influence, des vocations des requins aux dents longues, des sacrifices d'innocents, des histoires d'amour à faire pleurer, des meurtres, des malhonnêtetés, des prouesses héroïques, des délires poétiques ou prophétiques, et mille autres choses encore qui sont communes à l'ancienne épopée celtique comme au génie romanesque d'un écrivain romantique bien souvent inspiré par les voix de l'invisible.

Il ne s'agit pas là d'une provocation : la *saga* romanesque de Balzac est inconsciemment nourrie de mythes qui s'expriment à travers la société telle qu'elle existait dans la première moitié du XIXe siècle. Les personnages qui hantent *La Comédie humaine,* qui apparaissent d'ailleurs çà et là, apparemment en désordre, dans divers récits épisodiques, sont à l'analyse absolument indispensables au plan d'ensemble qu'a rêvé l'auteur. Ils sont tous des *archétypes*, et l'on pourrait facilement les identifier à tel ou tel héros, non seulement de l'épopée celtique d'Irlande, mais de l'épopée humaine en général. Pour le cas présent, le naïf mais redoutable Rastignac a son correspondant irlandais dans Lug au Long Bras et dans son prolongement humanisé Cûchulainn ; le timide Rubempré se retrouve dans le touchant personnage de Dermot *(Diarmaid)*, et la pauvre Esther Gobseck dans celui de la Déirdré tant vantée par John Millington Synge, image parfaite de l'Irlande prostituée et martyre. Quant à Vautrin, être protéiforme s'il en fut, c'est le Thersite grec, le Löki germano-scandinave et le Bricriu irlandais, autrement dit l'une des images fondatrices du Diable médiéval, le symbole même du Tentateur qui, pour mieux semer la discorde, se dissimule sous les traits bienveillants du dieu Ogma à la parole dorée ou encore sous ceux d'un étrange Cûroi mac Daeré qui change de forme et d'aspect chaque fois qu'il veut tromper un rival. Honoré de Balzac ne connaissait strictement rien du légendaire irlandais, mais le génie d'un artiste de n'importe quelle époque est de retrouver à travers sa création propre les grands mythes fondateurs de l'humanité, ces mythes impérissables qui constituent la structure de la pensée humaine et qui se manifestent au moyen d'images et de symboles véhiculés depuis la nuit des temps. Et son exemple n'est pas le seul que l'on puisse citer.

Cela dit, de cette somme d'épisodes précieusement recueillis par les transcripteurs irlandais, des personnages surgissent, avec leurs caractéristiques essentielles, avec leur valeur symbolique, avec leur place dans la société et dans la structure mentale des Celtes. Et le moins qu'on puisse dire, c'est qu'ils sont « hauts en couleur », toujours inoubliables, tant leur puissance d'évocation agit sur l'imaginaire. Il serait tentant de les qualifier de « divins » si l'épithète avait une véritable signification dans l'esprit des conteurs : tout laisse à penser en effet que les druides professaient l'existence d'un dieu unique, incommunicable et innommable, auquel on donnait parfois des apparences humaines pour le rendre intelligible. En fait, les personnages « divins » qui rôdent dans l'épopée celtique ne sont que des *fonctions divines* matérialisées, concrétisées, incarnées par des êtres qui, en dépit de caractéristiques parfaitement humaines, sont doués de pouvoirs surnaturels ou magiques : ce sont des hommes et des

31

femmes qui, par nature ou par une patiente initiation, ont atteint un très haut degré de sagesse et de puissance et se sont assimilés à telles fonctions divines dont ils sont les agents et les régisseurs.

C'est dire qu'ils diffèrent profondément des « acteurs » de l'épopée grecque, dieux ou demi-dieux, qui, classés une fois pour toutes comme immortels, se superposent à l'action humaine, en la surveillant, voire la contrariant, chaque fois que celle-ci passe les bornes imposées par le Destin. Les dieux grecs sont des policiers et des censeurs chargés de maintenir l'ordre dans une société idéale où chacun est à une place définitive. Les prétendus dieux celtes sont des entraîneurs qui montrent à l'ensemble des humains comment transformer un monde encore à peine surgi du chaos et le mener à un état de perfection. Cette attitude métaphysique imprègne les moindres détails de l'épopée et fait d'elle une œuvre d'espoir et de sérénité où chacun peut découvrir sa part d'infini.

Car, à quelques péripéties qu'ils soient mêlés, les héros sont perpétuellement aux frontières du réel pour s'engager dans un *ailleurs* et, quelques détails réalistes qui se glissent de-ci de-là, l'atmosphère est essentiellement sacrée. Selon toute vraisemblance, ces récits, indépendamment de la forme sous laquelle ils nous sont parvenus, sont l'expression narrative, romanesque en quelque sorte, d'anciens rituels religieux, d'antiques drames liturgiques aujourd'hui perdus et dans lesquels chaque personnage était un prêtre, un druide et donc un dieu, ou tout au moins aspirait à le devenir : les actes sont parfois des prières plus efficaces que les mots, surtout lorsque ceux-ci sont prononcés sans qu'on en comprenne vraiment le sens. Le dépassement est alors la règle absolue car, dans l'optique celtique telle qu'elle apparaît dans les textes, Dieu n'est pas : il *devient*. Et tous les êtres participent à son devenir.

Ces êtres comporteront donc de multiples facettes. Ils ne seront ni bons ni mauvais, ils *seront*. Peu importent leurs noms, qui sont interchangeables ; peu importent leurs apparentes turpitudes, qui sont celles de la matière brute qui les constitue : ils seront des héros qui auront chacun sa place dans la subtile et complexe liturgie qui se déroule dans le monde depuis l'apparition du premier être vivant. Le jeu commence.

Et voici les personnages sur le devant de la scène, ou plutôt sur les premières marches du sanctuaire. Dans la tragédie antique, c'est le chœur qui, introduisant les héros, ouvrait le rituel. Ici, un témoin vient raconter ce qu'il a vu, car tout récit épique doit être justifié par une tradition authentique ou considérée comme telle. En l'occurrence, ce témoin est un homme étrange, Tuân mac Cairill, qu'on dit avoir vécu de multiples vies depuis l'époque du déluge, et ce sous des aspects multiples. Dans des récits analogues, le supplante un certain Fintan, fils de Bochra et descendant de Noé. Peu importe : il fallait un témoin digne de foi, on en a trouvé un. De plus, comme ces histoires sont rédigées à l'époque chrétienne, la caution de la nouvelle religion s'imposait : cette caution s'incarne dans le saint moine Finnen à qui Tuân va raconter ce qu'il sait, ou, dans une autre version, au célèbre saint Colum-Cill (Colomba). D'ailleurs, plus tard, lorsqu'il s'agira de transcrire la grande épopée des *Fiana* autour de Finn et d'Oisin (Ossian), c'est saint Patrick lui-même, le grand évangélisateur de l'Irlande, qui évoquera l'ombre du héros Cailté, l'un des compagnons de Finn, pour lui faire raconter les aventures dont il a été à la fois le témoin et l'acteur. Seulement, Cailté a une dimension humaine normale et n'a vécu qu'une seule vie. Tuân mac Cairill a un aspect plus magique, aux limites du surnaturel : il fait penser au barde gallois Taliesin qui, au cours de sa seconde naissance, a acquis la connaissance suprême et, bien entendu, à Merlin l'Enchanteur de la légende arthurienne, fils d'un diable, maître de la magie et de la prophétie et qui, selon les textes eux-mêmes, confie à l'ermite Blaise le soin de coucher par écrit les aventures du Saint-Graal à l'usage de la postérité.

Ce procédé permet de remonter le temps et de tirer de l'ombre les grandes figures qui vont accomplir le rituel, à commencer par les ancêtres mythiques, tel Partholon qui, le premier, occupa, après le déluge, une Irlande complètement vide, tel Nemed qui, le premier, sacralisa la terre de l'Ile Verte, tels ensuite les envahisseurs successifs, jusqu'aux fameux *Tuatha Dé Danann*, qui sont véritablement les héros civilisateurs et les piliers de la société celtique théorique. Ils sont en effet organisés et hiérarchisés, selon le modèle socioculturel indo-européen ; ils sont la charpente même de tout ce qui a été édifié en Irlande et que veulent maintenir, malgré l'occupation anglo-normande, les vieux Gaëls, dépositaires de toute une tradition de sagesse et de conception du monde.

Ainsi émerge la figure hiératique de Nuada, roi des tribus de la déesse Dana, équilibrateur de cette société idéale, et qu'on pourrait en un certain sens comparer au Zeus grec et au Jupiter romain. Mais il évoque également le Tyrr germano-scandinave (et le personnage pseudo-historique latin Mucius Scaevola), parce qu'il perd un de ses bras au cours d'une bataille. Dans la tradition germano-scandinave (comme dans la tradition latine), la « mutilation » résulte d'un faux serment prononcé sciemment pour protéger le monde divin. Dans la tradition celtique, rien de tel : il s'agit d'une blessure héroïque. Le problème, en l'occurrence, est que l'intégrité physique du roi va de pair avec son intégrité morale : un roi malade ou mutilé ne peut plus régner, car son royaume serait lui-même malade ou mutilé, en vertu du principe que l'un et l'autre ne font qu'un. Toutefois, comme les frontières du réel sont imprécises chez les Celtes, il y a toujours moyen de redresser une situation catastrophique : il suffira d'un bras d'argent pour que Nuada recouvre la plénitude de ses fonctions royales. Ainsi pourra-t-il *nominalement* conduire les tribus de la déesse Dana à la victoire contre les forces obscures – et *obscurantistes* – représentées par les Fomoré, ces démons de l'ombre à l'œil unique mais maléfique dont le géant Balor, le foudroyant, est le chef et le maître d'œuvre.

Cependant, la société que représentent les *Tuatha Dé Danann* est à l'image de la société humaine : elle regroupe, de façon d'ailleurs élitiste et aristocratique, un certain nombre d'individus qui sont autant d'archétypes qu'existent de fonctions sociales, soit en quelque sorte des spécialistes d'un *art* (ce mot signifiant également *technique*). Le roi Nuada n'est que le pivot d'un mécanisme complexe qui ne peut fonctionner si chaque rouage n'est à sa place. Un roi sans guerriers, sans artisans, sans « savants », sans prêtres, sans magiciens et sans poètes, n'est que pur néant. Que ferait le fabuleux roi Arthur sans ses chevaliers et sans son devin ? Il en va de même pour Nuada. Autour de lui tournoient des personnages tel Ogma, le maître de la parole, cet Ogmios que le philosophe grec sceptique Lucien de Samosate décrivait avec des chaînes qui, partant de sa langue, aboutissaient aux oreilles des humains, tels le bronzier Credné, le forgeron Goibniu, le médecin Diancecht et bien d'autres *artistes* qui participent à une sorte de conférence où chacun a voix au chapitre. D'entre eux émerge la grande figure de Dagda, dont le nom signifie littéralement « dieu bon », mais qui a comme surnom *Ollathair*, c'est-à-dire « père de tous ».

Ce surnom est exactement l'épithète d'Odhin-Wotan, *Alfadir*, mais Dagda ne partage guère, semble-t-il, avec le dieu germano-scandinave qu'une ambiguïté fondamentale. De même qu'Odhin-Wotan est le dieu des contrats et ne cesse de les bafouer, Dagda, en tant que « dieu bon », possède une massue des plus étranges dont l'une des extrémités tue, tandis que l'autre ressuscite. Ne serait-il pas l'équivalent du dieu gaulois Sucellos, toujours armé d'un marteau et dont le nom signifie « frappeur » ? A moins qu'il ne s'agisse de Teutatès, ou Toutatis, le « père du peuple » ? De toute façon, au fur et à mesure du processus de « folklorisation » accompli au cours des siècles, il est devenu le Gargantua de la tradition française, si bien repris et mis en valeur par Rabelais. C'est en effet un géant, doué d'une puissance sexuelle hors du commun et d'un appétit incroyable. D'ailleurs, il possède un chaudron merveilleux, l'un des prototypes du Graal, dans lequel bout une nourriture inépuisable. Mais il est aussi un artiste au sens actuel du mot, car il peut jouer sur sa harpe l'air de la plainte qui fait pleurer et même mourir, l'air de la joie qui fait rire, l'air du sommeil qui fait dormir quiconque entend cette musique venue d'ailleurs.

Et, comme il est « le père de tous », Dagda a de nombreux enfants, avec lesquels il entretient des rapports on ne peut plus ambigus. De sa sœur – ou fille – Boann, éponyme du fleuve Boyne, il a, à la suite de manœuvres parfaitement dilatoires, un fils qui portera le nom d'Oengus (Angus) et le surnom de *Mac Oc*, c'est-à-dire de « jeune fils ». Oengus est l'un des personnages les plus célèbres de la tradition gaélique, l'un des plus répandus dans la mémoire populaire, même à notre époque. Roi féerique, il est le maître du plus célèbre cairn mégalithique du monde, celui de Newgrange (en gaélique, *Sidh-na-Brug* ou *Brug-na-Boyne*), autour duquel s'articulent les grandes légendes de la tradition épique irlandaise. Et s'il est d'essence divine, il ne répugne pas à venir se mêler aux humains, à participer à leurs jeux, à leurs débats, à leurs querelles. Certains contes populaires le décrivent toujours présent quelque part, dans un bosquet, et prêt à intervenir chaque fois que l'ordre du monde est bouleversé. Ce « jeune fils » est en somme une sorte de conscience universelle, toujours latente dans l'esprit humain mais capable de se réveiller pour accomplir les plus grands miracles ou infliger les pires châtiments.

Tous ces membres fantastiques des tribus de la déesse Dana forment une sorte de société idéale fortement marquée par les structures celtiques. Chacun d'eux est « roi » dans son domaine, « règne » sur un palais merveilleux, en fait un tertre mégalithique ; mais il existe entre tous des liens qui peuvent être aussi bien d'allégeance pure et simple que familiaux ou seulement contractuels. Après la bataille de Tailtiu et le partage de l'Irlande avec les Milésiens, c'est Dagda qui, dans la hiérarchie, occupe le premier rang, telle une sorte de roi suprême nanti d'une autorité morale incontestable et des pouvoirs de justice. Mais cette prééminence se retrouve dans le personnage de Mananann, fils de Lîr, éponyme de l'île de Man : lui, règne sur la mystérieuse « Terre de la promesse », qu'on appelle également *Tir-na-nOg* ou encore le « Pays de l'Eternelle Jeunesse », autrement dit une espèce de paradis situé quelque part dans des îles lointaines, à l'ouest bien sûr, îles étranges qui abritent des vergers merveilleux et de grands espaces connus sous le nom de *Mag Mell* ou « Plaine des Fées ». Il arrive cependant que ces domaines soient situés sous un lac, voire sous la mer : l'Autre Monde, chez les Celtes, est toujours à proximité immédiate du monde des vivants, et ceux-ci peuvent souvent y pénétrer. Quant aux « bonnes gens », terme populaire qui désigne les êtres féeriques, ils parcourent le monde humain sans problème : ils ont le don d'invisibilité et peuvent apparaître sous un aspect humain quand ils le désirent, à moins qu'ils ne se montrent sous forme d'oiseaux, cas le plus fréquent lorsqu'il s'agit de femmes.

Parmi tous ces personnages, Dagda, Mider, Oengus, Mananann et bien d'autres encore, il en est un qui semble autrement marginal et qui échappe à toute hiérarchie, c'est Lug auquel sont accolées deux épithètes, *Lamfada*, c'est-à-dire « au long bras », et *Samildanach*, « multiple artisan ». Avec lui se dessine la figure de la divinité celtique la plus répandue, non seulement en Irlande mais sur tout le continent européen, et il a laissé son nom dans bien des villes, telles Lyon, Laon, Loudun, Leyde et Leipzig, qui dérivent de l'ancienne appellation *lugudunum*, « forteresse de Lug ». C'est de lui que Jules César, dans ses *Commentaires*, fait un Mercure gaulois, précisant qu'il est le dieu le plus honoré de toute la Gaule. Son origine est double : il fait partie des *Tuatha Dé Danann* par son père, mais des *Fomoré* par sa mère, grâce à quoi, lors de la seconde bataille de Mag-Tured (Moytura), il est le seul, susceptible d'affronter victorieusement son grand-père, Balor à l'œil pernicieux, et de le tuer. Dans cette bataille, d'ailleurs, il sera, sans occuper aucun poste hiérarchique, l'organisateur par excellence, l'artisan de la victoire finale. C'est qu'il est un *dieu hors fonction*, rassemblant en lui toutes les fonctions réparties entre les autres dieux : il est réellement le « Multiple artisan », comme le sera bien plus tard, dans la légende arthurienne, Lancelot du Lac, son image, en fait, héroïsée et devenue romanesque [1].

L'épopée celtique est également parcourue par des personnages féminins qui n'ont rien à envier aux hommes. D'après la tradition, c'est une femme primordiale du nom de Cessair qui habitait l'Irlande avant le déluge ; et l'Irlande elle-même est devenue une entité divine ou féerique, Banba, que certaines versions de la légende prétendent avoir survécu à ce déluge, assurant ainsi la pérennité de cette terre située aux confins du réel. C'est encore une femme, la fille du dieu-médecin Diancecht, qui, par sa science et sa magie, rend la royauté à Nuada déchu en lui fabriquant un bras d'argent aussi efficace et vivant que son bras de chair, et en le lui « greffant » par une extraor-

---

1. Sur ce sujet, voir J. Markale, *Lancelot et la Chevalerie arthurienne*, Paris, Imago, 1985.

dinaire « opération » chirurgicale. Il est vrai que les
femmes sont, dans l'optique celtique, les détentrices de
pouvoirs que les hommes ignorent. La femme est toujours l'image symbolique de la Souveraineté, parce
qu'elle incarne l'ensemble de la communauté dont le roi
– accessoirement le mari – est le pivot théorique, un peu
comme dans le jeu d'échecs, où la mobilité est le propre
de la reine, mais où le roi est la pièce essentielle sans
laquelle toute partie est perdue. Aussi, les récits épiques
voient-ils se succéder des femmes magiciennes, pour ne
pas dire sorcières, comme cette Fumnach, première épouse
de Mider, ennemie jurée de la belle Etaine, et plus tard,
des femmes-guerrières initiatrices des jeunes gens ou de
redoutables prêtresses expertes à manipuler les sortilèges.
Mais ces femmes sont toujours des êtres à part entière.
Toutes conscientes qu'elles soient de leur puissance,
elles n'oublient pas qu'elles peuvent aimer à en mourir,
indépendamment des circonstances qui ont présidé à leur
passion dévorante et absolue, indépendamment de l'issue
fatale à laquelle les voue la force des choses, c'est-à-dire
la force d'un Destin inconnu mais immanent. Il ne faut
pas négliger que l'origine de la tragique histoire d'amour
de Tristan et Yseult, si célèbre dans le monde occidental
et considérée comme le symbole même de l'amour
humain, est inscrite en toutes lettres dans l'épopée celtique d'Irlande.

Néanmoins, le propre de ces héroïnes féminines épiques est de présenter de multiples aspects, de multiples
visages, généralement trois, eu égard au nombre symbolique sacré chez tous les Celtes et qui se manifeste autant
par la *triade* que par le *triskell*, la triple spirale qui, tournant autour d'un point central, symbolise par excellence
l'univers en expansion. Les héroïnes apparaissent donc
sous différentes formes, sous différents noms, à différentes époques, en incarnations successives. Voici d'abord
la *triple* Brigit, qu'on dit fille de Dagda (à moins qu'elle

ne soit sa sœur), et qui n'est autre que la Minerve gauloise dont parle César, déesse des techniques, des sciences et des arts que les Chrétiens ont récupérée sous le vocable de « sainte » Brigitte en lui attribuant la fondation du célèbre monastère de Kildare, ancien haut lieu du culte druidique. Or cette Brigit est aussi, sous le nom de Boann, la mère d'Oengus, le Mac Oc qu'elle a conçu et mis au monde pendant l'espace temporel de la nuit de *Samain*, c'est-à-dire, symboliquement, durant l'abolition du temps, l'éternité. Elle incarne la vie éternelle, et son nom, qui provient de *Bo Vinda*, « vache blanche », indique suffisamment ses liens avec une nourriture inépuisable, le lait, élément indispensable à la vie des peuples autrefois uniquement nomades et pasteurs, comme c'est le cas des Celtes. A partir de là, le symbole joue pleinement, et Boann devient le fleuve Boyne (graphie moderne) qui féconde de ses eaux douces une vallée verdoyante autour de laquelle se dressent les grands tertres féeriques qui sont les domaines des dieux. Et si Brigit porte un nom significatif (« puissante », « haute », « lumineuse »), Boann, en représentant la richesse, mesurée en têtes de bétail chez les Celtes, constitue en quelque sorte l'âme d'une société celtique incontestablement marquée par des tendances gynécocratiques.

Troisième visage de Brigit-Boann, enfin, celui de Morrigane (génitif de *Morrigu*), fille d'Ernmas, l'un des personnages les plus marquants des tribus de la déesse Dana. Elle est pourtant bien difficile à saisir dans ses subtilités. A priori, telle qu'elle apparaît dans le récit de la *bataille de Mag-Tured*, elle serait plutôt une divinité guerrière féroce envers ses ennemis lors des conflits et excitant les guerriers à combattre avec acharnement. Mais la fureur guerrière qu'elle manifeste abondamment se double d'une fureur sexuelle débridée qui fait d'elle sinon une divinité de l'amour, du moins une sorte de déesse de l'érotisme. Les deux vont d'ailleurs de pair, et dans les prolongements de l'épopée celtique, on rencontrera de nombreuses femmes-guerrières, à la fois magiciennes et expertes en l'art militaire, qui sont les initiatrices des futurs héros, qu'ils se nomment Cûchulainn ou Finn mac Cool.

Le nom de Morrigane (*Morrigu*), qui signifie « grande reine », évoque bien entendu celui de la « fée » Morgane des romans arthuriens et du cycle du Graal : il s'agit en tout cas du même archétype, à la fois guerrier, sexuel et magique. De plus, la Morrigane de l'épopée irlandaise apparaît souvent sous l'aspect d'une corneille, et on l'appelle alors la Bobdh : l'analogie avec Morgane est frappante, puisqu'elle et ses compagnes de l'île d'Avalon possèdent exactement le même don de métamorphose. D'ailleurs, il se peut que la femme féerique qui apporte une branche du pommier d'Emain au héros Bran, fils de Fébal, avant de l'entraîner dans une étrange navigation, soit la Morrigane elle-même, encore que son nom ne soit pas prononcé dans le cadre de cet épisode. Pourquoi la « grande reine » ne régnerait-elle pas sur cette terre bienheureuse où les fruits sont mûrs toute l'année et d'où sont absentes la maladie, la vieillesse et la mort ? L'île mystérieuse d'Emain Ablach est en tout cas l'exact équivalent, linguistique autant que mythologique, de l'île d'Avalon, la fabuleuse *Insula Pomorum* vers laquelle convergent tous les fantasmes de l'humanité souffrante.

Morrigane demeure le type en soi de la femme celte vue par les auteurs d'épopées mythologiques ; et ce type va se retrouver ensuite bien souvent dans des personnages féminins qui, à la limite de l'humain et du féerique, sont toujours détenteurs de pouvoirs plus ou moins surnaturels et dépositaires du redoutable *geis*, c'est-à-dire d'une incantation magique qui a valeur d'obligation absolue pour celui ou celle qui en est l'objet. Le beau Dermot, fils d'O'Duibhné, l'un des compagnons de Finn mac Cool, en saura quelque chose, lui que subjugue le *geis* de la belle Grainné (Grania), qui s'est éprise éperdument de lui. Les philtres d'amour ne sont que des pis-aller complètement rationalisés, comparés à cette incantation magique et religieuse qui fait intervenir le monde invisible et place les actes humains sous la caution des divinités invisibles. La jeune Etaine, tant aimée par le sombre dieu Mider (qui a nombre de points communs avec le Méléagant de Chrétien de Troyes), est elle-même le jouet d'un *geis* lancé par sa rivale Fumnach, et rien au monde ne peut lui épargner la longue période de turbulences puis de métamorphoses qui lui échoit de ce fait. Et pourtant, l'aventure d'Etaine et de Mider est une histoire d'amour « normal », dans la plus belle tradition romantique. Mais, dans l'épopée celtique, l'amour n'est pas un sentiment isolé : il fait partie des grandes mutations qui s'opèrent dans l'univers, et tout se ramène, malgré les imbrications psychologiques, à une dimension cosmique à laquelle nul ne peut échapper. C'est bien moins le caractère fatal de la passion amoureuse qui se trouve mis en relief que sa nécessité métaphysique. Plus que jamais, on semble dire que s'il existe un dieu, il ne peut être qu'amour. Car l'amour construit le monde, et la femme, qui est initiatrice par essence, est capable de donner, par son amour, une seconde naissance, la naissance dans l'éternité, à celui qu'elle a choisi d'aimer.

On a trop répété, et on a fini par s'en persuader, que l'épopée ne laissait aucune place à la vie affective, à l'étude du comportement psychologique des héros, dont la description demeurait trop souvent extérieure, stéréotypée selon les normes du genre. Certes, les personnages d'épopée sont des archétypes, ils sont chargés de signification symbolique, mais ils ne sont pas pour autant dépourvus de réactions humaines et donc de vie intérieure. Certes, il y a grandissement de ce qu'on appelle les *caractères*, grandissement qui est indispensable pour mettre en valeur des actions hors du commun. Certes, intervient également une simplification destinée à insérer les personnages et les actions dans un cadre déterminé accessible à un public qui ne comprendrait pas les longs développements subtils de la psychologie des profondeurs. Mais on a tendance à oublier que les héros sont des humains, même s'ils sont présentés comme *surhumains*. Et, dans tous les récits épiques de l'Irlande ancienne autant que dans ceux de l'antique Bretagne, ce sont des êtres humains qui décrivent d'autres êtres humains en proie aux turbulences de la vie, donc en proie aux incertitudes, aux angoisses, aux souffrances, mais aussi aux joies, aux enthousiasmes, aux délires de toute sorte. L'amour de Mider pour Etaine est émouvant parce qu'il est celui que pourrait éprouver tout homme envers toute femme. L'acharnement que met Lug à venger sur les descendants du meurtrier la mort de son père témoigne de la souffrance intérieure que lui cause l'injustice dont son père a été victime. L'étrange passion d'Oengus pour la femme entrevue à travers le brouillard et l'enchantement de Bran, fils de Fébal, quand il entend la voix de la reine des fées lui vanter les charmes de l'île bienheureuse, sont des traits parfaitement humains, que n'importe quel être serait capable de ressentir.

En cela réside l'étonnante richesse de ces épopées fragmentaires dispersées tout au long des manuscrits du Moyen Age et dont il est cependant facile de reconstituer les lignes directrices. Elles nous révèlent non seulement une réflexion métaphysique sur le monde et sur les rapports entre le visible et l'invisible, mais encore une sensibilité qui ne le cède en rien à celle que le romantisme a cru inventer. Ces divers récits surgis du passé sont des témoignages en même temps que de belles histoires qu'on doit transmettre de génération en génération avec la conscience d'apporter quelque chose de beau, de bon et de sain. Moins que jamais, l'arbre de la connaissance ne pourra épanouir ses frondaisons dans le ciel si ses racines ne sont richement nourries par les ombres qui rôdent dans la terre, tels des fantômes attendant désespérément le moment de se réincarner. Et seule la poésie peut aider à accomplir cette subtile opération alchimique.

Pour ce faire, il importe toutefois de se laisser glisser le long des étranges *frontières du réel*. Vers les contrées où le rêve et la réalité forment les deux versants d'une même et unique montagne.

Poul Fetan, 1997

AVERTISSEMENT

Le récit qui suit n'est ni une traduction ni une adaptation des textes originaux, moins encore une fiction romanesque inspirée par des thèmes épiques. C'est une réécriture de la grande épopée des Celtes telle qu'on peut la reconstituer à l'aide des multiples histoires contenues dans les manuscrits irlandais du Moyen Age, histoires qui apparaissent comme les plus anciennes conservées de la tradition celtique. Cette réécriture obéit à deux impératifs : raconter le plus simplement possible, dans une langue actuelle accessible au plus grand nombre, et respecter intégralement le schéma dramatique originel. C'est pourquoi, à chaque épisode, référence précise sera donnée du texte qui aura servi de base. Les œuvres du passé appartiennent au patrimoine de l'humanité, mais il est parfois nécessaire de les transcrire à l'usage d'un public nouveau. En cela consistait déjà l'entreprise des transcripteurs du Moyen Age. C'est la même entreprise qui est proposée ici.

PRELUDE

L'homme des anciens jours

En ce temps-là, l'abbé Finnen [1], en compagnie de six de ses disciples, parcourait la terre d'Irlande pour y prêcher l'Evangile et baptiser ceux qui ne l'étaient pas encore. Ainsi arriva-t-il un jour auprès d'une forteresse qui s'élevait sur le rivage, au fond d'une baie, dans une région très isolée de l'Ulster [2]. Comme ses compagnons et lui-même étaient fatigués par une longue marche, il demanda l'hospitalité au chef qui tenait la forteresse. Mais celui-ci lui fit répondre qu'en aucun cas il n'accepterait dans sa demeure des vagabonds qui incitaient les hommes d'Irlande à abandonner leurs anciennes coutumes.

---

1. Finnen, ou Finian (dit parfois « saint Finian le Lépreux »), est l'un des innombrables « saints » irlandais qui, sans être reconnus par Rome, demeurent traditionnellement considérés comme les premiers évangélisateurs de l'Ile Verte. Il passe pour avoir fondé le monastère de Mag Bile en Ulster et celui d'Innisfallen sur une île du grand lac de Killarney, dans le Kerry, ce dernier s'étant illustré par ses *Annales*, particulièrement précieuses pour l'histoire du haut Moyen Age.

2. Il s'agit de la baie de Sheephaven, dans le comté de Donegal. À l'emplacement d'une ancienne forteresse, se dressent encore les vestiges du château de Doe, bâti au XVIᵉ siècle par la famille des Mac Sweeney.

En entendant cette réponse, Finnen fut saisi de colère. Il s'avança vers la porte de la forteresse et s'écria : « Puisqu'il en est ainsi, puisqu'il est fait appel à nos anciennes coutumes, je vais jeter malédiction sur le maître de cette demeure, sur tous ceux qui y résident, ainsi que sur tous les habitants de ce pays ! Par Dieu tout-puissant, je ne ferai rien qui puisse épargner le malheur à ce pays tant qu'on ne m'aura pas rendu justice. Ni mes compagnons ni moi-même n'absorberons une quelconque nourriture avant qu'on ne fasse droit à notre demande d'hospitalité. Si nous mourons, la faute en retombera sur celui qui nous interdit l'accès de sa demeure et sur tous ceux qui le suivent dans sa détestable volonté. Ils seront honnis et rejetés, eux et leurs descendants, et ce jusqu'à la neuvième génération. Telle est la coutume de ce pays, et je jure de m'y conformer en tous points ! »[1]

Ayant prononcé ces paroles, Finnen revint vers ses compagnons et, tous les sept, ils s'allongèrent sur le pré, devant la forteresse. C'était un samedi soir. Ils restèrent là, couchés sur l'herbe, pendant toute la nuit et une bonne partie de la matinée suivante. Là-dessus, survint un homme de haute taille, aux cheveux blancs et à la barbe abondante, qui, après avoir examiné les sept hommes, se dirigea vers Finnen et se prosterna devant lui. « Je te salue, homme de Dieu ! dit-il. Permets-moi de relever le défi que tu as lancé à tous les gens de ce pays. Il ne sera pas dit que notre coutume d'hospitalité soit ainsi bafouée et que la faute en retombe sur chacun de nous. Ma demeure n'est pas loin d'ici, et j'ai prié mes serviteurs d'allumer le

---

1. Il s'agit du fameux *jeûne légal*, pratiqué abondamment par les Celtes et qui consiste, pour le plaignant, à jeûner devant la demeure de la partie adverse, tout en révélant solennellement les motifs du conflit. Si le jeûneur meurt, la responsabilité en incombe à celui qui n'a pas réparé ses torts et qui, de ce fait, est exclu de la communauté. C'est le principe même de la grève de la faim.

feu et de faire bouillir des aliments dans mon chaudron. Viens, homme de Dieu ; toi et tes compagnons, vous recevrez un accueil digne de celui qui vous envoie parler en son nom à tous les peuples de cette île. » Finnen se leva et salua le vieillard. « Qui es-tu, toi qui m'appelles homme de Dieu ? Es-tu également homme de Dieu, ou bien viens-tu me provoquer au nom de l'Ennemi ? – J'ai reçu le baptême au nom du Seigneur, le Dieu tout-puissant, et c'est Patrick qui a versé sur mon front l'eau de la vie éternelle, répondit le vieillard. Je t'en prie, renonce à la malédiction que tu as jetée contre les gens de ce pays et viens dans ma demeure te restaurer et te réconforter. – Mais qui es-tu donc ? reprit Finnen. – Un homme des anciens jours. Il y a longtemps que je suis venu en ce monde, et c'est par la volonté de Dieu que je suis encore aujourd'hui devant toi. Cela doit te suffire. Viens avec moi dans ma demeure. – Par Dieu tout-puissant ! s'écria Finnen, ni moi ni mes compagnons nous ne te suivrons si tu ne nous dis qui tu es ! – Alors, écoute bien mes paroles. Personne n'a jamais abordé dans cette île avant le déluge. On raconte pourtant que, quarante jours avant le déferlement des eaux, trois femmes y vinrent, qui portaient les noms de Banba, Fothla et Eriu [1], et l'on ajoute même qu'elles survécurent à l'inondation. Mais, ce qui est sûr, c'est que cette île demeura déserte trois cent douze ans après le déluge. C'est alors qu'aborda Partholon, fils de Séra, avec vingt-quatre hommes qui avaient chacun sa femme. Et j'étais moi-même parmi ces vingt-quatre hommes.

« Partholon et son clan s'établirent donc en Irlande et y vécurent longtemps. La terre était belle et bonne, couverte de grandes prairies où paissaient les troupeaux. Et le pays leur plaisait, parce qu'ils pouvaient y prospérer en

---

1. Ce sont les trois noms traditionnels (et mythologiques) de l'Irlande personnifiée. Le dernier est devenu le nom gaélique officiel de la République d'Irlande, *Eriu* au nominatif, *Erin* au génitif.

toute tranquillité, sans même craindre les bêtes veni-
meuses [1]. Mais alors, entre deux dimanches, une épidémie
s'abattit sur l'île, et tous ses habitants périrent. Cependant, comme on n'a jamais entendu parler d'un désastre
qui n'épargnât un survivant pour le raconter, je suis ce
survivant, cet unique témoin des anciens jours.

« Je demeurai dans une solitude immense. J'allais de
colline en colline et de falaise en falaise, me gardant des
loups qui rôdaient dans les plaines et les forêts. J'errai
ainsi pendant trente-deux ans sans jamais rencontrer ni
homme ni femme. Enfin, la vieillesse vint sur moi, alour-
dissant mes membres et me rendant faible et désemparé.
Je ne pouvais même plus gravir les collines et, bientôt,
faute de pouvoir bouger, je me réfugiai dans une grotte
pour y attendre la mort.

« Je me souviens fort bien de cela. J'étais à l'entrée de
la grotte, à demi couché sur le sol, quand je vis arriver
Nemed, fils d'Agnoman, avec des hommes et des femmes
qui le suivaient. Je les vis s'emparer de l'île et, tout en les
observant depuis l'entrée de la grotte, je ne voulus pas
me montrer. J'avais de longs cheveux, de grands ongles ;
j'étais tout gris, décrépit et nu, dans la misère et la souffrance. Un soir, je m'endormis et, lorsque je me réveillai,
au soleil du matin, je m'aperçus que j'avais pris la forme
d'un cerf. Alors, mon esprit se réjouit parce que j'avais
une nouvelle jeunesse.

« Une fois revêtu de ma forme animale, je devins le
chef des troupeaux d'Irlande. De grandes hardes de cerfs
roux couraient à ma suite, à travers plaines et vallées, sur

---

1. Il n'y a pas de serpents en Irlande. Ce phénomène provient du
fait géologique que l'île a été séparée du continent européen et des
îles Britanniques avant la remontée des animaux des pays tempérés
ou chauds vers le nord, à la période post-glaciaire. Mais une légende
traditionnelle irlandaise veut que saint Patrick ait en personne chassé
les serpents de l'île en leur lançant une malédiction.

les montagnes et jusque vers les estuaires. Telle fut ma vie au temps de Nemed. Ceux de son clan devinrent nombreux et atteignirent jusqu'à quatre mille trente couples. Mais les gens de Nemed eurent à combattre des géants qui venaient des îles, dans le brouillard, et ceux qui ne s'exilèrent pas succombèrent les uns après les autres. Ainsi me retrouvai-je seul, dans cette île, au milieu des grands troupeaux, dans le vent qui venait du large, dans la pluie qui, m'inondant parfois, m'obligeait à m'abriter sous les chênes de la forêt.

« Et la vieillesse vint encore une fois alourdir mes membres. Mais je savais que mon destin n'était pas encore accompli : il me fallait revenir en Ulster, puisque c'est en cette contrée que j'avais déjà changé d'aspect. Je pris donc la résolution de me réfugier dans une grotte, non loin d'ici, et d'y attendre ce qui devait arriver. C'est alors que je vis débarquer sur la terre d'Irlande ceux qu'on appelle les Hommes-Foudre. Ils étaient très nombreux et occupèrent cette terre après avoir livré combat aux géants des îles qui prétendaient les empêcher d'y vivre en paix. Je les vis se poursuivre dans les vallées et le long des estuaires. Je les vis s'entre-tuer et se pourchasser dans les forêts. Mais, à la fin, les Hommes-Foudre demeurèrent les maîtres de ce pays. J'étais alors sur le seuil de mon antre, le souvenir m'en est resté, très net et très précis. Je sais qu'à ce moment-là changea une nouvelle fois l'aspect de mon corps, et je devins un sanglier. Je me souviens même que je chantai un chant à propos de cette merveille :

« *Aujourd'hui, je suis sanglier.*
Je suis roi, fort et victorieux.
Mon chant et mes paroles étaient agréables,
autrefois, dans les assemblées,
plaisant aux jeunes et jolies femmes.
Mon char était beau et majestueux,
ma voix avait des sons graves et doux,

j'étais rapide dans les combats,
j'avais un visage charmant.
Mais, aujourd'hui, je suis un noir sanglier... »

« Or, les Hommes-Foudre furent vaincus par d'autres gens qui débarquèrent sur cette terre la nuit qui précédait les calendes de mai. Je les ai vus brûler leurs navires sur le rivage et s'enfoncer dans les vallées. Je les ai vus combattre les Hommes-Foudre dans les plaines. Ils appartenaient aux tribus de la déesse Dana dont, dit-on, l'origine est inconnue. Mais il est probable qu'ils venaient des cieux, tant leur intelligence était brillante et tant leur science dépassait de loin celle de tous les autres peuples de l'univers.

« J'atteignis alors une autre fois la vieillesse. Mon esprit fut assombri par la tristesse et la mélancolie. Je ne pouvais faire ce que je faisais autrefois. Je ne voulais pas me mêler aux autres, et j'habitais dans de sombres cavernes, dans des creux qui s'ouvraient entre de grands rochers. Mais je fuyais tout ce qui bougeait, hommes et animaux. Je m'allongeai alors sur le sol, il m'en souvient très clairement. Je me revoyais également sous les formes que j'avais antérieurement revêtues, et ce souvenir augmentait ma tristesse. Alors, je jeûnai pendant trois jours. Au bout de ces trois jours, je sentis que je n'avais plus de force. Mais, sans m'en rendre compte, je fus changé en un oiseau, un grand aigle de la mer. Mon esprit fut de nouveau joyeux, et je sus alors que je serais capable de parcourir toute cette île sans me fatiguer, en volant juste au-dessous des nuages. C'est ainsi que je m'élançai dans les airs et que je fus témoin de tout ce qui se passait en Irlande. Et je chantai ces quelques vers :

« Aigle de la mer aujourd'hui,
j'étais sanglier autrefois.
J'ai d'abord vécu dans la troupe des cochons,
et me voici maintenant dans celle des oiseaux... »

« Voici une bien étrange histoire, dit Finnen. Et comment se fait-il que tu sois maintenant un homme comme tous les autres ? – Les desseins de Dieu sont imprévisibles, répondit le vieillard, car l'avenir n'appartient qu'à lui. Sache en tout cas que c'est sous ces formes animales que j'ai pu survivre à tous les peuples qui avaient envahi cette île. J'ai vu également l'arrivée des Fils de Milé et leur lutte contre les tribus de la déesse Dana. J'étais alors en cette forme d'oiseau, dans le creux d'un arbre, près d'une rivière.

« Le sommeil m'alourdit pendant neuf jours, dont je me réveillai sous l'aspect d'un saumon. Je me précipitai dans la rivière et je me mis à y nager. Je me sentais bien, j'étais actif, très rapide, sautant à travers les rochers et remontant vers les sources. Grâce à mon habileté, j'échappai longtemps à tous les périls, aux mains des pêcheurs armés de filets, aux serres des oiseaux de proie qui tentaient de me saisir, aux javelots que les chasseurs lançaient sur moi, aux loutres qui me poursuivaient à travers les torrents.

« Mais, un jour, un pêcheur me prit, qui m'offrit en cadeau à la femme de Carill, le roi de ce pays. Je me souviens très bien de cela. Le cuisinier me mit sur un gril, pour me rôtir au-dessus d'un feu de branches sèches. La femme du roi qui passait par là au même moment eut envie de moi. Elle me dévora tout entier. Et je fus en son ventre. Je me souviens parfaitement du temps où je me trouvais dans le ventre de la femme de Carill. Je me souviens aussi que je naquis une nouvelle fois sous une forme humaine grâce à la femme de Carill. Je me mis alors à parler comme tous les autres hommes, et je fus capable de révéler tout ce qui s'était passé en Irlande depuis l'époque du déluge. Et c'est depuis ma nouvelle naissance qu'on m'a donné le nom de Tuân, fils de Carill. »

« Très bien, dit Finnen. Maintenant, nous pouvons te

suivre jusqu'à ta demeure, puisque tu nous y offres géné-
reusement l'hospitalité pour racheter l'inconduite et la
méchanceté des habitants de ce pays. »

Tuân, fils de Carill, conduisit donc Finnen et ses disciples à sa demeure qui s'élevait sur une butte d'où l'on
dominait l'estuaire. C'était une maison royale, entourée
d'un mur et d'une palissade, et que gardaient quelques
guerriers en armes. Tuân fit entrer ses hôtes, mais quand
il voulut les convier dans la salle des festins, Finnen lui
dit :

« Nous sommes dimanche et nous n'avons pas encore
rendu hommage au Seigneur. Nous ne prendrons aucune
nourriture et nous n'avalerons aucun breuvage avant
d'avoir accompli nos devoirs. – C'est facile, répondit
Tuân. Il y a ici un enclos de prière. Viens avec tes compagnons et fais ce qui doit être fait. »

Quand Finnen et ses disciples eurent célébré l'office
du dimanche, ils suivirent Tuân dans la salle des festins. Tuân avait demandé à ses serviteurs de faire cuire la
nourriture dans un grand chaudron, sur le foyer qui se
trouvait au milieu de la salle. Tout autour étaient répandus des joncs et de la paille fraîche. Finnen, ses compagnons et Tuân, fils de Carill, s'assirent en rond autour du
foyer.

« Prenez et rassasiez-vous, dit Tuân. – Par Dieu tout-
puissant ! s'écria Finnen, nous ne prendrons aucune nourriture et nous n'avalerons aucun breuvage tant que tu
n'auras pas commencé à nous raconter ce qui s'est passé
dans ce pays depuis le déluge. Sois un hôte sans reproche
et dis-nous tout ce que tu sais. Ainsi serons-nous à même
d'apprécier ta générosité en même temps que la connaissance que tu as de l'histoire du monde. – Bien volontiers », répondit Tuân.

Alors, il entreprit le récit des cinq invasions qui s'étaient
produites en Irlande depuis l'époque lointaine du déluge.
Et, tandis que ses hôtes mangeaient et buvaient, l'homme

des anciens jours parlait. Et les disciples de Finnen écoutaient ce qu'il disait. Ce sont eux qui, plus tard, racontèrent tout cela à leurs propres disciples qui le transmirent eux-mêmes à tous ceux qui sont venus après. Et c'est ainsi que, grâce à Tuân, fils de Carill, ainsi qu'à l'abbé Finnen, nous connaissons la grande épopée des Celtes [1].

---

1. D'après le récit du *Rawlinson B.512*, édité avec traduction anglaise par Kuno Meyer, *The Voyage of Bran*, Londres, 1897. Une autre version, celle du *Leabhar na hUidré*, a été traduite en français par Ch.-J. Guyonvarc'h, *Textes mythologiques irlandais*, Rennes, 1980.

CHAPITRE I

Dans les brouillards de l'aube

Après que le Glébeux, c'est-à-dire Adam, et sa compagne Havah, c'est-à-dire Eve, eurent été chassés du Jardin d'Eden, ils errèrent longtemps sur la terre à la recherche d'un lieu qui pût les abriter de l'ardeur du soleil et de la morsure du froid. Ils avaient emporté une pierre verte tombée du ciel [1], ainsi qu'une branche de l'Arbre de Vie. Quand ils eurent découvert un endroit propice, ils se construisirent une hutte avec des pierres et des mottes d'argile, et Havah enfonça dans le sol le rameau de l'Arbre de Vie. Ils s'établirent là, élevèrent des troupeaux, semèrent du blé, plantèrent de la vigne. Et ils eurent de nombreux descendants qui se répandirent bientôt par toute la terre jusqu'aux régions les plus lointaines, celles que borde le grand océan qui entoure le monde.

Or, parmi les enfants des enfants du Glébeux et de sa compagne Havah, il y eut de nombreuses filles. Et ces filles remplirent les plaines et les vallées de la terre et s'en allèrent jusqu'aux rivages du grand océan. Or, ces filles du Glébeux étaient très belles, et les Fils de Dieu

---

1. Cela rappelle l'émeraude de Lucifer qui deviendra le Saint-Graal dans une version gnostique de la légende.

qui, surgissant du profond des cieux, venaient contempler la terre, les aperçurent et furent emplis de désir pour elles. Ils s'en approchèrent et s'unirent à elles. Bientôt, les filles du Glébeux donnèrent naissance à des enfants de grande taille. Ces géants, à leur tour, s'unirent aux filles du Glébeux et engendrèrent d'autres géants. Et d'autres générations de géants se répandirent par toute la terre.

Alors, Dieu vit que le mal du Glébeux allait ruiner toute sa création. Il en fut chagriné et, en lui-même, déplora d'avoir donné vie au Glébeux et à sa compagne Havah. Il résolut d'effacer de la surface du monde ces créatures qui l'outrageaient. De fait, une seule trouva grâce à ses yeux : Noé, un homme juste et qui vénérait l'Eternel. Dieu l'avertit qu'il ferait pleuvoir sur la terre pendant quarante jours et quarante nuits afin de détruire ce qu'il y avait de mauvais dans la création. Et il lui ordonna de construire une arche, d'y embarquer un couple de chaque espèce animale qui vivait sur la terre, dans les airs et sous les mers, puis de s'y réfugier lui-même avec toute sa famille, parce que grâce à lui survivrait ce qu'il y avait de meilleur dans la création.

Alors, Noé construisit un vaisseau et rassembla tout ce qui devait être préservé de la colère de Dieu. Les Livres disent que Noé avait trois fils, Sem, Cham et Japhet. Mais les Livres ne disent pas qu'il avait un quatrième fils, du nom de Bith, et que ce fils avait lui-même une fille qu'on nommait Cessair. Or cette Cessair, quand elle fut avertie que les eaux envahiraient la surface de la terre et engloutiraient tout ce qui était vivant, sauf ce qui serait admis dans l'Arche, tenta d'échapper au destin par ses propres moyens. Elle pensait qu'il devait y avoir dans le monde un endroit où aucun homme ne serait venu, où aucun crime n'aurait pu être commis, ni aucun mal, ni aucune transgression, et qui n'aurait jamais connu la présence d'un serpent ou d'un monstre quelconque, et que cet endroit serait épargné par le Déluge. C'est pourquoi elle fit venir ses druides et leur demanda où pouvait se trouver un tel pays. Les druides [1] réfléchirent longuement, puis ils lui dirent qu'un seul pays pouvait être épargné, l'Irlande, parce que cette île était située à l'ouest du monde, vers le nord, tout comme le Jardin d'Eden était situé à l'est, vers le sud.

« En effet, ajoutèrent-ils, ces deux régions sont aussi absolument semblables par leur nature que semblables par leur situation sur la surface de la terre. De même que le Paradis ne peut héberger de bête nuisible, nous savons depuis toujours que l'île d'Irlande n'a ni serpent, ni dragon, ni lion, ni crapaud, ni rat, ni scorpion, ni le moindre animal malfaisant, si l'on excepte le loup. On appelle l'Irlande l'Ile de l'Ouest. Plus tard, les Grecs l'appelleront Hyberoc [2] et les Romains, qui domineront le monde, lui donneront le nom d'Occasum [3]. L'Irlande est proche de l'île de Bretagne mais, pour ce qui est de sa dimension, elle est plus étroite tout en étant, grâce à la fertilité de son sol, plus féconde. Elle s'étend depuis le nord de l'Afrique, au voisinage de l'Ibérie et de l'océan Cantabrique, et voilà pourquoi on l'appellera un jour Hibernie. Mais on lui donnera également le nom de Scotia parce

---

1. On peut être surpris par la présence de « druides » à une époque antédiluvienne, mais le terme, typique d'une société celtique, désigne avant tout une classe sacerdotale. Ce sont des Celtes qui ont composé et transmis cette gigantesque épopée des anciens jours, et ils l'ont exprimée avec les moyens dont ils disposaient, et selon les critères socioculturels qui étaient les leurs, même si la rédaction de cette épopée est tardive (XIᵉ ou XIIᵉ siècle) et si elle répond à une volonté délibérée de raccrocher l'histoire mythique de l'Irlande à la tradition biblique.

2. Nom fantaisiste qui peut être une corruption du grec *uperokhê*, « saillie extrême », sous-entendu vers l'ouest. Les rédacteurs du *Leabhar Gabala* (que l'on suit ici) voulaient à tout prix aboutir au nom traditionnel *Ibernia* qui désigne l'Irlande (sans parler de la quasi-homophonie *Iberia-Ibernia* qui justifie le passage – imaginaire – des occupants successifs de l'Irlande par la péninsule ibérique).

3. Littéralement, « chute », sous-entendu du soleil, au « couchant » (*Occidentem*).

qu'elle sera habitée par la nation des Scots [1]. – C'est donc là qu'il nous faudra aller », dit Cessair.

Elle fit construire des navires et avertit ses proches qu'ils allaient partir sur la mer en direction du soleil couchant. C'est un mardi qu'elle quitta l'île Meroe, laquelle se trouvait le long du Nil. Elle demeura sept années dans les parages de l'Egypte et fut huit jours à naviguer sur la mer Caspienne. Ensuite, elle mit vingt jours pour aller de la mer Caspienne à la mer Cimmérienne [2]. Elle resta un jour en Asie Mineure, entre la Syrie et la mer Tyrrhénienne, puis mit à la voile dans l'intention d'aller vers les Alpes, et sa navigation dura vingt jours. Là-dessus, le trajet entre les Alpes et l'Espagne lui prit dix-huit jours. C'est de là qu'elle partit sur le grand océan pour se diriger vers l'Irlande, et il se passa neuf jours avant qu'elle ne pût y aborder. Et c'était un samedi qu'elle mit le pied sur le sol de cette île.

Cessair et ses gens arrivèrent en Irlande quarante jours avant le Déluge. Mais, de leurs trois navires, deux firent naufrage, si bien que seuls réchappèrent Cessair et ceux qui se trouvaient à son bord, à savoir cinquante jeunes filles et trois hommes. Ces trois hommes étaient Bith, fils de Noé, Ladra, le pilote, qui fut, dit-on, le premier homme à mourir en Irlande. Il mourut d'excès de femmes, disent les uns ; mais d'autres prétendent que c'est le manche de la rame du navire qui lui pénétra dans le bas du dos. Quant au troisième homme, c'était Fintan, fils de Bochra : cer-

---

1. Nom générique des Gaëls, qui le transmirent ensuite aux Écossais.

2. C'est-à-dire la mer Noire. L'itinéraire est évidemment fantaisiste, tant au point de vue spatial qu'au point de vue chronologique, mais le passage par la péninsule ibérique apparaît comme une nécessité mythologique, cette péninsule, comme d'ailleurs l'Ecosse, représentant une sorte d'Autre Monde qui peut se trouver partout et nulle part. Il y a également une ambiguïté entre les Alpes et l'ancien nom de l'Ecosse, *Alba*, et entre le nom des Scots et celui des Scythes.

tains prétendent qu'il n'est pas mort et qu'il vit toujours parmi les peuples qui sont en Irlande. Ce qui est certain, c'est que Cessair, ses cinquante jeunes filles et ses trois hommes abordèrent cette île quarante jours avant le Déluge, c'est-à-dire mille six cent cinquante-six ans après le commencement du monde.

Quand ils eurent mis le pied sur la terre d'Irlande, Cessair leur dit : « Nous voici en un pays qui ne connaîtra pas les ravages des eaux, car nous sommes aux extrémités du monde. Etablissons-nous sur le sommet des montagnes et construisons des maisons pour nous abriter. Toutefois, je veux que, désormais, vous m'appeliez de noms différents selon ce que je ferai. Dans la journée, quand le soleil brillera, je porterai le nom de Banba. Quand la nuit sera venue, je serai Fothla. Et quand je serai endormie, vous m'appellerez Eriu. »

Ainsi firent-ils. Ils se construisirent des maisons sur les sommets et commencèrent à défricher la forêt. Mais une maladie tomba sur eux, dont ils moururent tous en une semaine, sauf Cessair, qui demeura endormie. Sur ce, les eaux du ciel déferlèrent sur la terre. Pendant quarante jours et quarante nuits, elles ne cessèrent de tomber. Elles recouvrirent les plus hautes montagnes, et tout ce qui vivait périt. Seule, l'Arche dans laquelle avaient pris place Noé et les siens, avec un couple de chaque animal, ne fut pas submergée. Mais ce que les Livres ne disent pas, c'est que l'île d'Irlande ne fut pas recouverte par le Déluge. Elle était vide d'habitants, et la femme qui dormait sous le nom d'Eriu survécut. Les Livres ne disent pas non plus que, sur le vaste océan, au milieu des brouillards, certaines îles ne furent pas davantage recouvertes par les eaux. Or, dans ces îles vivaient des géants qu'épargna le Déluge. Ce sont eux qu'on appela ensuite les Fomoré, eux qui assaillirent chacun des peuples qui voulut s'établir en Irlande.

Cependant, lorsque les eaux cessèrent de recouvrir la

terre et que celle-ci fut de nouveau sèche, Noé et tous les siens sortirent de l'Arche et cherchèrent des lieux où s'établir. Noé avait trois fils avec lui, dans l'Arche, et c'est de ces trois fils que furent remplies les trois régions de la terre, l'Europe, l'Afrique et l'Asie. Sem, fils de Noé, s'installa dans ce qui est maintenant l'Asie, et vingt-quatre races sont issues de lui. Cham s'en alla en Afrique, et quinze races descendent de lui. Quant à Japhet, le troisième fils de Noé, il s'empara de l'Europe et du nord de l'Asie, et il fut l'ancêtre de quinze races.

C'est donc de Japhet, fils de Noé, que descendent, au nord-est du monde, les Scythes, les Arméniens et les peuples de l'Asie Mineure, ainsi que tous les peuples qui occupent, au nord et à l'ouest du monde, l'Europe et les îles qui sont en face, dans le grand océan. Japhet eut huit fils, et le huitième portait le nom de Magog. Magog eut lui-même deux fils qui se nommaient Baath et Ibath. C'est de ce dernier, à savoir Ibath, que descendent les rois qui régnèrent à Rome. Baath eut un fils à qui il donna le nom de Fenius Farsaid : c'est de lui que descendent les Scythes, et c'est de ceux-ci que proviennent les Gaëls [1]. Mais c'est de Magog, fils de Japhet, que sont issus les peuples qui vinrent s'établir en Irlande avant les Gaëls, à savoir la tribu de Partholon, fils de Sera, et la tribu de Nemed, fils d'Agnoman, ainsi que tous ceux de la tribu de Nemed qui, après s'être exilés d'Irlande, y revinrent s'établir plus tard.

---

1. Ces généalogies sont imaginaires. Cependant, la communauté d'origine celto-scythe paraît certaine. Georges Dumézil a mis en évidence les analogies entre les récits mythologiques des Gaëls d'Irlande et ceux des Nartes, tribus des Ossètes, c'est-à-dire des descendants actuels des anciens Scythes et Sarmates. D'autre part, il existe une évidente parenté entre l'art celtique de la Tène et l'art des Steppes d'influence scythe, comme le montre le célèbre « Chaudron de Gundestrup » qui, conservé au musée d'Aarhus, au Danemark, est une parfaite illustration de la mythologie des Celtes.

Après le Déluge, l'île d'Irlande demeura déserte pendant une période de trois cent douze ans. Alors y aborda Partholon, fils de Sera. Il venait d'un pays qui s'appelait la Mygdonie, c'est-à-dire la Petite Grèce. Il avait dû quitter sa patrie parce qu'il avait commis un crime : il avait en effet tué son père et sa mère pour permettre à son frère de régner mais, ce faisant, avait provoqué de grands malheurs : neuf mille hommes furent tués en une semaine, et Partholon dut s'enfuir au plus vite, en compagnie de dix personnes, dont ses trois fils et quatre femmes. Il erra pendant un mois en Adalacie, puis il mit neuf jours pour aller d'Adalacie au pays des Goths. Il repartit du pays des Goths et voyagea un mois entier pour atteindre l'Espagne, et c'est de là qu'après une navigation de neuf jours son bateau aborda les côtes d'Irlande. C'était un mardi, le dix-septième jour de la lune, aux calendes de mai [1].

« Voici une terre qui nous conviendra, dit Partholon. Les arbres y sont beaux et verdoyants, et le gibier doit y être abondant. Cherchons un lieu où établir nos demeures. »

Ils firent le tour de l'île et décidèrent de s'installer dans l'endroit qui leur parut le plus fertile. On raconte que c'était celui que l'on nomme maintenant Mag Inis, la Plaine de l'Ile. A cette époque, il n'y avait ni ferme, ni maison, ni champs cultivés à la disposition des hommes : ils ne pouvaient survivre qu'en se livrant à la cueillette des fruits sauvages et à la chasse, à la poursuite des oiseaux, ainsi qu'à la capture des poissons dans les estuaires.

Ils construisirent donc leurs maisons dans la Plaine de l'Ile. Lorsque Partholon s'en allait à la pêche et à la chasse, il laissait sa femme, Elgnat, fille de Lochtach, dans sa demeure pour qu'elle la garde. Et il demanda à son serviteur Topa de veiller sur Elgnat, afin que celle-ci ne fût pas attaquée par les loups. Car il y avait des loups en

---

1. C'est-à-dire pendant la grande fête celtique de *Beltaine*.

Irlande, bien qu'il n'y eût point d'animaux nuisibles. Il n'y avait même pas d'abeilles : elles ne pouvaient pas y vivre. C'était à tel point que si quelqu'un répandait du sable ou du gravier apporté d'Irlande en quelque lieu de la terre où se trouvaient des ruches, les abeilles abandonnaient immédiatement celles-ci.

Cependant, chaque fois que Partholon était absent, Elgnat jetait les yeux sur le serviteur. Et plus elle le regardait, plus l'embrasait le désir de le voir couché à ses côtés. Un jour, n'y pouvant plus tenir, elle l'invita à venir la rejoindre dans son lit. Le serviteur refusa tout net et se défendit de jamais trahir la confiance de son maître.

« Tu es un poltron, dit la femme. Tu as peur que Partholon ne te tue si jamais il apprend que tu as couché avec moi ! – Je n'ai pas peur, ô femme, mais je n'ai pas envie de commettre une mauvaise action envers mon maître. »

Le lendemain, Elgnat provoqua encore Topa. Il refusa une nouvelle fois de la rejoindre dans son lit. « Je comprends bien, dit la femme. Tu n'es pas viril, et voilà pourquoi tu refuses de me rejoindre. Que la honte se répande sur toi ! »

Quand il entendit cette insulte, le serviteur ne put faire autrement que d'aller dans le lit prouver à la femme de Partholon sa virilité. La chose faite, l'homme et la femme eurent soif et burent dans le vase que Partholon avait préparé pour le moment de son retour.

Le soir, Partholon rentra de la chasse et, comme il avait soif, il but dans le vase qu'il avait préparé. Mais, en buvant, il sentit le goût de la bouche d'Elgnat et de Topa, et il comprit bien ce qui s'était passé. Une violente colère s'empara de lui, et il tua le petit chien de sa femme, Saimer. Ce fut la première crise de jalousie qu'il y eut en Irlande.

« Assurément, dit Elgnat, tu viens de commettre une grande injustice, beau Partholon, car ce petit chien ne t'avait causé aucun tort. – Je le sais, répondit Partholon, mais il fallait bien satisfaire la colère où m'a mis l'affront que tu m'as infligé. Depuis qu'Eve commit le péché de la pomme, à cause de quoi la race humaine a été condamnée à l'esclavage et expulsée du Jardin d'Eden, jamais il n'y eut en ce monde un crime aussi grand et aussi honteux que celui que vous venez de commettre, toi et mon serviteur. – Beau Partholon, reprit la femme, quand vient le désir d'accouplement, il est bien difficile d'y résister. Regarde autour de toi : les vaches du troupeau te paraîtront calmes et tranquilles lorsqu'elles broutent dans le pré. Mais lorsque paraît le taureau, elles sont la proie du désir. Et regarde tes brebis, lorsqu'elles sont en chaleur : elles sont prêtes à suivre le premier bélier qui se présentera. Place également un vase rempli de lait devant le petit chat : tu verras bien s'il peut résister à l'envie qu'il a de le boire. »

Là-dessus se déroula la première bataille d'Irlande. Les Fomoré vinrent attaquer Partholon et ceux de sa demeure. Les Fomoré étaient venus des pays de la brume sur leurs bateaux. C'étaient des géants à forme humaine, des monstres qui, pour n'avoir qu'une seule jambe et un seul bras, n'en étaient pas moins d'une force colossale. Ils étaient conduits par leur chef dont le nom était Cichol à la jambe courbe. Ils combattirent Partholon et ses fils. La bataille dura une semaine entière, mais personne n'y mourut, car c'était une bataille magique. Cependant, Cichol à la jambe courbe blessa Partholon au bras, et celui-ci ne s'en remit jamais.

Lorsque Partholon avait abordé en Irlande, cette île ne comportait que trois lacs et neuf rivières. Mais pendant l'époque où Partholon et ses descendants habitèrent le pays, sept autres lacs jaillirent de la terre. Et c'est quatre ans après le jaillissement du septième, qu'on appelle le Lough Cuan, que mourut Partholon dans la vieille plaine d'Elta Edair. Cette plaine fut ainsi nommée parce qu'aucune branche, aucun rameau n'y poussa jamais. Et Partholon mourut à cause du poison qui avait envahi son corps après la blessure qu'il avait reçue, lors de la bataille contre les Fomoré, de la main de Cichol à la jambe courbe. Il y avait trente ans que Partholon se trouvait en Irlande, et il s'en était écoulé deux mille six cent vingt-huit depuis le commencement du monde.

Après la mort de Partholon, ses fils se partagèrent l'île, et ce fut le premier partage de l'Irlande. Le pays resta ainsi tant que vécurent les descendants de Partholon, c'est-à-dire pendant cinq cent vingt ans. Mais il vint sur eux une maladie aux calendes de mai, le lundi de la fête de *Beltaine*. Neuf mille hommes moururent de cette peste jusqu'au lundi suivant, et encore cinq mille hommes et quatre mille femmes après ce lundi-là. Ils moururent tous, à l'exception d'un seul homme, Tuân, qui était fils de Sdarn, fils de Sera, fils du frère du père de Partholon. Dieu lui permit de survivre, et ce sous plusieurs apparences, depuis le temps de Partholon jusqu'au temps de Colum-Cill et de Finnen. C'est lui qui révéla aux Gaëls la connaissance de l'histoire, les conquêtes que subit l'Irlande, les batailles qu'y provoquèrent les Fomoré, depuis l'arrivée de Cessair sur cette île jusqu'à l'époque de saint Finnen le Lépreux. C'est dans cette intention que Dieu le maintint en vie jusqu'au temps des saints, jusqu'à ce qu'on l'appelât Tuân, fils de Carill.

L'Ile Verte demeura déserte pendant trente ans. Alors débarqua Nemed, fils d'Agnoman. Il venait du pays des Scythes d'où il était parti avec quarante navires. Ils errèrent pendant un an et demi sur la mer Caspienne, mais un seul de ces navires put arriver jusqu'à l'Irlande, avec Nemed et ses quatre fils, qui étaient les chefs de ses troupes. Ils s'établirent dans un endroit fertile et y construisirent deux forteresses royales. Mais ils furent attaqués par les Fomoré et leur livrèrent une grande bataille au cours de laquelle furent tués les deux chefs des Fomoré.

Nemed défricha douze plaines sur cette île, et il y éleva de grands troupeaux. Lorsque mourut l'un de ses fils, qui avait nom Annind, on l'enterra dans l'une de ces plaines.

Mais, quand on eut creusé le sol pour préparer la tombe, un lac jaillit et envahit tout le pays. Et, par la suite, trois autres lacs surgirent de la terre. Nemed mourut bientôt d'une maladie qui fit également périr deux mille des siens.

Quand les Fomoré apprirent que Nemed, fils d'Agnoman, était mort, ils réunirent leurs flottes et s'en allèrent combattre les enfants de Nemed. Les chefs des Fomoré étaient alors Morc, fils de Déla, et Conan, fils de Fébar. Ce dernier avait construit une grande tour sur une petite île, au milieu de la mer, et c'est là que se réunissaient les navires des Fomoré. Cette tour était appelée la Tour de Conan, mais on lui donne également le nom de Torinis, c'est-à-dire la Tour de l'Ile. Et comme les Fomoré étaient en plus grand nombre que les enfants de Nemed, ils remportèrent la victoire et imposèrent de lourds tributs aux hommes d'Irlande : ceux-ci devaient en effet leur apporter chaque année les deux tiers du blé et du lait qui étaient produits dans cette île et leur livrer en esclavage les deux tiers de leurs nouveau-nés.

La colère et la honte saisirent alors les hommes d'Irlande, et ils se demandèrent comment se soustraire au poids d'un pareil tribut. Ils se réunirent en secret et décidèrent d'attaquer par surprise les Fomoré. Ils étaient trois mille sur le rivage, mais trois mille autres s'embarquèrent, conduits par le fils de Nemed, Fergus au côté rouge. Ils arrivèrent bientôt à Torinis et, au terme d'une rude bataille, finirent par prendre d'assaut la tour, où Fergus au côté rouge en personne tua Conan. Alors, ils revinrent en Irlande pour célébrer leur victoire.

Morc, fils de Déla, fut plein de colère quand on lui annonça le désastre de la Tour de Conan. Il résolut de tirer vengeance des hommes d'Irlande qui avaient outragé les Fomoré et refusaient maintenant de leur payer tribut. Il rassembla soixante navires et s'approcha des côtes d'Irlande. Les fils de Nemed rassemblèrent à nouveau leurs troupes et s'en allèrent sur la mer à la rencontre des Fomoré. La bataille fut rude et sanglante, et la tempête submergea si bien les navires des hommes d'Irlande qu'un seul en réchappa, lequel avait à son bord trente hommes, entre autres Semeon, fils de Sdarn, lui-même fils de Nemed, Bethach, fils du devin Iarbonel, également fils de Nemed, avec son fils Ibath, ainsi que Fergus au côté rouge, qui était le plus jeune fils de Nemed [1].

Les survivants regagnèrent l'Irlande et s'en furent trouver Fintan, fils de Bochra, qui vivait sur le flanc d'une montagne. Fintan avait la réputation d'être un sage et un voyant, et l'on disait qu'il était pleinement au fait de la naissance du monde et de son avenir. Quand Fintan vit arriver les enfants de Nemed, il leur dit :

« Soyez les bienvenus, hommes puissants et courageux sur qui s'est répandu l'Esprit [2]. Quelle est donc la raison

---

1. Cette première partie du chapitre a été rédigée d'après le *Leabhar Gabala*, le « Livre des Conquêtes », récit datant vraisemblablement du XIᵉ siècle, publié, commenté et traduit par R.A.S. Macalister, *Lebor Gabala Erenn, the Book of the Taking of Ireland*, 5 vol., Dublin, 1938-1956. Traduction française partielle dans Ch.-J. Guyonvarc'h, *Textes mythologiques irlandais*, Rennes, 1980. Ce « Livre des Conquêtes » est une compilation d'informations très anciennes présentées parfois de façon anachronique, avec des lacunes, des incohérences et des contradictions flagrantes. Il est très difficile de reconstituer le fil conducteur de cette épopée mythologique, qui concerne non seulement l'Irlande mais l'ensemble du monde celtique, sans recourir à toutes les autres sources irlandaises, et sans restituer au récit proprement dit une certaine cohérence chronologique, ce qui ne veut nullement dire historique ou scientifique. La reconstitution ne saurait donc être que conjecturale.

2. Il ne faut pas oublier que *Nemed* signifie « sacré » en gaélique. C'est un mot qui provient d'une racine indo-européenne qui a donné le latin *nemus*, « bois sacré », le gaélique moderne *niamh*, le gallois *nef* et le breton *nenv*, ces trois termes désignant le « ciel » d'un point de vue religieux, d'où l'ancien nom *nemeton*, « sanctuaire », « clairière sacrée », « projection symbolique du ciel sur la terre », reconnaissable dans le nom actuel de Néant-sur-Yvel (Morbihan) et de la forêt de Nevet, près de Locronan (Finistère).

de votre présence ici dans ma demeure ? Est-ce pour cause de guerre, de combat, de bataille, ou bien parce que vous ne savez pas quel est votre destin ? – Le besoin qui nous a menés ici, ô Fintan, toi qui es sage et avisé, c'est la décision que nous devons prendre à propos des Fomoré. Ils nous tiennent dans l'oppression après nous avoir tué bon nombre de braves guerriers, et ils nous soumettent à un lourd tribut que nous ne pourrons guère supporter longtemps. – Je ne saurais vous dire autre chose que ceci, brillants fils de Nemed : ne supportez plus votre malheur, ne supportez plus l'oppression des Fomoré. Quittez cette île et allez vous établir ailleurs dans le vaste monde. – Est-ce donc le conseil que tu nous donnes, ô Fintan ? répondirent les enfants de Nemed. Devons-nous quitter ce pays qui est le nôtre ? – En vérité, reprit Fintan, c'est le seul conseil que je puisse vous donner. Mais j'ai encore autre chose à vous dire : n'allez pas tous dans la même direction ou par une seule route, car on sait bien qu'un grand rassemblement d'hommes attire le conflit. Il ne peut y avoir de foule sans qu'éclate querelle pour une raison ou pour une autre. Il ne peut y avoir de troupe armée de lances et de javelots sans qu'on y voie provocation. Il ne peut y avoir d'étrangers sans que se soulève dispute entre les premiers habitants et les survenants. Partez donc, enfants de Nemed, quittez cette île et répandez-vous par le monde. – Mais où devons-nous aller, sage Fintan, fils de Bochra ? Dis-le-nous afin que nous puissions nous mettre en route. – Vous êtes assurément fort peu nombreux, répondit Fintan. Dans ce cas, partagez-vous en trois troupes. Que l'une d'elles s'en aille vers le nord, que la deuxième prenne la mer vers l'orient et que la troisième suive la voie contraire à la course du soleil, mais vers le sud, du côté où il manifeste le plus de chaleur. »

Ainsi parla Fintan le Sage, fils de Bochra, aux enfants de Nemed, et ceux-ci lui firent leurs adieux. Mais, avant leur départ, il leur dit encore : « Allez donc, ô Enfants de

Nemed, quittez ce pays qui n'est plus habitable pour vous. Fuyez cette île où ne vous attendent que l'oppression et l'esclavage honteux. Ne restez pas plus longtemps ici, ne payez pas plus longtemps le tribut que vous réclament les Fomoré. Mais je vous assure que vos fils ou vos petits-fils reviendront dans ce pays que vous fuyez et qu'ils le reprendront par la force ou par le droit. Car, quoi qu'il puisse arriver, vous serez toujours les enfants de cette île et vous en serez toujours les maîtres. »

Ils se concertèrent sur la manière de procéder pour se partager en trois troupes. Bethach, fils de Iarbonel le devin qui était fils de Nemed, ne voulut pas quitter l'Irlande. Il y demeura donc un certain temps, mais il mourut d'une maladie qui s'était abattue sur le pays. Cependant, ses dix femmes lui survécurent vingt-trois ans. Quant à son fils Ibath, il quitta l'île en compagnie de son propre fils Baath, et tous deux se dirigèrent vers les îles du nord du monde. Et leurs descendants furent ceux qu'on appelle les tribus de la déesse Dana.

Fergus au côté rouge, qui était le plus jeune fils de Nemed, prit la mer et s'en fut vers l'est avec son propre fils qui se nommait Britain le Prince. Ils abordèrent dans la grande île qui est proche de l'Irlande et s'y établirent. Leurs descendants, ceux qu'on appelle les Bretons, du nom de Britain le Prince, eurent la domination de l'île jusqu'à l'arrivée de deux chefs saxons qui occupèrent leurs terres, les repoussant sur les rivages et obligeant nombre d'entre eux à s'exiler de l'autre côté de la mer dans la péninsule qu'on appelle Armorique et à laquelle ils donnèrent depuis leur nom.

Quant à Semeon, fils de Sdarn, fils de Nemed, il partit vers le sud pour gagner les pays où le soleil est le plus chaud. Une tempête le détourna, et il se retrouva dans la mer Tyrrhénienne. Là, une autre tempête éclata, qui le ballotta à travers les îles jusqu'aux rivages de la Thrace. Ces rivages étaient secs et stériles, envahis d'un sable sur lequel rien ne pouvait pousser. Lui et ses compagnons s'y établirent néanmoins et s'y bâtirent des demeures avec de la terre séchée. Alors, les gens du pays vinrent les trouver. Refusant de se battre, ils entamèrent des discussions, firent la paix et conclurent un traité. Au clan de Semeon furent attribuées des propriétés et des terres sur le bord de la mer et sur les frontières lointaines, dans des régions qui étaient très froides, sur des montagnes escarpées et des versants de collines exposés aux vents du nord. Leur furent également attribués des ravins profonds et des sommets inhabitables, dans des contrées rudes dont le sol n'avait jamais connu de récoltes d'aucune sorte. Mais se disant qu'ils devaient profiter des terres qu'on leur avait données, les gens du clan de Semeon fabriquèrent de vastes sacs avec de la toile et des peaux de bêtes et transportèrent une grande quantité de terre arable sur les rochers nus et arides dont on leur accordait la possession. Ils travaillèrent avec tant d'ardeur et tant d'intelligence qu'en peu de temps ils eurent fait de ces régions stériles des plaines riantes et fleuries où poussaient le blé et la vigne et où paissaient de nombreux troupeaux. Et ils ne regrettèrent pas d'avoir quitté l'Irlande et de s'être ainsi soustraits au lourd tribut que leur infligeaient les Fomoré.

Cependant, quand les chefs et les guerriers de ce pays virent l'œuvre des nouveaux venus, ils en furent non seulement émerveillés, mais envièrent leur réussite. Ils venaient visiter les terres du clan de Semeon et admiraient les champs cultivés et les prairies qui regorgeaient de brebis et de moutons. Ils se dirent que ce pays leur appartenait et qu'il convenait de reprendre des terres si fertiles à ces étrangers qui n'y avaient aucun droit. Ils allèrent discuter avec les gens de Semeon et leur proposèrent, en échange de ce qu'on leur avait donné, d'autres terres, encore plus au nord, dans des pays rudes et froids, des terres dures et truffées de pierres, des sols infestés de serpents venimeux. Et, pour ne pas s'engager dans des guerres, les gens de

Semeon acceptèrent cet arrangement et quittèrent les lieux qu'ils avaient rendus féconds.

Néanmoins, ils ne se découragèrent pas et firent tant et si bien sur leurs nouvelles terres qu'ils les métamorphosèrent en champs riches et fertiles, aussi unis et larges que ceux qu'ils avaient quittés. Et comme la nourriture était abondante, les gens du clan de Semeon se multiplièrent et augmentèrent leur nombre jusqu'à être des milliers. Mais lorsqu'ils virent ces étrangers devenir aussi nombreux, aussi riches et aussi puissants, les chefs du pays les sommèrent de leur livrer chaque année la moitié de leurs récoltes et la moitié des troupeaux qui paissaient dans leurs prairies.

Alors les gens du clan de Semeon se réunirent et tinrent conseil. Leurs chefs étaient les cinq fils de Déla, descendant de Nemed, et dont l'aîné portait le nom de Slaingé.

« A quoi cela nous a-t-il servi de nous être enfuis d'Irlande pour échapper à la tyrannie et au tribut des Fomoré ? Voici que nous nous retrouvons dans un pays étranger, rejetés sur des terres incultes que nous avons rendues fertiles, et soumis à la même tyrannie et au même tribut. Cela ne peut plus durer. Il serait temps de nous révolter contre l'injustice qui nous accable. – Tu as raison, dit son frère Rudraige. Nous ne pouvons rester davantage sans réagir et sans faire valoir les droits que nous donne notre travail. – Nous n'aurons jamais raison devant les maîtres de ce pays, reprit Slaingé. Nous n'avons d'autre solution que de reprendre la mer, avec toutes les richesses que nous pourrons emporter, et de revenir vers la terre d'Irlande. Car cette terre est celle de nos ancêtres et nous avons le droit d'y habiter. »

Ils tinrent conseil un certain temps puis tombèrent d'accord sur ce qu'ils feraient. Ils construisirent des barques avec les sacs qui leur servaient pour transporter la terre arable sur les rochers stériles, et voilà pourquoi, depuis lors, ils furent appelés les *Fir Bolg*, c'est-à-dire les Hommes aux sacs [1]. Toutefois, d'autres disent qu'ils doivent leur nom au fait qu'ils savaient domestiquer la foudre et utiliser le feu pour fondre le métal et fabriquer des armes et des instruments pour cultiver la terre. Quoi qu'il en soit, ils dérobèrent également des navires aux gens du pays et les rassemblèrent dans le port où ils avaient abordé le premier jour.

« Voici le moment de nous apprêter à partir, dit alors Slaingé, qui était l'aîné de la troupe et celui que ses frères tenaient pour le plus sage. Souvenez-vous que nous avons subi de graves préjudices de la part des habitants de ce pays. Il convient donc de nous venger. Sans oublier que chacun de nos hommes en vaut cent. »

Ils chargèrent donc sur les navires toutes les marchandises et toute la nourriture qu'ils purent trouver, tuant tous ceux qui prétendaient les en empêcher, puis ils ravagèrent le pays environnant en y propageant l'incendie. Ils amassèrent ensuite le butin sur les navires à la proue noire qu'ils avaient construits avec leurs sacs et, cela fait, levèrent l'ancre et déployèrent les voiles.

On raconte que mille cent trente était le nombre des navires des Fir Bolg quand ils quittèrent les rivages de la Grèce. Le vendredi suivant, ils se trouvèrent dans la mer Tyrrhénienne et, après un an et trois jours, atteignirent l'Espagne.

Ils demandèrent alors à leurs druides et à leurs devins de les renseigner et de les informer sur les vents avec les-

---

1. Couramment retenue, cette étymologie populaire ne résiste pas à l'analyse. Malgré une certaine analogie, le mot *bolg* provient d'une racine indo-européenne qui a donné le latin *fulgur*, « foudre », racine qu'on retrouve dans le nom des Belges et dans celui de l'épée magique de Nuada, *Caladbolg*, devenu *Caledfwlch* en gallois et *Excalibur* en français et en anglais, la célèbre épée du roi Arthur, littéralement « dure foudre ». Il faut cependant remarquer que cette histoire de sacs servant à construire des barques repose sur une certaine réalité : la barque irlandaise typique est en effet le *curragh* (*coracle* en anglais) dont l'armature de bois est recouverte de peaux ou de toiles goudronnées.

quels ils devraient compter pour faire voile à travers le grand océan. Ils quittèrent l'Espagne avec un vent de sud-ouest et naviguèrent tout droit pendant treize jours avant d'apercevoir les côtes d'Irlande. Mais une tempête s'éleva alors, si soudaine et si violente que leur flotte fut dispersée en trois groupes. C'est l'aîné des fils de Déla, Slaingé, qui débarqua le premier, à l'endroit qui fut nommé depuis Inber Slaingé. C'était un samedi, le premier jour du mois d'août [1].

Les autres débarquèrent en différents points du pays. S'y voyant isolés, ils s'inquiétèrent du sort de leurs compagnons et envoyèrent à travers toute l'Irlande des messagers prier les Hommes-Foudre de se rassembler en un seul endroit, dans la forteresse des Rois qui se trouve à Tara [2]. Les messagers parcoururent l'île en tous sens et accomplirent leur mission auprès de ceux qu'ils rencontraient. Aussi, bientôt, chacun se retrouva-t-il en ce lieu.

« Remercions les dieux de nous avoir conduits sans encombre dans ce pays qui est celui de nos ancêtres, dirent-ils. Maintenant, il convient de nous partager l'Irlande de manière que personne ne soit lésé. Qu'on fasse venir le sage Fintan, fils de Bochra, et qu'il nous dise comment partager cette île en toute justice. »

Fintan, fils de Bochra, vint à l'assemblée de Tara. Après avoir écouté les Fir Bolg, il partagea l'Irlande en cinq parties [3] qui furent confiées à chacun des fils de Déla. Tous

---

1. Date symbolique : c'est la fête celtique de *Lugnasad* (« assemblée de Lug ») au cours de laquelle est célébré le mariage sacré du roi avec la terre qui lui est confiée.

2. Sanctuaire préhistorique, puis celtique, situé non loin de la vallée de la Boyne, dans le comté de Meath. C'est le centre symbolique de l'Irlande, une sorte d'*omphalos* qui a été respecté et que l'on considère comme sacré.

3. En gaélique, « province » se dit *coiced*, littéralement « cinquième ». En fait, il n'y a jamais eu que quatre provinces, l'Ulster, le Connaught, le Munster et le Leinster, mais la cinquième est surtout

furent satisfaits du jugement prononcé par le sage Fintan, et ils s'établirent sur les terres qu'on leur avait attribuées.

C'est ainsi que les Fir Bolg, les Hommes-Foudre qui venaient de bien loin, s'emparèrent de l'Irlande. Et leur souveraineté sur cette île dura trois cents ans [1].

---

morale : il s'agit du fameux royaume de Meath (*Mide*), littéralement « milieu », autour de Tara, siège du haut-roi (*ard-ri*) d'Irlande.

1. D'après le récit connu sous le titre de *La première bataille de Mag-Tured*, contenu dans le manuscrit H.2.17 du Trinity College de Dublin, publié par J. Fraser dans la revue *Eriu*, tome VIII, Dublin, 1915. Traduction française à peu près intégrale de Ch.-J. Guyonvarc'h, *Textes mythologiques irlandais*, Rennes, 1980.

CHAPITRE II

Les tribus de Dana

Les enfants de Nemed qui étaient partis sous la conduite d'Ibath, fils de Bethach, s'étaient dirigés vers le nord. Ils errèrent longtemps sur les mers et finirent par aborder dans un pays qu'on dit être la Béotie. Ils y furent très bien reçus par les habitants, et l'on ajoute même que c'est là qu'ils s'initièrent en matière d'arts, de techniques, de magie et de druidisme. Ils devinrent si experts dans tous les arts du paganisme qu'ils surpassèrent bientôt leurs maîtres. C'est à ce moment qu'on commença à les appeler les Tribus de Dana, et certains historiens prétendent qu'ils furent ainsi nommés à cause de trois hommes très versés dans la science druidique, les trois Dieux de Dana, qui étaient fils d'une femme-chef que l'on appelait Dana. Et comme ils avaient autant de pouvoirs que les dieux, les gens de leur clan voulurent partager leur nom et leur puissance.

Cependant, un beau jour, une grande flotte venue de Syrie vint attaquer les habitants de la Béotie. S'ensuivirent d'incessants combats, mais ceux de Béotie qui avaient été tués la veille revenaient le lendemain matin s'opposer à leurs ennemis. A l'origine de cette merveilleuse résurrection était la magie qui permettait aux hommes de Dana de placer des démons dans les corps demeurés sans vie.

Ainsi, les gens de Syrie devaient-ils affronter les mêmes adversaires chaque jour, et ils s'en étonnèrent grandement. Ils allèrent donc consulter leurs propres druides, et ceux-ci leur conseillèrent de surveiller le champ de bataille dès la nuit tombée : ils devraient alors transpercer avec une branche de frêne les cadavres qui se dresseraient contre eux. Si c'étaient des démons qui ranimaient les corps, ceux-ci retomberaient à terre aussitôt et se corrompraient. Les gens de Syrie suivirent cet avis, et ils massacrèrent un grand nombre des défenseurs de la Béotie.

Quand les tribus de Dana virent que les premiers allaient triompher des seconds et risquaient de les poursuivre elles-mêmes ensuite, leurs chefs se réunirent et décidèrent qu'il fallait quitter le pays au plus vite. Ils montèrent sur leurs navires et mirent à la voile. Comme les vents étaient favorables, ils atteignirent les Iles du Nord du monde. Là, ils furent très bien accueillis, en raison de leurs connaissances et de leur habileté dans les arts magiques. On leur donna quatre villes pour qu'ils pussent enseigner les jeunes gens du pays. Ces quatre villes étaient Falias, Gorias, Murias et Findias [1].

Dans ces Iles du Nord du monde, les tribus de Dana se multiplièrent et devinrent si célèbres qu'on se mit à parler d'elles en tous pays. En ce temps-là, leur roi se nommait Nuada, et il avait autour de lui maints chefs qui le conseillaient avec sagesse : parmi eux, se trouvaient Ogma, le champion à la force terrible, Credné, le bronzier qui ciselait de beaux ornements, Goibniu, le forgeron, qui fabriquait armes et instruments aratoires, Diancecht, l'habile médecin, Mananann, fils de Lîr, expert en l'art de la navigation, Morrigane, fille d'Ernmas, savante en chants guerriers, et surtout Eochaid Ollathair, qu'on appelait plus volon-

---

1. D'après *L'Histoire d'Irlande* (*Foras Feasa ar Eirinn*), composée au XVIIᵉ siècle par Geoffroy Keating et éditée par David Comyn (Londres, 1902).

tiers Dagda, c'est-à-dire le dieu bon, qui s'entendait plus que quiconque à la magie et au druidisme. Et, dans chacune des quatre villes où ils étaient établis, un druide enseignait la jeunesse et racontait les prouesses qu'avaient jadis accomplies les enfants de Nemed sur la terre d'Irlande et dans le monde entier.

Un jour, une certaine Eri, femme noble entre les plus nobles des tribus de Dana, se trouvait dans sa demeure à y regarder la terre et la mer. La mer calme et unie comme une planche de bois bien rabotée. Or, comme elle était là, contemplant le paysage, depuis sa maison, elle aperçut soudain quelque chose qui l'étonna : un navire brillant comme de l'argent et qui voguait, là-bas, en face d'elle. Il lui sembla de grandes dimensions, mais elle n'en pouvait distinguer la forme. Cependant, le courant le rapprochant de la terre, elle put mieux l'examiner.

Ainsi remarqua-t-elle qu'un homme était à son bord, et un homme qui lui sembla d'une beauté exceptionnelle. Sa chevelure d'or lui tombait aux épaules, et un manteau rehaussé de bandes de tissu doré drapait sa tunique, elle-même enrichie de broderies d'or. Sur sa poitrine, brillait une broche d'or incrustée de pierres précieuses. Il avait en outre deux javelots d'argent aux hampes de bronze poli, cinq colliers d'or autour du cou, ainsi qu'une épée dont la poignée d'or s'ornait de cercles d'argent et de bossettes en or. Tout émerveillée, la femme sortit de sa demeure et s'en alla vers le rivage.

L'homme descendit de son bateau, mit pied à terre et, apercevant Eri, lui dit : « Femme, est-ce le bon moment pour m'unir à toi ? – Je ne t'ai pas donné rendez-vous, répondit-elle. – Eh bien ! reprit l'homme, considère que je te donne maintenant rendez-vous. Je te demande donc d'y venir. » Sans plus de façons, ils s'étendirent à même le sol. Mais, quand ils eurent fini, la femme se mit à pleurer. « Pourquoi pleurer ? demanda-t-il. – J'en ai deux bonnes raisons, répondit-elle. Je vais me séparer de toi, et j'en suis chagrine. Les plus beaux hommes des tribus de Dana m'ont désirée sans m'obtenir, et maintenant que tu m'as possédée, mon désir est en toi et il y restera jusqu'à mon dernier souffle. – Je ne veux pas que tu t'inquiètes à ce propos », lui dit l'homme.

Retirant l'anneau d'or qui encerclait son doigt du milieu, il le mit dans la main de la femme et lui recommanda de ne s'en séparer par don ni par vente qu'en faveur de celui au doigt duquel il s'adapterait.

« Sois sûr que je ne m'en séparerai jamais, répondit la femme. Mais j'ai un autre chagrin : d'ignorer qui est venu vers moi. – Tu ne l'ignoreras pas, dit l'homme. Celui qui est venu vers toi est Elatha, fils d'Indech, qui est un des chefs des Fomoré. Nous vivons sur des îles au milieu du brouillard et, si tu veux me retrouver, tu n'auras qu'à montrer cet anneau à tous ceux que tu rencontreras. De plus, je te dirai que, de notre union, tu auras un fils, et on ne lui donnera pas d'autre nom que celui d'Eochaid Bress, c'est-à-dire Eochaid le Beau. Sache que tout ce que l'on voit de beau en Irlande et dans les îles du nord du monde, que ce soient les prés où paissent les troupeaux, les champs où l'on cultive le blé, les forteresses qui sont bâties sur les hauteurs, la bière que l'on boit dans les assemblées, les chandelles qui illuminent la salle des festins, les femmes qui brillent au milieu des hommes par leur éclat, les chevaux qui tirent les chars de combat, tout cela, c'est à ce fils qu'on le comparera. Et l'on dira : C'est *Bress* [1]. »

Après cela, l'homme des Fomoré prit congé de la femme. Il remonta sur son navire argenté et disparut sur la mer

---

1. Dans tous les récits de ce genre, les étymologies sont nécessairement métaphoriques. En fait, *Bress* signifie littéralement « souffle violent », « coup guerrier », et peut, par extension, désigner un « héros ». Cependant, dans l'optique épique, un héros ne peut être que « beau » – a fortiori si l'on songe que Bress sera revêtu de la fonction royale à laquelle est attachée la notion de beauté, dût-il se montrer, par la suite, indigne de l'assumer pleinement.

qui l'avait amené. Quant à Eri, elle regagna sa demeure. Elle s'aperçut bientôt qu'elle était enceinte et donna naissance à un fils qui fut appelé Eochaid Bress, comme l'avait dit Elatha des Fomoré. Huit jours après que la femme eut accouché, le garçon paraissait avoir quinze jours et il continua de grandir ainsi, tellement plus vite que les autres enfants de son âge, qu'à la fin de sa septième année, il avait la taille d'un garçon de quatorze ans. Ainsi fut Bress, fils d'Elatha des Fomoré et d'Eri des tribus de Dana [1].

Quand les tribus de Dana eurent connaissance de ces faits, leurs chefs se réunirent et furent d'avis qu'il fallait conclure un traité d'amitié avec les Fomoré. Ils envoyèrent alors des ambassadeurs auprès des Fomoré, et une alliance fut ainsi scellée entre eux. Et voilà comment Cian, fils de Diancecht, épousa Ethné, fille de Balor, le champion des Fomoré. De leur union naquit Lug au Long Bras, qui fut plus tard le héros de tous les hommes qui se réclamaient des tribus de Dana. Mais Lug ne fut pas élevé par sa mère car, lorsque les tribus de Dana vinrent en Irlande, Lug fut confié à une femme des Fir Bolg qui se nommait Tailtiu, laquelle fut sa mère nourricière, et dont il perpétua la mémoire par des jeux funèbres qui se tenaient au lieu même où elle fut enterrée, c'est-à-dire à

---

1. D'après le récit de *La seconde bataille de Mag-Tured*, contenu dans le manuscrit Harleian 5280, édité et traduit par W. Stokes dans *Revue celtique*, XIII. Traduction française d'Henri d'Arbois de Jubainville, dans *L'Epopée celtique en Irlande*, Paris, tome V du « Cours de Littérature celtique », Paris, 1892. Traduction française partielle de Georges Dottin dans *L'Épopée irlandaise*, nouv. éd., Paris, 1980. Traduction française à peu près intégrale dans Ch.-J. Guyonvarc'h, *Textes mythologiques irlandais*, Rennes, 1980. Pour reconstituer de façon cohérente le fil conducteur de cette épopée des anciens Celtes, il est impossible de suivre l'ordre chronologique apparent des multiples récits. Aussi faut-il emprunter parfois à certains textes de différentes époques et de sujets divers, quitte à revenir ensuite à des textes antérieurs ou présumés tels.

Tailtiu, puisque c'est le nom qu'on donna ensuite à cet endroit [1].

Vint un temps où les gens des tribus de Dana furent si nombreux qu'ils se trouvèrent à l'étroit dans les quatre villes où ils résidaient. Nuada, qui était leur chef, les réunit autour de lui et, après de longues discussions, ils prirent la résolution de partir sur la mer et de rejoindre l'Irlande qui était le pays de leurs ancêtres. Ils équipèrent des bateaux

---

1. Tailtiu est aujourd'hui Teltown, dans le comté de Meath, haut lieu des célébrations folkloriques – et païennes – en l'honneur de Lug, au début du mois d'août, ce qui correspond à la fête de *Lugnasad*. Dans les récits anciens, Tailtiu est dite « fille de Mag Mor (= grande plaine), roi d'Espagne », et épouse d'Eochaid, le dernier roi des Fir Bolg. Le nom de Tailtiu se réfère à une racine *talamh* (latin *tellus*) qui signifie « terre ». Tous ces récits mythologiques insistent sur l'union indispensable entre le dieu, ou le roi, et la *terre*, en particulier la terre d'Irlande. Car le nom de la mère de Bress, *Eri*, n'est qu'une variante d'*Eriu*, l'une des appellations de la femme primordiale Cessair, et qui deviendra le nom officiel de l'Irlande. De même, le nom de la mère de Lug, Ethné, se retrouve dans de multiples variantes, dont *Etaine*, l'héroïne d'un autre récit, et qui n'est autre que la non moins célèbre Boann (la Boyne), mère du héros Angus, ou encore la triple Brigit, alias Dana, déesse des Commencements. Cette dernière a des origines extrêmement lointaines, puisqu'on la retrouve au Moyen-Orient (Anaîtis, Anu, etc.), en Inde (Anna Pourna), à Rome (Anna Parenna), dans le nom des fleuves Don et Danube (Tanaüs) ou celui de certains peuples grecs (les *Danaoi*) et, il faut bien l'ajouter, dans la célèbre « sainte » Anne des Bretons. Dans le folklore irlandais, elle donne son nom à deux sommets du Kerry, « the Paps of Anu », autrement dit les mamelons d'Anna. Dans la mythologie galloise, elle est devenue Dôn, la mère d'une série de dieux analogues aux personnages des tribus de Dana. La complexité des récits irlandais, où les noms changent sans cesse, ne doit pas faire oublier que, le plus souvent, il s'agit d'une entité insaisissable et qui, comme telle, doit avoir plusieurs aspects et plusieurs noms. Cela ajoute, certes, à la difficulté de compréhension des récits mythologiques mais, une fois qu'on simplifie la nomenclature, les personnages prennent tout leur relief et toute leur valeur symbolique. De plus, il faut savoir que les Irlandais ont toujours cherché à expliquer leurs noms de lieux par un fait mythologique ou merveilleux, quitte à recourir à des étymologies métaphoriques ou des homophonies flagrantes.

au nombre de trois cents et se préparèrent pour un long voyage. Et ils emportèrent des objets merveilleux, grâce auxquels ils pensaient s'assurer la suprématie sur les autres peuples de la terre. De la ville de Falias fut apportée la Pierre de Fâl qui fut ensuite placée sur la colline de Tara et que certains ont appelée la Pierre du Destin : elle criait sous chaque roi qui devait gouverner l'Irlande [1]. De Gorias fut apportée la lance qui fut plus tard celle de Lug, et qu'on appelait également la Lance d'Assal : on ne pouvait gagner de bataille sur celui ou celle qui la brandissait [2]. De Findias fut apportée l'épée de Nuada, qu'on appelait également Caladbolg, c'est-à-dire Violente Foudre : personne ne lui échappait, tant sa fureur était grande quand elle était tirée de son fourreau [3]. De Murias fut apporté le chaudron de Dagda : il contenait une nourriture inépui-

---

1. La Pierre de Fâl, qui se trouve toujours à Tara, servait pour l'intronisation du haut-roi d'Irlande. D'autres textes racontent que, lors de l'élection de celui-ci, les candidats devaient toucher la pierre : si elle *criait*, c'est que les dieux avaient choisi celui qui devait le mieux gouverner l'Île Verte. Dans son *Histoire d'Irlande*, Geoffroy Keating raconte qu'après la conquête de l'Ecosse par les *Scots*, c'est-à-dire les Irlandais, la Pierre de Fâl fut prêtée pour l'intronisation du premier roi gaël d'Ecosse, mais qu'elle fut ensuite conservée dans l'abbaye de Scone. C'est cette pierre, connue désormais sous le nom de « Pierre de Scone », que le roi d'Angleterre Edouard Ier fit emporter pour son propre couronnement et qui se trouverait actuellement sous le trône qui sert pour l'intronisation des souverains anglais à Westminster. En vain, les Ecossais réclament-ils instamment sa restitution depuis des siècles. On ne peut manquer de faire un rapprochement entre cette merveilleuse Pierre de Fâl et le mystérieux « Siège Périlleux » de la Table Ronde, siège réservé à celui qui mènera à leur terme les aventures de la Quête du Graal, donc au « Roi du Graal ».
2. Dans un autre texte, on prétend que l'ardeur de cette lance était telle que, pour la calmer, il fallait en plonger la pointe dans un chaudron rempli de sang humain. Il n'est pas sans intérêt de la comparer à la « Lance qui saigne » présentée au cours du célèbre cortège du Graal.
3. Elle est le prototype de *Caledfwlch*, donc *Excalibur*, la célèbre épée de souveraineté qui ne peut être confiée qu'au roi Arthur.

sable, et aucune compagnie ne le quittait qu'il n'eût rassasiée [1].

Les tribus de Dana partirent alors des Iles du nord du Monde et naviguèrent vers l'Irlande. Au bout de trois jours, trois nuits et trois ans, elles abordèrent sur le rivage de Muga en Ulster : ce fut le lundi de la semaine du début du mois de mai [2]. Certains prétendent que les gens de Dana, qui étaient de la race de Iarbonel le Devin, étaient arrivés sans vaisseaux et sans barques, sur des nuages sombres, par la seule vertu de leur druidisme ; mais la vérité est que, lorsqu'ils eurent débarqué, ils brûlèrent tous leurs navires afin de ne pas s'en retourner si l'envie leur en prenait ou si un danger les menaçait. Les grands nuages de fumée qui, en cette occasion, obscurcirent le ciel au-dessus de l'Irlande, firent croire qu'ils étaient venus dans un brouillard magique. Mais ce qui est certain, c'est que la fumée déroba aux yeux leur arrivée, et qu'ils allèrent se réfugier dans le pays de Corcu Belgatan qui est maintenant le Connemara, dans la province de Connaught [3].

En ce temps-là, le roi d'Irlande était Eochaid, fils d'Erc, de la race des Fir Bolg. Or, la nuit même où les tribus de Dana avaient abordé, il eut une vision pendant son sommeil. Il se réveilla mal à l'aise et fit appeler son druide qui avait nom Cesard. Lorsque celui-ci fut en sa présence, le roi lui dit qu'il était rempli d'angoisse et de perplexité à cause d'un rêve qu'il avait eu pendant la nuit.

« Qu'as-tu donc vu, en vérité, ô roi d'Irlande ? demanda Cesard. – En vérité, répondit Eochaid, j'ai vu de grandes

---

1. A l'évidence, l'un des prototypes du « saint » Graal chrétien dont l'apparition au-dessus des chevaliers de la Table Ronde leur procure la nourriture et le breuvage qu'ils désirent.

2. Soit pendant la fête celtique de *Beltaine*, fête essentiellement sacerdotale qui marque la fin de l'hiver et le début de la saison d'été.

3. Synthèse entre *Le Livre des Conquêtes*, le récit de *La première bataille de Mag-Tured* et le récit de *La seconde bataille de Mag-Tured*, première version.

troupes d'oiseaux noirs qui surgissaient des profondeurs de la mer et qui se dirigeaient vers moi. Bientôt, ils se posèrent sur la terre et se mêlèrent à nous. Mais ils apportaient la confusion et l'hostilité parmi les hommes d'Irlande. Alors, l'un des nôtres prit son épée et coupa une aile à celui des oiseaux qui me paraissait le plus noble. Maintenant, ô druide, lève-toi et emploie ta science et ta magie pour nous dire ce que tout cela signifie. »

Cesard se leva devant le roi d'Irlande et, grâce à sa connaissance des choses cachées, il prit la parole en ces termes : « J'ai une nouvelle pour toi et pour tous les hommes de cette île : des guerriers sont venus de la mer, des guerriers nobles et hardis qui ont franchi le grand océan pour venir jusqu'à nous. Ils apportent avec eux la mort et la destruction, car ils sont gens habiles en fait de magie et d'incantation. Ils jetteront sur vous des nuages druidiques qui vous égareront et, dans chaque combat que vous mènerez contre eux, vous serez les plus faibles. Sache donc, ô roi d'Irlande, que l'heure est venue où les Hommes-Foudre cesseront d'être les maîtres de cette île. »

A ces mots du druide Cesard, les Fir Bolg envoyèrent des espions surveiller les gens qui étaient venus de la mer. Leur mission accomplie, les espions les informèrent que la troupe des nouveaux arrivés était la plus belle qu'on eût jamais vue dans le monde, tant pour l'aspect que pour l'armement, pour l'équipement que pour la musique, pour le jeu que pour la façon de se comporter. Elle était également, à les en croire, la plus terrifiante, car ses guerriers paraissaient tous avoir une grande science des arts et des techniques du druidisme et de la magie.

Les Fir Bolg tinrent conseil dans le palais royal de Tara. « C'est un grand désavantage pour nous que de ne pas savoir d'où est venue cette armée, ni ce qu'elle a l'intention de faire en Irlande. Envoyons vers eux Sreng, fils de Sengann. C'est un homme rude et de grande taille qui connaît très bien les arts et les sciences. Il ira trouver les étrangers et parlera avec eux. Il leur demandera qui ils sont et ce qu'ils veulent. »

Sreng, fils de Sengann, se leva et se prépara à partir. Il prit son puissant bouclier rouge-brun, ses deux lances en bois très épais, son épée qui étincelait, son casque à quatre cornes et sa lourde massue de fer. Ainsi équipé, il prit congé de l'assemblée royale et se dirigea vers l'endroit où s'étaient retranchés les gens des tribus de Dana, sur le territoire de Connaught.

Les gens de Dana le virent arriver dans la plaine, et ils s'étonnèrent fort de sa grande taille et de son horrible aspect. « Voici un homme seul qui vient vers nous, dirent-ils. Il ne peut être qu'un messager envoyé pour nous demander qui nous sommes et ce que nous voulons. Mais nous ne savons pas de quelle race il est, peut-être de celle des Fomoré. Que Bress, fils d'Elatha, aille s'entretenir avec lui. Bress est de sang royal, mais son père est un Fomoré : il pourra sûrement le comprendre et nous dire ensuite ce qu'il en est. »

Bress, fils d'Elatha, prit son bouclier, son épée et ses deux grandes lances, puis il sortit du camp des tribus de Dana et s'avança dans la plaine à la rencontre de Sreng, fils de Sengann. Ils allèrent l'un vers l'autre jusqu'à ce que l'intervalle qui les séparait leur permît de s'adresser la parole. D'abord, ils se regardèrent avec autant d'attention que de curiosité. Pour chacun d'eux, l'armement et l'équipement de son vis-à-vis avaient quelque chose de surprenant. Trouvant étranges les deux grandes lances de Bress, Sreng planta son bouclier dans la terre de façon à se protéger le corps et le visage. Bress tint de même son bouclier devant lui et salua Sreng. Sreng le salua à son tour, et tous deux comprirent qu'ils parlaient le même langage et qu'ils avaient donc des ancêtres communs. « Je me réjouis d'entendre un discours aussi plaisant que le tien, dit Bress. Je vois bien que tes ancêtres sont de la race de Nemed, béni soit-il dans nos mémoires.

– J'éprouve autant de plaisir que toi en constatant que nous sommes de même race et de même sang, répondit Sreng. Mais sache que nous sommes des hommes redoutables et que nous n'avons jamais reculé devant des ennemis, quels qu'ils soient. – Il en va de même pour nous, continua Bress. Sache également que, lorsqu'on la provoque, notre colère est grande contre nos ennemis, et que personne n'a jamais eu raison devant nous. – Certes, dit Sreng, je comprends que tu es d'un peuple courageux. Si jamais nos armées devaient s'affronter, ce serait la mort assurée pour les uns comme pour les autres, quel que soit l'art de ceux qui se chargeraient de nous éloigner du combat ou de nous égarer par la puissance de leur magie. »

Ils s'observèrent encore un moment, puis Bress dit : « Eloigne le bouclier de devant ton corps et ton visage afin que je puisse rapporter une description de ton aspect aux tribus de Dana. – Je le ferai, répondit Sreng. Je me cachais le corps et le visage par défiance des lances acérées dressées entre toi et moi. »

Sreng écarta son bouclier et le jeta sur le sol ; Bress fit de même, et ils se dévisagèrent longuement. « Montre-moi tes armes, demanda Bress. – Je le ferai volontiers, répondit Sreng. » Il jeta ses lances sur le sol et Bress jeta les siennes. « En vérité ! s'écria Bress, voici des armes à larges pointes, lourdes et fortes, puissantes et tranchantes ! Malheur à celui qu'elles blesseront, car il n'y saurait survivre ! Comment les appelles-tu ? – Ce n'est pas difficile, répondit Sreng, ce sont des lances de bataille. Avec elles, il n'est adversaire que nous redoutions. Elles garantissent blessure sanglante, écrasement des os, boucliers émiettés. Avec elles, nous sommes sûrs de vaincre. – Je le crois volontiers, dit Bress. Mais mes propres armes ne sont pas moins efficaces, tu le vois bien. Avec elles, je peux répandre la mort et la destruction sur tous ceux qu'il me plairait d'atteindre. Leur sang sera empoisonné, et ils disparaîtront de la surface de la terre. »

Ils se turent un bon moment et continuèrent à s'observer l'un l'autre. « Puisqu'il en est ainsi, reprit Bress, et pour éviter qu'il n'y ait désir de meurtre entre des parents, mieux vaudrait conclure alliance et amitié. – Volontiers », répondit Sreng. Bress, fils d'Elatha, des tribus de Dana, et Sreng, fils de Sengann, de la tribu des Fir Bolg, se jurèrent alliance et amitié.

« Où étais-tu la nuit dernière ? demanda Bress. – J'étais dans la forteresse royale de Tara, répondit Sreng. C'est là que sont les nobles et les guerriers des Fir Bolg, autour du roi suprême d'Irlande, Eochaid, fils d'Erc. Mais toi-même, d'où viens-tu ? – Je viens de la montagne, là-bas, dit Bress, là où sont les tribus de Dana et leur roi suprême, Nuada, fils d'Echtach. Les tribus de Dana sont venues des îles du nord du monde dans un nuage de brouillard et sont arrivées en Irlande à la faveur d'une tempête qu'avaient déclenchée leurs druides. Elles sont venues dans cette île pour y habiter, et voilà pourquoi il serait juste, de la part des Fir Bolg, de leur en céder la moitié. Ainsi pourrions-nous vivre en paix. – Je dois retourner à Tara, répondit Sreng, et répéter tes paroles au roi suprême d'Irlande. La route est longue d'ici à Tara, et il me faut partir. – Va, dit Bress, mais, auparavant, prends une des lances que j'ai apportées avec moi. Les Fir Bolg sauront ainsi de quelles armes disposent les tribus de Dana. »

Sreng prit l'arme que lui tendait Bress et, à son tour, lui donna l'une de celles qu'il avait apportées. « Dis bien aux Fir Bolg, reprit Bress, qu'ils ne vaincront pas mon peuple sans livrer bataille ou sans lui donner la moitié de l'Irlande. – Je le ferai sans faute », répondit Sreng.

Ils se séparèrent alors, non sans s'être à nouveau promis amitié entre eux, et reprirent chacun sa route. Quand il fut parvenu à Tara, on demanda à Sreng des nouvelles des gens avec qui il était allé s'entretenir.

« Ce sont de grands guerriers, répondit Sreng. Ils sont

virils et adroits, leurs héros sont cruels et experts dans les jeux du combat. Leurs boucliers sont larges et solides, leurs lances ont des pointes acérées et des fûts en bois très solide. Quant aux lames de leurs épées, elles sont flamboyantes et menaçantes. Il nous serait difficile de les affronter... Mieux vaudrait conclure la paix avec les tribus de Dana en leur donnant la moitié de l'Irlande. »

Les Hommes-Foudre se réunirent autour du roi Eochaid et discutèrent longtemps sur le rapport de Sreng. « Nous ne donnerons pas la moitié de l'Irlande aux étrangers, dirent-ils enfin, car, le ferions-nous, qu'ils prendraient bientôt toute l'île et nous réduiraient en esclavage, nous, nos enfants et tous nos descendants. »

Pour sa part, Bress rejoignit le camp des tribus de Dana. On lui demanda comment était l'homme qui était venu lui parler dans la plaine et comment étaient ses armes. Il montra la lance que lui avait donnée Sreng, et il répondit : « C'est un homme rude, puissant, armé de fortes armes que j'ai rencontré. Il est grand et hardi, il n'éprouve aucune crainte, aucune frayeur devant qui que ce soit. Et je doute fort que son peuple nous livre sans combat la moitié de l'Irlande. – Il faut donc nous préparer à une mortelle bataille, dirent les gens des tribus de Dana. Fabriquons des lances et des épées et construisons des forteresses où nous réfugier en cas de besoin. »

Ils envoyèrent également leurs trois magiciennes, Bobdh, Macha et Morrigane vers Tara, lesquelles parvinrent sans encombre au mont des Otages. De là, elles déversèrent des averses de magie druidique, des nuages denses de brouillard et de violentes pluies de feu, avec des gouttes de sang qui tombaient sur la tête des guerriers. De sorte que, pendant trois jours et trois nuits, les Fir Bolg ne purent trouver aucune tranquillité, aucun repos, et ils avaient le cœur empli d'angoisse.

« La magie de nos druides est mauvaise, dirent-ils enfin, puisqu'ils ne peuvent nous protéger de la magie des tribus de Dana. – Nous vous protégerons ! » s'écrièrent les druides des Fir Bolg.

Ils firent des incantations autour de la colline de Tara et arrêtèrent la magie des tribus de Dana. Alors, les Fir Bolg tinrent conseil et décidèrent de s'apprêter au combat. Ils assemblèrent leurs troupes en un même lieu, avec tous leurs chefs, tous leurs nobles et tous leurs rois, et ce lieu était alors nommé la Plaine de Lia.

Quand ils virent les Fir Bolg ainsi rassemblés, les gens des tribus de Dana réunirent toutes leurs troupes et, se dirigeant vers cette plaine, y prirent position. Trois de leurs druides furent envoyés vers les Hommes-Foudre pour leur proposer le partage de l'Irlande au nom de leur commune origine, puisque les Fir Bolg et les gens des tribus de Dana étaient tous des descendants de Nemed.

Les trois druides arrivèrent bientôt à la tente d'Eochaid, fils d'Erc, roi suprême de l'Irlande. On leur offrit des trésors et des présents et on leur demanda ce qu'ils voulaient. Ils dirent qu'ils étaient venus auprès du roi suprême pour lui proposer de partager l'Irlande. Les Fir Bolg leur répondirent qu'ils n'accepteraient jamais ce partage et qu'ils ne donneraient jamais la moitié de l'île à quiconque se présenterait ainsi.

« Eh bien, dirent les trois druides de Dana, sachez que vous devrez nous combattre. Quand donc décidez-vous de livrer bataille ? – Il nous faut un délai, répondirent les Fir Bolg. Nous devons préparer nos lances, nos épées, et fabriquer de solides boucliers pour nous protéger. »

Les trois druides retournèrent auprès des gens de Dana et leur annoncèrent que jamais les Fir Bolg n'accepteraient de leur donner une moitié de l'Irlande. Et les gens de Dana comprirent qu'il leur fallait s'attendre à de sanglantes luttes, car leurs adversaires étaient tout aussi braves et courageux qu'eux-mêmes.

Quinze jours et un mois après le début de l'été, au milieu de la journée, tel était le moment qu'on avait fixé pour la rencontre et la bataille dans la Plaine de Lia. Les troupes s'ébranlèrent aux premiers rayons du soleil. Munies de leurs boucliers revêtus d'ornements peints, de leurs lances majestueuses et royales, de leurs javelots de combat et leurs épées brillantes, elles se firent face. Fatach, le poète des Fir Bolg, s'avança devant les siens pour chanter leur colère et la gloire de leurs ancêtres. Ayant dressé un pilier de pierre au milieu de la plaine, il s'y adossa, tandis que Cairpré, le poète des tribus de Dana, dressait son propre pilier à l'autre extrémité de la plaine et s'y adossait lui-même pour chanter le courage des guerriers de son peuple. C'est depuis ce temps que la Plaine de Lia fut appelée *Mag-Tured*, c'est-à-dire la « Plaine des Piliers » [1].

Alors, le combat commença, violent et impitoyable. Des coups si mortels furent échangés entre les bataillons que se brisèrent les boucliers de part et d'autre et que les lances furent tordues, les épées brisées. La clameur devint effroyable, et l'activité que déployaient les guerriers dans toute la plaine était décuplée par le nombre d'exploits qu'accomplissait chacun. A la fin du jour, toutefois, les hommes des tribus de Dana durent, vaincus, se replier vers leur camp. Au lieu de les poursuivre à travers le champ de bataille, les Fir Bolg s'en revinrent tout joyeux au leur, et chacun apporta, en présence d'Eochaid, fils d'Erc, roi suprême de toute l'Irlande, une pierre de la plaine et la tête coupée d'un ennemi. Et ils en firent un grand monticule.

Quant aux hommes des tribus de Dana, ils dressèrent des piliers en l'honneur de leurs gens tués au combat. Leur médecin, qui avait nom Diancecht, fit ce qu'il fallait pour guérir les blessés. De leur côté, les médecins des Fir

---

1. Actuellement, *Moytura*, plaine située entre le lac Arrow et le lac Key, à la frontière des comtés de Sligo et de Roscommon, non loin de la ville de Boyle.

Bolg apportèrent des herbes de guérison, les écrasèrent et les dispersèrent si bien dans les eaux d'une fontaine que ces eaux devinrent vertes et épaisses. Et tout homme blessé que l'on plongeait dans la fontaine recouvrait immédiatement la santé et se relevait, prêt à combattre derechef.

Le lendemain matin, Eochaid, fils d'Erc, roi suprême des Fir Bolg, alla se laver à cette fontaine. Or, comme il s'y trouvait seul, occupé à ses ablutions, il aperçut au-dessus de lui trois hommes beaux mais terrifiants qui, à l'abri de leurs boucliers, le menaçaient. « Laissez-moi au moins le temps d'aller chercher mes armes, leur dit le roi Eochaid, car il serait injuste que vous combattiez un homme seul et désarmé. »

Mais les trois hommes refusèrent de lui accorder un délai et prétendirent l'affronter sur-le-champ, sans le laisser même prendre ses armes. Là-dessus survint un homme grand et fort, d'allure redoutable. C'était Sreng, fils de Sengann, qui s'interposa. « Il ne sera pas dit, s'écria-t-il, que mon roi désarmé puisse être assailli de la sorte par trois jeunes présomptueux. C'est moi que vous devrez combattre et non lui ! »

Ils s'élancèrent alors tous trois contre lui et succombèrent simultanément aux coups furieux qu'il leur porta. Les Hommes-Foudre arrivèrent à la fin du combat. Ils virent les trois hommes couchés contre terre, et le roi leur conta comment Sreng avait livré ce combat à sa place. Alors, ils apportèrent chacun une pierre qu'ils déposèrent sur les trois corps de façon à former un tertre que, depuis lors, on connaît sous le nom de Tertre du Champion. Après quoi, le roi Eochaid les suivit, et les combats reprirent contre les hommes des tribus de Dana.

Or, si denses étaient les troupes réunies là que, de partout, surgissaient des couleurs aussi étincelantes que celles du soleil à l'aube ou au couchant. Les champions des deux camps étaient recouverts de feu. Leur aspect était terrifiant, indescriptible, tant leurs épées ébranlaient les airs en tous sens, tant les lances acérées plongeaient dans les poitrines de l'adversaire, y puisant des fleuves de sang qui s'écoulaient sur l'herbe verte de la plaine. En rangs serrés, les hommes des tribus de Dana se lancèrent dans une attaque impétueuse et furieuse, brandissant leurs armes empoisonnées contre les Fir Bolg. Ils formèrent une ligne de bataille lourde et sanglante, à l'abri de leurs boucliers solides qui, bordés de rouge et peints des couleurs les plus variées, résistaient à tous les coups. Ce sont les guerriers les plus jeunes qui combattirent de la sorte, car on plaça les plus âgés sur les flancs des troupes afin d'aider et conseiller ceux qui se battaient avec tant de vaillance. Les poètes, les devins et les sages se placèrent contre les piliers qu'ils avaient érigés, et ils mirent en usage toute leur magie pour tenter de tromper leurs ennemis à force de charmes et d'incantations. Les furies, les monstres et les sorciers crièrent avec tant de force qu'on entendait leurs voix retentir parmi les rochers et les cascades des torrents, et jusque dans les cavernes les plus profondes de la terre. Et la terre tremblait elle-même d'entendre les cris horribles que l'on poussait, ce jour-là, par toute la plaine de Mag-Tured.

Eochaid, fils d'Erc, le roi suprême des Fir Bolg et de toute l'Irlande, se trouvait au cœur même de la bataille, ainsi que Nuada, le roi de toutes les tribus de Dana. Chacun distribuait des coups d'une violence extrême tout autour de lui, des coups qui meurtrissaient les corps, brisaient les boucliers, les lances et fracassaient les têtes, tels des bûcherons qui abattent à la cognée des arbres dans la forêt. Les héros se balançaient d'un côté, de l'autre et, malgré la mêlée, s'efforçaient d'atteindre tout ce qui passait à portée, leurs bras levés et leurs mains brandissant leurs épées qui lançaient des éclairs.

Il y avait aussi là trois femmes, les trois magiciennes des tribus de Dana, Bobdh, Macha et Morrigane, la fille d'Ernmas [1]. Au milieu du tumulte, elles lançaient des incantations pour aider les leurs et des imprécations pour affaiblir les autres. Les épées frappaient les bordures des boucliers ronds, et les lames brûlantes étaient refroidies par les flaques de sang sous les pieds des hommes. Bress, fils d'Elatha, vint au combat contre les Fir Bolg. Cent cinquante guerriers furent tués par lui, et il assena neuf coups sur le bouclier du roi Eochaid tandis que celui-ci lui infligeait neuf blessures. Sreng, fils de Sengann, vint au combat contre les tribus de Dana. Cent cinquante guerriers furent tués par lui, et il assena neuf coups sur le bouclier du roi Nuada qui, de son côté, lui infligea neuf blessures.

Cependant, les hommes des tribus de Dana repoussaient devant eux les Hommes-Foudre. Une multitude de cadavres jonchait la plaine. Les troupes tremblaient comme l'eau d'un chaudron qui déborde de tous côtés, ou comme une rivière dont les eaux se gonflent lorsqu'une armée la repousse pour frayer un passage à ses guerriers. Et, comme les rois voulaient combattre eux-mêmes, on leur laissa une large place. Les guerriers s'écartèrent et les serviteurs s'enfuirent tant ce spectacle leur inspirait d'horreur. La terre fut piétinée sous les pieds des héros jusqu'à ce que les mottes de tourbe eussent durci sous leur ardeur. Sreng affrontait Nuada, et ils se firent trente blessures l'un à l'autre. Mais Sreng porta un coup d'épée si terrible au roi des tribus de Dana qu'entamant le bord de son bouclier, il lui trancha jusqu'à l'épaule le bras droit. Alors, Nuada lança un appel de détresse.

---

1. *Ernmas* signifie « étrange ». En réalité, les trois magiciennes sont trois aspects du même personnage : *Bodbh* est la Corneille, *Macha*, la Cavalière et *Morrigane*, la Grande Reine. Ce triplement se retrouve dans la tradition brittonique, particulièrement dans la légende arthurienne où la fée Morgane apparaît parfois sous l'aspect de la cavalière Rhiannon, parfois sous l'aspect d'une corneille, puisqu'on lui prête ce pouvoir de métamorphose.

En l'entendant, Dagda se dirigea vers lui et entreprit de le protéger des ennemis qui l'entouraient. Puis il tint conseil avec ses compagnons, et l'on fit appeler cinquante héros pour garder le roi, et parmi eux se trouvait le médecin Diancecht. On emmena Nuada en dehors du champ de bataille, et l'on recueillit son bras pour le placer dans un cercle de pierres. Et le sang de Nuada coula sur les pierres.

Cependant, malgré le départ de Nuada, le combat se poursuivait avec rage. Bress, le fils d'Elatha, voulait venger son roi. Il se précipita vers l'endroit où Eochaid dirigeait la bataille, exhortant ses héros, fortifiant ses champions. Bress l'attaqua furieusement. Tous deux, bouclier contre bouclier, se blessèrent l'un l'autre à tous les endroits découverts, tandis que le reste des combattants était plongé dans la confusion, par suite de la violence de leur colère et du poids de leurs coups.

Mais comme les champions de Dana venaient à la rescousse, avec à leur tête Dagda, Ogma, Bobdh Derg, fils de Dagda, Cian, fils de Diancecht, ainsi que Goibniu le forgeron, les Fir Bolg durent abandonner le terrain. Lorsqu'ils furent arrivés sur une hauteur qui dominait la plaine de Tured, Eochaid, fils d'Erc, le roi suprême des Fir Bolg d'Irlande, fut pris d'une extrême faiblesse. Il pria Sreng, fils de Sengann, de venir lui parler. « Poursuis le combat, fais en sorte que tous nos guerriers se conduisent avec valeur et courage, et ce jusqu'à ce que je puisse trouver de quoi boire et de quoi me laver le visage, dit Eochaid, car, pour moi, je ne peux plus supporter la soif qui me dévore. – Nous sommes bien peu nombreux, maintenant, répondit Sreng, mais je t'assure que le combat, quoi qu'il arrive, sera poursuivi. »

Sreng rassembla une centaine d'hommes et se prépara à affronter les gens des tribus de Dana. Mais, lorsque les druides de celles-ci s'aperçurent que le roi d'Irlande souffrait d'une soif ardente, ils jetèrent un charme destiné à cacher devant lui les rivières et les ruisseaux d'Irlande. Et il eut beau parcourir tout le pays à la recherche d'une fontaine où étancher sa soif, il ne trouva rien. Or, tandis que les guerriers des tribus de Dana le poursuivaient, il parvint sur le rivage, en un lieu qu'on nomme aujourd'hui la Grève d'Eochaid. Trois guerriers l'attaquèrent. Il se défendit énergiquement, malgré la soif qui le tourmentait, et les tua tous trois, mais il tomba lui-même enfin, tant les blessures qu'il avait reçues, tant les souffrances qu'il avait endurées l'avaient affaibli. Et c'est là qu'il fut enterré, sur cette même grève, sous un tertre que les Fir Bolg élevèrent avec des pierres qu'ils avaient apportées.

Cette nuit-là, les Hommes-Foudre furent attristés et découragés, tant leurs fatigues et leurs pertes étaient grandes. Ils se reprochaient mutuellement de ne pas avoir apporté suffisamment d'ardeur au combat. Chacun d'eux ensevelit ses gens, ses parents, ses amis et ceux de sa famille. On éleva des tertres pour les nobles, on dressa des piliers pour les héros, et l'on creusa des tombes aux autres combattants. Après quoi, Sreng, fils de Sengann, convoqua l'assemblée des Fir Bolg pour tenir conseil et décider de ce qu'il convenait de faire. Il dit aux Fir Bolg qu'il ne leur restait plus que deux possibilités : ou bien quitter l'Irlande à jamais et s'en aller dans un autre pays, ou bien se résoudre à partager l'île entre eux et les tribus de Dana. « Sinon, ajouta-t-il, il nous faudra combattre jusqu'à la mort du dernier d'entre nous. Et, sachez-le, nous ne sommes plus assez nombreux pour prétendre obtenir une quelconque victoire. »

Les Fir Bolg délibérèrent et leur décision fut qu'ils n'abandonneraient jamais l'Irlande mais combattraient les tribus de Dana jusqu'à la mort du dernier homme en état de porter les armes.

Alors, ils reprirent leurs grands boucliers carrés, leurs lances empoisonnées, leurs épées tranchantes de métal bleu, et s'en allèrent à la rencontre des tribus de Dana, se préparant à un assaut terrible et désespéré dont ils savaient ne devoir attendre que la mort. Une fois parvenu à l'endroit où se trouvaient les tribus de Dana, Sreng, fils de Sengann, demanda la bataille à Nuada, comme revanche du combat qui les avait déjà opposés tous deux. Nuada fit bravement face, comme s'il n'avait pas été privé de son bras. Il prit ses armes de sa main gauche et s'avança vers Sreng. Mais il lui dit : « Si ce que tu souhaites est un combat convenable, attache-toi le bras droit, car j'ai perdu le mien, et nous ne serions pas à égalité. Si tu veux que notre combat soit juste, attache-toi le bras droit. – Rien ne m'y oblige, rétorqua Sreng. Nous étions à égalité dans le premier combat où nous nous sommes affrontés, et celui-ci n'est que la poursuite du premier. Je t'ai coupé un bras, certes, mais tes guerriers ont tué mon roi, Eochaid, fils d'Erc, et je suis de sang royal. Il m'appartient de venger le meurtre du roi suprême d'Irlande, et ce sur le roi suprême des tribus de Dana. » Alors intervint Bress, fils d'Elatha :

« Sreng, valeureux guerrier, dit-il, souviens-toi que nous avons échangé le serment de paix et d'amitié entre nous. Je suis, moi aussi, de sang royal, et je pourrais combattre à la place de mon roi. Mais comme ce serment d'amitié nous lie, nous ne pouvons plus nous retrouver face à face. Finissons-en et réglons cette affaire dans la paix. – J'agirai comme tu le désires, et je respecterai ainsi mon serment envers toi, ô valeureux Bress, répondit Sreng. J'attends tes propositions. »

Bress alla rejoindre les chefs des tribus de Dana et examina la situation avec eux. « Quelles pertes avons-nous subies ? demanda Nuada. – Noble Nuada, répondit Dagda, je t'avouerai que nous avons perdu beaucoup de nos guerriers et de nos champions dans cette bataille. Nombre d'entre nous, nos frères et nos fils, sont morts sous les terribles coups des Fir Bolg, et si grandes sont nos pertes que bien peu pourraient les connaître et en mesurer l'importance. Nous avions demandé aux Fir Bolg de partager l'Irlande avec nous parce que nous sommes issus du même clan, celui du glorieux Nemed qui fut notre ancêtre. Ce n'était que justice, et nous avions le droit d'habiter ce pays autant qu'eux-mêmes. Ils n'ont pas voulu nous laisser la place qui nous revenait par héritage, et nous avons dû la conquérir par les armes, en payant lourdement le prix du sang pour nos héros et nos guerriers. Je pense qu'il est temps de conclure un accord avec les Fir Bolg, car ils ne sont plus à même de s'opposer à nous, et ce serait commettre une mauvaise action que de les tuer jusqu'au dernier. – C'est la sagesse qui parle par ta bouche, ô Dagda, dit Nuada. Et, malgré la douleur que me cause mon infirmité, malgré la colère que j'en ressens en moi-même, je préfère qu'il y ait paix et amitié entre les Hommes-Foudre et nous-mêmes. Que Bress aille trouver Sreng, fils de Sengann, et qu'il lui propose l'arrangement suivant : que la bataille cesse de part et d'autre et qu'il choisisse une province d'Irlande pour y habiter avec les gens de son peuple. »

Bress alla parler avec Sreng et lui transmit la proposition des chefs des tribus de Dana. Sreng porta son choix sur la province de Connaught. Alors, ils se jurèrent tous paix et amitié pour eux et tous leurs descendants. Et Sreng, fils de Sengann, rassembla ceux des Fir Bolg qui avaient échappé au massacre de Mag-Tured, et il s'en fut vers le Connaught dont il prit possession [1].

Quant aux hommes des tribus de Dana, ils se réunirent

---

1. La tradition populaire locale du Connaught, surtout dans le comté de Galway, conserve l'empreinte du souvenir des Fir Bolg. Ainsi, les habitants des îles d'Aran sont-ils souvent considérés comme les descendants des « Hommes-Foudre », et les forteresses préhistoriques qu'on trouve sur les trois îles d'Inismore, Inisman et Inisheer, passent-elles pour l'œuvre de ces lointains ancêtres, à vrai dire plus mythiques que réels, mais qui défient le temps par la puissance de l'imaginaire.

une nouvelle fois pour savoir ce qu'il convenait de faire en Irlande, alors qu'ils étaient les maîtres de presque toutes les terres de l'Ile Verte. Ils convinrent unanimement qu'il fallait s'établir dans les plaines et dans les vallées et faire fructifier le sol en y cultivant du blé et en élevant des troupeaux sur les grandes prairies qui avoisinaient les rivières. Quant à Nuada, le roi suprême des tribus de Dana, le médecin Diancecht, avec l'aide de l'artisan Credné, lui fabriqua un bras d'argent doté de tous les mouvements de la main à chaque doigt et à chaque jointure. Et Miach, fils de Diancecht, le lui appliqua, jointure sur jointure, nerf sur nerf et veine sur veine, et le guérit en trois fois neuf jours. Cependant, cette guérison excita la jalousie de Diancecht. Il brandit avec tant de rage son épée au-dessus de la tête de son fils qu'il lui coupa la peau jusqu'à la chair du cou. Mais le garçon guérit en mettant en œuvre son art. Alors, Diancecht le frappa de nouveau et parvint à l'os. Le garçon guérit encore par la même mise en œuvre de son art. De fureur, Diancecht le frappa une troisième fois sur la tête et lui atteignit la cervelle. Et voilà comment Miach mourut de la propre main de son père. Et celui-ci dit que personne désormais ne pourrait le rendre à la vie.

Puis il s'adressa aux hommes des tribus de Dana : « Même si Nuada se présente à vous avec un bras, vous savez tous que ce bras est d'argent. C'est d'ailleurs pour cela qu'on l'appellera désormais Nuada au Bras d'Argent. Vous savez également que tout roi qui perd une partie de lui-même n'est plus capable de régner, car l'intégrité du roi garantit l'intégralité du royaume [1]. Il convient donc de

---

1. Définition même de la royauté de type celtique : un roi n'est capable de gouverner son royaume que s'il a *la puissance du don*, autrement dit le pouvoir de distribuer les richesses à chacun selon ses mérites. Même avec une prothèse, Nuada est un roi amputé, et il ne peut se servir de son bras droit pour accomplir symboliquement sa

choisir parmi nous celui qui est le plus digne d'être notre roi, car Nuada au Bras d'Argent, quels que soient ses mérites, n'est plus digne d'occuper cette fonction. »

Les chefs des tribus de Dana tinrent conseil. « Diancecht a raison, dit Nuada. Je ne suis plus capable de régner sur vous tant que j'aurai à déplorer la perte de mon bras. Choisissez donc parmi vous celui qui vous semblera le plus digne d'être votre roi. »

Alors, après force discussions, ils finirent par choisir Bress, fils d'Elatha, parce qu'il était de sang royal, étant le fils d'un prince des Fomoré. Et c'est ainsi que Bress fut roi d'Irlande pendant sept années après la bataille de Mag-Tured où les tribus de Dana l'avaient emporté sur les Fir Bolg. [1]

---

mission, qui est de *distribuer*. On retrouve exactement le même concept dans la légende arthurienne, quand le roi Arthur perd – par la maladie – le pouvoir de donner. Et c'est encore plus vrai dans le cas du Roi Pêcheur qui, blessé d'une blessure magique, ne peut plus assumer pleinement sa fonction de Roi du Graal.

Aussi son royaume devient-il stérile et le demeurera-t-il tant que lui-même ne sera pas guéri ou qu'un jeune roi, d'une intégrité physique incontestable, comme Perceval, ne lui aura pas succédé sur le trône. On dit toujours que le royaume s'étend jusqu'où peut porter le regard du roi, ce qui suppose de la part de celui-ci une perfection physique inséparable de la perfection morale.

1. D'après le récit de *La première bataille de Mag-Tured*, avec quelques détails empruntés au *Livre des Conquêtes* et au récit de *La seconde bataille de Mag-Tured*, première version.

CHAPITRE III

Lug au Long Bras

En apprenant que Bress, fils d'Elatha, était devenu roi des tribus de Dana, les Fomoré se réjouirent grandement, car ils voyaient en lui l'un des leurs et se faisaient fort, par son intermédiaire, d'imposer aux habitants d'Irlande des charges aussi lourdes qu'à leurs ancêtres autrefois. Aussi envoyèrent-ils des messagers à Bress, pour lui rappeler que, si sa mère était issue des tribus de Dana, son père était Elatha, l'un des grands chefs des Fomoré, ces géants qui habitaient des îles au milieu du brouillard.

Et ainsi imposèrent-ils de lourds impôts aux tribus de Dana. Les hommes d'Irlande devaient leur payer une taxe sur le blé, une taxe sur le lait et le beurre, une taxe sur chaque pierre qui servait à construire une maison. Ils devaient aussi leur payer une once d'or par personne, homme ou femme, adulte ou enfant, sous peine de se voir impitoyablement couper le nez. Pour comble, le roi Bress, depuis qu'il savait pouvoir compter sur les Fomoré, abusait de ses prérogatives à son propre profit. Il s'était fait donner des terres, et il obligeait les nobles des tribus de Dana à accomplir de pénibles travaux pour lui. Ainsi Ogma, le cham-

101

pion [1], devait-il apporter chaque jour un fagot de bois de chauffage dans la maison de Bress ; et Dagda, qui, déjà lui avait bâti sa maison, était contraint de lui construire des forteresses. Et les nobles des tribus de Dana supportaient de plus en plus mal les impôts que leur infligeaient les Fomoré ainsi que les injustices de leur propre roi, Bress, fils d'Elatha.

Un jour qu'il se trouvait dans la maison royale, Dagda rencontra un aveugle du nom de Cridenbel. C'était un paresseux, un parasite, mais il était satiriste et tout le monde le craignait [2]. Or, Cridenbel trouvait que la part de nourriture qui lui était réservée était trop petite par rapport à celle de Dagda.

« O Dagda ! l'apostropha-t-il, sur ton honneur, je veux que les trois meilleurs morceaux de ta part me soient donnés ! » C'est ainsi que, dès lors, chaque soir, Dagda donnait les trois meilleurs morceaux de son repas au satiriste. Pourtant, la part de celui-ci était abondante, chaque morceau étant de la taille d'un bon cochon. Et comme Dagda continuait, quoique privé d'un tiers de sa nourriture, à accomplir de pénibles travaux, il s'affaiblissait de jour en jour.

---

1. Ogma est le dieu Ogmios que le philosophe grec Lucien de Samosate, dans son traité sur Héraklès, présente sous les traits d'un « Hercule » âgé dont les chaînes issues de sa langue aboutissent aux oreilles des humains. Le nom d'Ogmios-Ogma n'est pas celtique, mais grec, et il évoque la « route », le « chemin ». C'est en quelque sorte une divinité de la *communication*. Dans la tradition irlandaise, il passe pour avoir inventé l'*ogham*, c'est-à-dire l'écriture oghamique verticale qu'on trouve sur les piliers de pierre du haut Moyen Âge en Irlande et dans l'ouest de la Grande-Bretagne. Il y a évidemment rencontre entre le nom d'Ogma et celui de l'*ogham*.

2. Membre de la classe sacerdotale druidique, le satiriste joue un rôle très particulier dans les sociétés de type celtique : quand il lance une « satire », c'est-à-dire une incantation magique, contre quelqu'un, celle-ci prend un caractère obligatoire, et son destinataire ne peut s'y dérober sous peine de perdre l'honneur, la santé ou même la vie.

Un jour qu'il était occupé à creuser un fossé, son fils Bobdh Derg vint le voir et s'étonna de le trouver si amaigri et sans force. « Que t'arrive-t-il, ô Dagda ? demanda Bobdh Derg. Qu'est-ce qui te donne si mauvaise mine ? – Hélas ! répondit Dagda, Cridenbel le satiriste a exigé de moi que je lui donne chaque soir les trois meilleurs morceaux de ma part de nourriture. – Je peux te donner un conseil », dit Bobdh Derg. Il sortit sa bourse de sa tunique et, y prélevant trois pièces d'or, les mit dans la main de Dagda. « Voici ce que tu vas faire, reprit-il. Tu glisseras ces trois pièces d'or dans les trois morceaux que tu lui donnes et que tu choisiras de sorte qu'ils soient vraiment les plus beaux et les plus appétissants. Cridenbel les avalera gloutonnement, avec les pièces d'or en plus. Ainsi, l'or tournera dans son ventre, et cela le fera mourir. Alors, on ira dire à Bress que le satiriste est mort d'une herbe empoisonnée que tu lui as fait prendre. Le roi, furieux, ordonnera que tu sois tué par châtiment. Mais toi, tu te défendras. Tu diras que Cridenbel te demandait les trois meilleurs morceaux de ta part et que, pour le satisfaire, tu lui as donné trois pièces d'or, c'est-à-dire les trois meilleurs morceaux. Et tu ajouteras que c'est pour avoir avalé l'or que Cridenbel a péri. »

Dagda mit à exécution le conseil de Bobdh Derg. Le soir même, il glissa les trois pièces d'or dans les trois meilleurs morceaux de sa part et présenta ceux-ci à Cridenbel. Le satiriste dévora gloutonnement les trois morceaux et, au matin, on le découvrit mort. Alors, les gens de la maison allèrent avertir le roi que le satiriste était mort parce que Dagda lui avait fait prendre une herbe empoisonnée. Bress fit venir Dagda et lui reprocha vivement son forfait, le menaçant de le faire tuer s'il s'avérait qu'il était coupable. « Je ne le suis pas, répondit Dagda. Cridenbel m'a demandé les trois meilleures parts qui me revenaient. Ce que je possédais de meilleur était trois pièces d'or. Je les ai donc données à Cridenbel, et ce n'est pas ma faute s'il en est mort. Il n'a pas supporté l'or à l'intérieur de son corps. – Puisqu'il en est ainsi, dit le roi, que l'on ouvre le ventre de Cridenbel, et nous verrons si l'or s'y trouve. S'il n'y est pas, tu mourras. Sinon, tu sauveras ta vie. »

On ouvrit le ventre du satiriste et on découvrit les trois pièces d'or dans son estomac, ce qui disculpa Dagda, qui ne tarda guère à recouvrer force et santé, maintenant qu'il n'était plus obligé de donner les trois meilleurs morceaux de sa part de nourriture. Mais cela n'empêchait nullement Dagda et tous les chefs des tribus de Dana de se plaindre des injustices de Bress. Ils murmuraient grandement contre lui parce qu'il ne graissait pas leurs couteaux et ne leur offrait jamais de festin où coulent la bière et l'hydromel. Ils ne voyaient jamais de brillantes assemblées où les poètes, les musiciens et les artistes de toutes sortes accomplissent des merveilles pour le plus grand plaisir de tous. Ils n'assistaient jamais à de grandes compétitions et ne voyaient jamais leurs champions accomplir d'exploits. Et ils se demandaient comment se tirer à jamais de cette angoissante situation. [1]

Nuada, quant à lui, se désolait d'avoir perdu la royauté sur l'Irlande par la faute de son bras manquant, et ce bien qu'un bras d'argent lui eût été agrafé à l'épaule et s'y articulât avec une souplesse et une dextérité véritablement prodigieuse. Il résidait à Tara, avec la plupart des chefs des tribus de Dana. Et le portier qui surveillait l'entrée de la forteresse n'avait qu'un œil.

Un jour que le portier était sorti de la forteresse et qu'il marchait dans la prairie, au pied des murailles, il aperçut deux jeunes gens fort beaux et de noble stature. L'un était un homme, l'autre, une femme, qui, s'approchant de lui, le saluèrent. Il répondit à leur salut et leur demanda ce

---

1. D'après le récit de *La seconde bataille de Mag-Tured*, première version.

qui les amenait à la forteresse royale de Tara. « Nous sommes de bons médecins, répondirent-ils, fils et fille de Diancecht. Le jeune homme se nomme Oirmiach et la jeune fille Airmed. – Si vous êtes si bons médecins, dit le portier, à vous de me le prouver. Vous voyez que je suis borgne ? Hé bien, faites en sorte que j'aie un œil à la place de celui qui me fait défaut. – C'est chose facile, dit le jeune homme. Je vais sur-le-champ mettre l'un des yeux de ce chat à la place de l'œil qui te manque. – J'en serai bien content, répondit le portier, et je vanterai alors tes mérites devant toutes les assemblées de cette île. »

De fait, le jeune homme, qui s'appelait Oirmiach, et la jeune fille, qui s'appelait Airmed, mirent l'œil du chat à la place de celui qui faisait défaut au portier. Mais le portier n'en fut qu'à demi satisfait par la suite car lorsqu'il voulait dormir et se reposer, cet œil s'ouvrait au moindre cri de souris, au moindre bruissement d'oiseau, ainsi qu'au moindre frémissement de la brise dans les roseaux. Par contre, quand il lui fallait observer une troupe de guerriers ou une assemblée de nobles autour du chaudron, l'œil se fermait et lui donnait alors envie de dormir et de se reposer.

Tout émerveillé, cependant, par l'art des deux jeunes gens, il rentra dans le palais et s'en alla parler à Nuada au Bras d'Argent. Il l'avisa que deux bons médecins se trouvaient à la porte et qu'ils venaient de lui mettre un œil à la place de celui qui lui manquait. Et Nuada lui dit de les faire entrer.

Quand ils pénétrèrent dans la grande salle où se tenait Nuada au Bras d'Argent, ils entendirent une sorte de soupir lamentable et pitoyable. « Qu'est donc ceci ? dit Oirmiach. J'ai cru entendre le soupir d'un guerrier qui souffre d'un mal incurable. – Certes, dit Airmed, c'est un cri de douleur et de désespoir. Voyons si ce n'est pas le soupir d'un guerrier dont un bousier ronge le bras sans qu'il puisse s'en rendre compte. »

Faisant s'étendre Nuada au Bras d'Argent sur une litière, ils l'examinèrent avec soin. Airmed finit par lui retirer son bras d'argent, et il en sortit un bousier qui se mit à courir par toute la forteresse. Les hommes de la maison royale vinrent alors voir ce qui se passait et tuèrent la bête.

« Ce bras d'argent était bien ajusté, dit Oirmiach, mais il ne sied pas au roi Nuada. Si nous pouvions trouver un autre bras d'égale longueur et d'égale grosseur, nous le remettrions à sa place. »

Les nobles des tribus de Dana qui se trouvaient autour de Nuada ordonnèrent aux serviteurs de chercher parmi eux quel bras irait le mieux. Les serviteurs examinèrent les bras de tous ceux qui se trouvaient là et demandèrent aux deux jeunes gens de donner leur avis. Mais, à chaque fois, Oirmiach et Airmed déclaraient la chose impossible. Ils en vinrent de la sorte à Modhan, le chef porcher des tribus de Dana. « Est-ce que ce bras vous conviendra ? demandèrent les serviteurs aux deux médecins. – Il nous paraît effectivement le plus convenable, répondirent-ils. Encore faudrait-il que cet homme accepte de son plein gré de donner son bras pour le roi Nuada. – Je le ferai volontiers, dit le porcher, pourvu que cela nous libère de l'oppression des Fomoré et des injustices de Bress. » Alors, Oirmiach dit à sa sœur : « Que préfères-tu ? Mettre le bras sur l'épaule du roi ou aller chercher des herbes qui lui permettront de se conformer à la nature de sa chair ? – Je préfère placer le bras », répondit Airmed.

Et, tandis qu'Oirmiach s'en allait chercher des herbes, Airmed se mit patiemment à l'ouvrage. Avec de grandes précautions, elle plaça le bras du porcher sur l'épaule du roi et, lorsque son frère fut revenu avec les herbes, elle appliqua celles-ci avec tant de soin que le bras s'ajusta à Nuada sans le moindre défaut. Quiconque eût ignoré que Nuada avait perdu son bras au cours d'une bataille ne se serait jamais douté que son bras n'était pas le sien. Mais on n'en persista pas moins à appeler le roi Nuada au Bras d'Argent [1].

Sur ces entrefaites, les nobles des tribus de Dana se mirent à discuter au sujet de la royauté d'Irlande. Certains firent observer que, Nuada ayant retrouvé une main et un bras, il pouvait régner de nouveau sur son peuple. Mais d'autres répliquèrent qu'ayant donné la royauté à Bress, fils d'Elatha, on ne pouvait la lui ôter sans son accord. Or, ils savaient tous que Bress avait pris goût au pouvoir et ne l'abandonnerait sous aucun prétexte. « Je sais ce qu'il faut faire, dit alors Dagda. Demandons à Cairpré, qui est poète et satiriste, d'aller dans la maison de Bress et de le provoquer sur ses faiblesses et ses injustices. »

Cairpré, fils d'Etaine, qui était le poète des tribus de Dana, s'en fut donc à la maison royale que Bress s'était fait construire par Dagda. Il se présenta et demanda l'hospitalité, qu'on lui accorda volontiers. Mais il trouva la maison de Bress sombre, étroite et inconfortable. On ne lui procura ni feu pour se chauffer, ni lit pour dormir, ni nourriture satisfaisante pour apaiser sa faim. On lui apporta trois petits pains, et ils étaient secs et rassis. Enfin, au lieu de bière et d'hydromel, on lui donna de l'eau. Il mangea les petits pains, but l'eau, mais il dormit si mal, dans la maison royale de Bress, que le lendemain, il se leva de fort méchante humeur. Il sortit de la maison, traversa la cour et prononça ces paroles : « Sans riche nourriture servie sur un plat d'or, sans lait de vache géné-

---

1. D'après le récit du *Sort des enfants de Tuirenn (Oidhech Chloinne Tuireann)*, contenu dans divers manuscrits du XVIIIe siècle, publié et traduit par O'Curry en 1863, par P.W. Joyce en 1874 *(Old Celtic Romances)* et par Richard J. O'Duffy à Dublin en 1901. Traduction française fragmentaire dans R. Chauviré, *Contes ossianiques*, Paris, 1947. Traduction française intégrale dans Ch.-J. Guyonvarc'h, *Textes mythologiques irlandais*, Rennes, 1980.

reusement distribué, sans bière enivrante dispensée sans compter, sans poètes, sans conteurs et sans musiciens, que vaut la maison de Bress, fils d'Elatha ? Que vaut un roi qui ne sait pas distribuer ses richesses ? Désormais, il n'y aura ni moisson, ni récolte de lait, ni brassage de bière, ni distribution de pierres précieuses et d'or fin sur cette terre d'Irlande aussi longtemps que Bress, fils d'Elatha, en sera le roi suprême. »

Et Cairpré sortit de la forteresse sans ajouter un seul mot.

Bress avait entendu la malédiction prononcée par Cairpré. Très effrayé, il s'en vint à Tara trouver les nobles des tribus de Dana dans la maison royale.

« Pourquoi m'avez-vous contraint à subir la satire de Cairpré ? demanda-t-il. Un roi doit être exempt de toute malédiction de ce genre. – C'est parce que tu ne t'es pas conduit en roi, répondit Dagda. Non seulement tu ne nous as rien donné de ta main, mais tu as fait de nous tes esclaves, et tu nous as obligés à payer de lourdes taxes au profit des Fomoré. – Certes, ajouta Cian, fils de Diancecht, nous avons eu tort de conclure une alliance avec les Fomoré. Ils nous ont laissé conquérir cette île sur les Fir Bolg, mais à seule fin de nous mieux pressurer ensuite et de tirer eux-mêmes tout le profit de notre victoire. Et tu n'as rien fait pour les empêcher de nous nuire. – Nous t'avons fait roi, reprit Dagda, parce que notre roi avait perdu un de ses bras au combat. Toi, tu avais tes deux bras, mais ils n'ont guère servi à nous procurer richesse et prospérité. – Que pouvais-je faire d'autre ? dit Bress. – Voilà ce qu'il en est, dit Dagda. Maintenant que Nuada a retrouvé son bras, il doit être notre roi. Nous te demandons d'abdiquer ta souveraineté car, maintenant que tu as été satirisé, ton règne ne pourra donner que misère : il n'y aura plus d'herbe dans les prés pour nourrir les troupeaux, les vaches n'auront plus de lait, les champs deviendront stériles. Voilà ce qui arrivera si tu t'obstines à vouloir être roi. – J'abandonnerai donc la souveraineté, dit Bress. Accordez-moi seulement des garanties, et je reconnaîtrai Nuada pour notre roi. »

Les nobles des tribus de Dana accordèrent des garanties à Bress, fils d'Elatha, lui confirmant qu'il serait toujours le bienvenu dans la maison royale et qu'il aurait sa part de chaque festin. Alors, il demanda un délai de sept ans, et on le lui accorda. Sur quoi, Bress quitta la maison royale de Tara.

Mais, s'il avait demandé un délai, c'était par ruse, car il était très fâché d'avoir été privé de la souveraineté sur l'Irlande. Il alla trouver sa mère, Eri, et lui demanda comment il pourrait rencontrer son père, Elatha, fils du roi des Fomoré. « C'est chose facile, répondit sa mère. Viens avec moi. »

Elle se rendit sur la grève et fit préparer des bateaux pour aller jusqu'au pays des Fomoré. Puis, retirant l'anneau d'or que lui avait donné Elatha lorsqu'il était venu vers elle, elle le tendit à Bress. Bress le passa à son doigt du milieu, et il s'y adapta parfaitement. Jusque-là, Eri l'avait gardé précieusement, sans le donner à aucun homme, ni par vente ni par cadeau. Beaucoup de guerriers avaient pourtant essayé de l'enfiler à leur doigt, mais il n'avait convenu à aucun d'entre eux.

La mère et le fils allèrent ensuite sur la mer, et ils atteignirent le pays des Fomoré, dans une île au milieu des brouillards. Ils débarquèrent et se retrouvèrent dans une grande plaine où se tenaient des assemblées. Ils se dirigèrent vers l'assemblée qui leur parut la plus belle, et les gens qui se trouvaient là leur demandèrent de leurs nouvelles. Ils répondirent qu'ils venaient d'Irlande. On leur demanda alors s'ils avaient des chiens car, en ce temps-là, la coutume voulait que, lorsqu'une troupe étrangère se mêlait à une assemblée, on fît des concours et des jeux communs. « Nous en avons, répondit Bress, et nous les ferons courir contre les vôtres. »

Ils lâchèrent donc leurs chiens, et ceux-ci coururent contre les chiens des Fomoré, s'y distinguant par une plus grande vélocité. Alors, on demanda aux nouveaux venus s'ils avaient des chevaux et s'ils consentaient à les faire courir contre ceux des Fomoré. « Nous en avons, répondit Bress, et nous les ferons courir contre les vôtres. »

Et les chevaux des tribus de Dana furent à leur tour plus rapides que ceux des Fomoré. Alors, on demanda aux nouveaux venus s'ils avaient avec eux quelqu'un d'adroit à tirer l'épée. Mais les compagnons de Bress eurent beau essayer, ils n'étaient pas plus rapides que les Fomoré. Alors, Bress tenta l'épreuve. Mais, lorsqu'il mit la main à l'épée, son père reconnut l'anneau d'or qu'il portait à son doigt et lui demanda qui il était. Sa mère répondit à sa place, disant à Elatha que Bress était l'un de ses fils, et elle lui raconta toute l'histoire depuis le moment où le guerrier étranger était venu la trouver sur le rivage.

Le père jugea que la situation était grave. Il dit à son fils : « Quelle nécessité t'a donc poussé hors du pays dont tu es le roi ? – Rien d'autre ne m'a poussé, répondit Bress, que l'injustice dont j'ai fait preuve et l'arrogance avec laquelle j'ai traité ceux que je gouvernais. Je les ai dépouillés de leurs biens et de leur nourriture, alors que jamais auparavant ils n'avaient subi pareille humiliation ni pareil dénuement. – Cela est mauvais, dit le père. Leur prospérité aurait été préférable pour ta royauté, car un royaume riche fait de son roi un homme riche. Et mieux valent des prières que des malédictions. – En outre, reprit Bress, ils m'ont envoyé un poète qui a lancé une satire sur le royaume tant que j'en serais le roi. – Voilà qui est fâcheux, dit le père. Car si ton peuple n'a plus rien, il ne pourra nous remettre le tribut que nous lui avons imposé. Pourquoi es-tu venu jusqu'ici, depuis la lointaine Irlande ? – Je suis venu demander des champions pour m'aider, répondit Bress, car je veux reprendre ce pays par la force.

– Tu ne le prendras pas par injustice si tu ne l'as pas obtenu par justice. Il convient que nous en parlions tous ensemble. »

Alors, il mena Bress devant son père, Indech, roi des Fomoré. Le roi convoqua les nobles et les champions parmi lesquels se distinguait Balor, fils de Net, qui avait un œil maléfique. Ils examinèrent la situation et convinrent qu'à moins de rétablir la souveraineté sur l'Irlande au profit de Bress, fils d'Elatha, on perdrait tous les avantages que l'on avait sur les tribus de Dana. Les Fomoré rassemblèrent donc aussitôt une multitude d'hommes de toutes les îles et décidèrent de s'embarquer à destination de l'Irlande. Une fois là, on enverrait des collecteurs d'impôts réclamer le tribut convenu, et si les hommes de Dana refusaient de payer, on engagerait la bataille contre eux. Et c'est ainsi que l'Irlande vit survenir une troupe comme il n'y en eut jamais de plus puissante ni de plus horrible.

Pendant ce temps, les nobles et les champions des tribus de Dana s'étaient réunis autour de leur roi Nuada au Bras d'Argent dans le palais royal de Tara. Ils savaient bien que Bress les trahirait et irait demander du secours aux Fomoré, et c'est pourquoi ils entendaient se préparer à affronter ces ennemis cruels et impitoyables. Aussi discutaient-ils dans la maison royale, tandis que le portier veillait à l'extérieur de la forteresse. [1]

Or, comme il scrutait l'horizon, il vit une troupe qui, dans la plaine, se dirigeait droit sur la forteresse. Un jeune homme se trouvait à la tête de cette troupe, qui semblait exercer un grand ascendant sur chacun de ses compagnons. L'éclat de son visage était semblable à la lumière du soleil couchant, et son large front brillait comme de l'or. Il montait un cheval à la crinière aussi

---

1. D'après le récit de *La seconde bataille de Mag-Tured*, première version.

111

belle que les vagues de la mer et aussi rapide que la bise froide et nue du printemps. Il était revêtu d'une armure étincelante, et sur sa tête brillait un casque aussi beau que somptueux, car une élégante pierre précieuse l'ornait à l'arrière et deux autres à l'avant. Il portait aussi une épée merveilleuse : quiconque en était blessé perdait la vie, et quiconque la voyait miroiter dans l'ardeur du combat devenait aussi faible qu'une femme en couches [1].

Se détachant de la troupe, le jeune homme s'avança vers le portier. « Qui es-tu ? lui demanda celui-ci. – On m'appelle Lug au Long Bras. Je suis fils de Cian, fils de Diancecht, et d'Ethné, fille de Balor des îles qui sont dans le brouillard. Et j'ai été élevé par Tailtiu, fille de Magmor, des Fir Bolg. – Très bien, dit le portier, et que désires-tu, fils de Cian ? – Je veux me rendre à l'assemblée des nobles et des champions des tribus de Dana, afin de leur parler, répondit Lug. – Cela est bien beau, répliqua le portier, mais, sache-le, nul n'est admis à l'assemblée de la maison royale de Tara s'il ne justifie de la maîtrise d'un art, quel qu'il soit. Que sais-tu faire ? – Il m'est facile de répondre à ta question. Je sais construire des charpentes pour le toit des maisons et édifier des palissades autour des forteresses. – Je ne doute pas de ton art, mais nous avons déjà un charpentier. Il se nomme Luchté, fils de Luachaid, et il nous donne toute satisfaction lorsqu'il s'agit de construire des retranchements ou d'établir des charpentes pour le toit des maisons. – Je suis également capable de forger des socs de charrue et des armes aux pointes bien acérées, reprit Lug. Je sais battre le métal quand il sort de la forge et façonner des objets à ma guise. – Je ne mets pas en doute ton habileté, rétorqua le portier, mais nous avons déjà un forgeron qu'on

---

1. Il s'agit de Lug au Long Bras, le Multiple-Artisan. Cette description très « solaire » et féerique du personnage est empruntée au récit du *Sort des enfants de Tuirenn*.

nomme Goibniu, et que personne ne peut dépasser dans les arts du métal. – Je suis également un champion capable de vaincre tous les champions qui me sont opposés sur le champ de bataille, dit Lug. – Grand bien te fasse ! s'exclama le portier, mais nous avons déjà un champion qu'on appelle Ogma. A lui seul, il est capable de vaincre une centaine d'hommes armés qui l'agresseraient. – Je suis aussi harpiste, reprit Lug, et je sais jouer les airs de la joie, de la tristesse et du sommeil. – Pour cela, objecta le portier, nous avons ce qu'il nous faut. Craftiné est notre harpiste et, en plus, notre protecteur Dagda possède une harpe magique sur laquelle il peut jouer tous les airs qu'il choisit. La harpe se détache d'elle-même du mur auquel elle est suspendue et, spontanément, vient se placer entre les doigts de Dagda. Tu vois bien que nous n'avons pas besoin de toi dans cette assemblée royale. – Cependant, dit Lug, je suis poète et historien. Je connais les histoires du temps passé, et je peux les raconter à tous ceux qui m'en font la demande. Je suis la mémoire vivante des tribus de Dana et de tous les peuples du monde. – Nous avons déjà un poète, Cairpré, fils d'Etaine. Il connaît les événements du monde depuis sa création, et il a le don de les raconter. Nous n'avons décidément que faire de toi. – Mais je suis également sorcier, reprit Lug. Je connais les incantations qu'il faut prononcer pour empêcher les sources de couler, les hommes d'entendre le tumulte du combat. Je connais les sortilèges qui font se lever les tempêtes et se répandre la brume sur les ennemis. – Là aussi, reprit le portier, nous sommes mieux fournis qu'aucun autre peuple. Nombreux sont nos sages et nos satiristes qui ont tout pouvoir sur le vent, la pluie, la mer, la terre. Nous avons également trois magiciennes, Bobdh, Macha et Morrigane, qui sont les filles d'Ernmas. Toutes trois savent chanter des incantations au cours des combats et provoquer des pluies de sang sur nos ennemis. – Toutefois, insista Lug, je suis médecin. Je

113

connais l'art de guérir tant les maladies que les blessures infligées au cours des combats. – Tu nous serais bien inutile, répondit le portier, car nous avons le plus habile médecin du monde. Il se nomme Diancecht, et son fils et sa fille font également des merveilles. – Je suis également échanson, dit Lug. Je sais distribuer la bière et l'hydromel au cours d'un festin à toute l'assistance, et ce en fonction du rang et de la valeur de chacun. – Nous n'avons nul besoin de toi, riposta le portier, car parmi nous se trouve un échanson qui vaut tous ceux du monde. Il nous distribue la bière et l'hydromel avec sagesse, et sans léser aucun de ceux qu'il sert. Ainsi, tu le vois, nous avons parmi nous des hommes d'art et de science, des hommes et des femmes qui connaissent tous les secrets du monde. – Eh bien ! dit Lug, va trouver ton roi et demande-lui s'il connaît quelqu'un qui pratique à lui seul tous les arts que je viens d'énoncer. S'il en connaît un seul, je renonce à entrer dans la maison royale de Tara. »

Le portier rentra donc dans la forteresse et vint à la maison où se tenait l'assemblée des nobles et des champions des tribus de Dana autour du roi Nuada au Bras d'Argent. « Roi suprême, dit-il, il y a là, à l'entrée de la forteresse, un jeune guerrier qui prétend être Lug, fils de Cian, et qui se dit expert dans tous les arts que cette maison pratique. Je n'ai jamais vu ni entendu rien de pareil : c'est un homme qui sait tout faire et qui est Multiple-Artisan [1]. »

---

1. En gaélique, *Samildanach*, l'une des nombreuses épithètes de Lug. Ce personnage divin, commun à l'ensemble du monde celtique, est en effet « hors fonction », c'est-à-dire qu'il recouvre à lui seul toutes les fonctions attribuées à la divinité unique qui semble avoir été celle des Celtes. Il s'agit bel et bien du « Mercure » gaulois dont parle César dans ses *Commentaires*, dieu qui, selon le proconsul, est le plus honoré et le plus souvent signalé par un *simulacrum*, autrement dit par un pilier de bois ou de pierre.

Alors, Nuada pria le portier d'aller chercher le jeu d'échecs de Tara et d'engager une partie avec le jeune guerrier. Le portier apporta donc le jeu d'échecs à Lug, et celui-ci gagna la partie. Sans plus tarder, le portier s'en fut informer de la chose Nuada et les chefs des tribus de Dana.

« Qu'il entre donc dans la maison royale, dit Nuada, car je n'ai jamais vu un homme capable d'autant de merveilles. »

Le portier s'en fut donc chercher Lug et l'introduisit dans la forteresse, puis dans la maison où se tenait l'assemblée. Lug y prit le siège qui était réservé aux sages [1] car, à l'évidence, il était le plus sage de tous ceux qui vinrent jamais se joindre aux nobles et aux champions des tribus de Dana.

Entre-temps, Ogma alla chercher la grande pierre qui se trouvait à l'extérieur de la maison, et qui ne pouvait être soulevée sans les efforts de quatre-vingts personnes, et, la traînant à travers la maison, la laissa devant Lug. C'était lui lancer un défi. Or, le jeune guerrier se leva sans mot dire, prit la pierre et, d'un seul coup, la jeta si adroitement dehors qu'elle y reprit sa place habituelle.

« Que ce jeune guerrier nous joue de la harpe ! dit alors Dagda. Il nous faut de la musique si nous voulons nous trouver au mieux de notre forme. »

Lug saisit la harpe de Dagda qui était accrochée au mur et, pour l'assemblée, joua un refrain de sommeil si parfait que tous dormirent une journée entière, depuis cette heure-là jusqu'à la même heure du jour suivant. Puis il joua un refrain de sourire, et tous furent en proie à la joie et la gaieté pendant autant de temps. Enfin, il joua un refrain de tristesse, et tous furent plongés dans

---

1. Encore un prototype du célèbre « Siège Périlleux » qui, à la Table Ronde, est réservé au seul prédestiné.

l'angoisse pendant la nuit et jusqu'à la même heure du jour suivant, se lamentant et versant des pleurs.

Quand Nuada au Bras d'Argent comprit que le jeune guerrier possédait des pouvoirs que nul autre n'avait, il réfléchit et se demanda si Lug ne pourrait les délivrer du joug sous lequel les Fomoré tenaient les tribus de Dana. Il consulta les nobles de celles-ci et, sur leur conseil, se leva de son siège et pria le jeune guerrier de s'y asseoir. Lug au Long Bras prit donc place sur le siège royal, bien qu'il ne fût pas roi lui-même, et Nuada resta debout devant lui durant treize jours et treize nuits. Après quoi, le roi s'en fut trouver Dagda et Ogma pour leur dire en secret qu'il était d'avis de confier à Lug, fils de Cian, la conduite de la guerre qui allait éclater entre eux et les Fomoré. Ogma et Dagda approuvèrent ce choix et furent d'avis qu'il convenait de discuter avec Lug sur la façon dont on engagerait le combat. Se rassemblant donc autour de lui, ils lui demandèrent son opinion.

Après avoir réfléchi quelques instants, il demanda au forgeron Goibniu quelle prouesse il pouvait accomplir pour eux. « Ce n'est pas difficile, répondit Goibniu. Quand bien même les hommes d'Irlande seraient en guerre pendant sept années, pour chaque fer de javelot qui se détacherait de sa hampe, chaque épée qui se briserait, je fournirais une arme nouvelle à la place. Aucune pointe forgée de ma main ne manquera son coup. Aucune peau dans laquelle elle pénétrera ne pourra conserver de vigueur. Le forgeron des Fomoré ne saurait en faire autant. Quant à moi, je suis prêt pour la bataille, et je suivrai chacun pour l'assister en cas de nécessité. – Et toi, Diancecht, reprit Lug, en vérité, quel haut fait peux-tu accomplir ? – Ce n'est pas difficile : quiconque aura été blessé, je le rendrai sain et sauf et prêt pour la bataille du lendemain, à moins qu'on ne lui ait coupé la tête ou tranché la moelle. – Et toi, Credné, dit Lug au bronzier, quel sera ton haut fait dans la bataille ? – Ce n'est pas difficile : je fournirai à chacun des rivets de javelots, des poignées d'épées, des bossettes et des bordures de boucliers. – Et toi, Luchté, dit Lug au charpentier, quelle prouesse pourras-tu accomplir, face aux Fomoré ? – Ce n'est pas difficile : je fournirai à chacun tous les boucliers et les bois de lance nécessaires, et je remplacerai sur-le-champ tous ceux qu'on aura brisés dans l'ardeur du combat. – Et toi, Ogma, dit Lug au champion, que feras-tu dans la bataille contre les Fomoré ? – Ce n'est pas difficile : en repoussant le roi des Fomoré et trois neuvaines de ses guerriers, je ferai gagner le tiers de la bataille aux hommes d'Irlande. Personne ne pourra résister aux coups que je porterai. – Et toi, Morrigane, dit Lug à la magicienne, quel sera ton haut fait dans cette bataille ? – Ce n'est pas difficile : ce que je poursuivrai, je l'atteindrai, et ce par la vertu de mes incantations. La plante des pieds des Fomoré blanchira quand ils auront été terrassés par mon art, et leurs champions mourront tous l'un après l'autre par rétention d'urine. Quant aux autres guerriers, je leur susciterai une telle soif qu'elle les affaiblira, et je ferai si bien fuir les ruisseaux devant eux qu'ils ne pourront découvrir où boire. Et j'ensorcellerai les arbres, les pierres et les mottes de terre de façon que nos ennemis, les prenant pour des troupes en armes [1], s'enfuient, pleins d'horreur et d'angoisse. – Et toi, Cairpré, toi qui charmes nos oreilles par tes chants mélodieux, dit Lug au poète, quel est le haut fait qui te serait le plus agréable dans cette bataille ? – Ce n'est pas difficile : j'irai au-devant de la troupe des Fomoré, et je leur chanterai la gloire de nos pères, les fils de Nemed. Puis je les satiriserai. Je lancerai

---

1. Ce thème des « arbres qui combattent » est commun à toute la tradition celtique, y compris à celle recueillie par Tite-Live dans son *Histoire romaine*, bien qu'il la présente sous une forme rationalisée. Voir J. Markale, *Le Druidisme*, nouv. éd., Paris, Payot, 1994 (chap. sur « Le gui et le rituel végétal »).

contre eux le *glam dicin* [1] le plus redoutable que l'on ait jamais prononcé en Irlande. Ainsi les Fomoré seront-ils déshonorés à la face du monde entier, et ils ne résisteront pas à l'assaut des nôtres, et cela grâce à la magie de mon art, sois-en certain, Lug, fils de Cian. »

Alors, Lug au Long Bras se tourna vers les druides qui se trouvaient dans l'assemblée et leur dit : « Et vous, druides des tribus de Dana, quelles prouesses accomplirez-vous pendant la bataille ? – Ce n'est pas difficile : nous provoquerons tant de tempêtes et de pluies de feu sur les visages des Fomoré qu'ils ne pourront plus lever la tête vers le ciel et succomberont à la vigueur des guerriers qui s'acharneront contre eux. Et si cela ne suffit pas, nous ferons disparaître les sources, les rivières et les lacs d'Irlande afin que les Fomoré ne puissent plus étancher la soif ardente qui les saisira lors de la bataille. Telles seront les prouesses que nous accomplirons, ô sage Lug au Long Bras, fils de Cian. – Et toi, Craftiné, reprit Lug en s'adressant au harpiste, quel sera ton haut fait dans la bataille ? – Ce n'est pas difficile : je jouerai de la musique et de si douces mélodies sur nos troupes que je les plongerai dans la torpeur du sommeil jusqu'au lever du soleil le lende-

---

1. Le *glam dicin* est la malédiction suprême utilisée par les druides. C'est une incantation magique accessible à tous les membres de la classe sacerdotale, donc aux poètes et a fortiori aux druides proprement dits, devins et magiciens de toute espèce, ainsi qu'à des héros ou des héroïnes privilégiés. Il a quelque chose de commun avec le non moins redoutable *geis*, parfois traduit improprement par « tabou », et qui est une obligation magique – et sociale – imposée à un individu. Celui qui, pour une raison ou pour une autre, se dérobe à un *geis* est rejeté hors de la communauté ; mais celui qu'atteint un *glam dicin* n'a d'autre issue que de subir passivement son sort. Il semble qu'après la christianisation de l'Irlande – à en croire la tradition hagiographique du moins –, un certain nombre de prêtres et de moines aient pratiqué une forme atténuée du *glam dicin* à l'encontre de non-chrétiens ou d'individus coupables d'un grand forfait, généralement d'ordre religieux.

main matin. Après quoi, j'irai moi-même au combat et tuerai le plus d'ennemis que je pourrai. – Et toi, Bobdh Derg, fils du vaillant Dagda, dit encore Lug, quelle prouesse sera donc la tienne ? – Ce n'est pas difficile : je m'élancerai au combat, et il tombera sous mes coups, dès mon premier assaut, plus de cent guerriers d'entre les Fomoré. Et je ne cesserai de les poursuivre pour les anéantir et les tuer aussi longtemps qu'il en restera un seul en vie. – Et toi, Dagda, le plus sage d'entre nous, dit Lug, quelles prouesses seront les tiennes dans la bataille contre les Fomoré ? – Ce n'est pas difficile : je me mettrai à l'avant-garde des hommes d'Irlande, et j'avancerai le premier contre les guerriers qui nous feront face. Et je les frapperai avec violence, et je détruirai, tant par mes sorti-lèges que par mes armes, tous ceux qui me résisteront. Sous ma massue [1], leurs os seront broyés et aussi disper-sés que les grêlons sous les sabots des chevaux après l'orage. Quand le combat sera à son comble, et même si je suis couvert de plaies et de blessures, je vous assiste-rai tous et vous protègerai. – Et toi, Mananann, fils de Lîr, seigneur des Iles lointaines, dit Lug, quel haut fait réaliseras-tu dans la lutte contre les Fomoré ? – Ce n'est pas difficile : j'agiterai si bien mon manteau entre les Fomoré et nos héros que les Fomoré ne se souviendront

---

1. La massue de Dagda est célèbre dans la tradition irlandaise. Un autre texte explique que, lorsque Dagda frappait un homme par l'un des bouts de la massue, cet homme était tué ; mais s'il le frappait à nouveau par l'autre bout, il le ressuscitait. C'est dire toute l'ambiguïté de ce « Dieu Bon », puisque tel est son nom. Il semble que Dagda puisse être identifié avec le « Dieu au Maillet » tant de fois représenté dans la statuaire gallo-romaine et qui, sous l'épithète fréquente de *Sucellos*, c'est-à-dire « Tape-Dur », est probablement un autre aspect du *Taranis* gaulois, qui personnifie le tonnerre. L'image de Dagda à la massue se retrouve d'abondance dans le mystérieux « Homme Sauvage », rustre à qui obéissent les animaux sauvages, et que l'on retrouve dans nombre de contes populaires, ainsi que dans les romans du cycle arthurien.

plus de la raison pour laquelle ils se trouvent dans la plaine [1]. »

Là-dessus, Lug se tourna enfin vers Nuada au Bras d'Argent. « Et toi, Nuada, dit-il, roi suprême d'Irlande, quel sera ton haut fait dans la bataille contre les Fomoré ? – Ce n'est pas difficile, répondit Nuada. En tant que votre roi, je serai parmi vous mais ne combattrai pas. Je serai toutefois en mesure de nourrir tous les guerriers que comporteront vos armées, et je n'en laisserai aucun souffrir de la faim ou de la soif tant que durera la bataille. »

C'est ainsi que, dans la maison royale de Tara, au milieu de l'assemblée des nobles et des chefs des tribus de Dana, Lug au Long Bras, fils de Cian, s'entretint avec les uns et les autres dans l'intention de préparer la grande bataille qu'il fallait livrer pour se libérer de l'esclavage des Fomoré. Et il réconforta et harangua tous ceux qui se trouvaient là avec tant d'ardeur et tant de courage que chacun y puisa la mentalité d'un roi ou d'un prince. Et cela se passait une semaine avant la fête de *Samain* [2].

Sur ce, ils se séparèrent et se donnèrent rendez-vous la veille de *Samain*. Mais, avant de quitter l'assemblée, Lug, au cours d'une conversation avec Dagda, lui demanda de

---

1. Le manteau magique de Mananann est également très célèbre dans la tradition irlandaise : c'est un objet magique qui procure l'oubli de certains événements parmi les plus récents. Le personnage de Mananann, peu répertorié dans les récits qui concernent l'établissement des tribus de Dana en Irlande, prend toute son importance après le partage de l'île entre les tribus de Dana et les Fils de Milé, c'est-à-dire les Gaëls : car il deviendra le roi suprême du « peuple féerique », autrement dit les gens des tribus de Dana, qui résident dans les *sidhs*, les grands tertres mégalithiques.

2. La grande fête celtique du début novembre. On remarquera que les batailles épiques se déroulent toujours à l'occasion des fêtes celtiques, notamment *Beltaine*, au début de mai (arrivée des tribus de Dana), ou à *Lugnasad*, début août. C'est dire que ces batailles grandioses sont avant tout symboliques et se réfèrent à des rituels religieux très anciens, marqués par des renversements de tendances ou des remplacements de souverains.

faire en sorte de surveiller l'arrivée des Fomoré et de retarder ceux-ci le plus possible par tous les moyens pour qu'eux-mêmes aient le loisir de se préparer au combat. Et Dagda promit à Lug d'exaucer son vœu, puisqu'il était le protecteur des tribus de Dana et devait, quoi qu'il advînt, veiller sur tous ceux de son peuple. [1]

1. D'après le récit de *La seconde bataille de Mag-Tured*, première version, avec quelques détails empruntés à la version postérieure. Celle-ci, différente de la première, est contenue dans le manuscrit 24 P 9 de la Royal Irish Academy de Dublin et a été publiée par Brian O'Cuiv à Dublin en 1945. La seule traduction qui en existe actuellement est celle, en français, de Ch.-J. Guyonvarc'h, *Textes mythologiques irlandais*, Rennes, 1980.

CHAPITRE IV

La grande bataille de Mag-Tured

Dagda s'était construit une maison dans le nord, dans la vallée d'Etin. Et comme il y avait fixé rendez-vous à une femme, il ne s'attarda pas à Tara mais, d'une traite, s'en fut vers le nord, tant le pressait le désir de se trouver chez lui au jour et à l'heure dits.

Près de la maison, à l'entrée de la vallée, coulaient deux ruisseaux, l'un vers l'ouest, en direction du Connaught, l'autre vers le nord, en direction de l'Ulster. A son arrivée, Dagda aperçut la femme qui se lavait. Elle se baigna soigneusement le pied droit dans le ruisseau qui coulait vers le Connaught et le pied gauche dans celui qui coulait vers l'Ulster. Et cette femme n'était autre que Morrigane, fille d'Ernmas, la magicienne des tribus de Dana.

Or, comme Dagda s'étonnait de la voir se laver les pieds dans deux ruisseaux différents : « Ce n'est pas difficile, répondit-elle. Ce sont mes sortilèges que je répands ainsi vers le Connaught et vers l'Ulster, parce que c'est au confluent de ces deux provinces que se livrera la bataille contre les Fomoré. – Peux-tu m'en dire davantage là-dessus ? demanda Dagda. – Ce n'est pas le moment, dit Morrigane. Il me semble que nous avons autre chose à faire, puisque tu m'as donné rendez-vous. – Certes, dit

123

Dagda, mais c'est sur ton avis que je te l'ai fixé ici. Pourquoi nous faut-il toujours ne nous retrouver qu'en secret,
à l'écart de tout, à l'insu des hommes des tribus de Dana ?
– Tu sais parfaitement qu'ils ne supporteraient pas de me
savoir en ta compagnie. Ils ressentiraient tous une jalousie mortelle à ton égard. – Cependant, dit Dagda, je ne
suis pas le seul homme dont tu honores les rendez-vous.
– Il est vrai, ô Dagda, mais personne ne doit le savoir.
Car, aux yeux des hommes des tribus de Dana, je suis
libre, et chacun d'eux espère que je vais jeter les yeux sur
lui. Je plongerais les cœurs dans la plus grande confusion
s'il s'ébruitait quelque chose de mes rendez-vous. »

Sortant alors du ruisseau qui coulait vers l'Ulster,
Morrigane s'avança vers Dagda. Elle portait une robe
rouge couleur de sang, et sa chevelure était ordonnée en
neuf tresses. « Dénoue mes cheveux », dit-elle. Dagda
prit les tresses une à une, les dénoua, et la chevelure de
Morrigane, qui avait le noir de la plume de corbeau, se
répandit sur ses épaules et s'écroula le long de son dos
jusqu'à lui frôler les reins. Elle s'étendit sur l'herbe et
dit : « Il est temps. Viens à présent. »

Dagda se coucha à ses côtés, et elle lui prodigua l'amitié de ses cuisses. On appelle maintenant l'endroit où ils
s'unirent le Lit du Couple. Quand ils en eurent terminé,
Dagda se releva. « Je dois te quitter, dit-il, car j'ai pour
mission de repérer l'endroit où se seront établis les
Fomoré, puis de les retarder le plus possible afin de permettre aux tribus de Dana d'être prêtes pour le combat.
– En cela, je peux t'aider, dit Morrigane. Vois-tu cette
troupe d'oiseaux noirs qui volent au-dessus de nous ? Ils
viennent de l'est, et s'ils se précipitent de la sorte en
direction du soleil couchant, c'est qu'une armée horrible
les a effrayés. Il n'est pas difficile de savoir d'où ils viennent, ainsi affolés : ils arrivent de la plaine de Scene, près
du rivage. Voilà le lieu où les Fomoré ont débarqué en
masse, et voilà où ils ont établi leur camp. – Je vais donc

aller dans la plaine de Scene, dit Dagda. Je les observerai, et je verrai ce qu'il convient de faire pour retarder leur expédition. Mais toi, que vas-tu faire, maintenant ?
— D'abord attendre le moment propice, répondit Morrigane, puis je me rendrai parmi les Fomoré, et je demanderai à voir leur roi. On me laissera passer parce que je suis femme, et belle et désirable. Et j'entrerai dans la tente du roi Indech. Mais, quand il voudra satisfaire l'envie qu'il aura de moi, je lui enlèverai le sang de son cœur et les rognons de sa valeur. Alors, j'irai au-devant des tribus de Dana et leur montrerai mes dépouilles : ils comprendront ainsi que les Fomoré ont perdu leur roi, et leur courage dans la bataille en sera accru [1]. »

Là-dessus, Dagda se sépara de Morrigane et s'en vint directement à la plaine de Scene. Une fois sur les lieux, il observa longuement l'activité des Fomoré puis se décida. Il alla trouver les gardes et leur dit qu'il désirait parler aux Fomoré des conventions nécessaires pour la bataille.

On le conduisit donc auprès d'Indech, roi des Fomoré, qui l'accueillit avec déférence, car il savait que Dagda était un sage parmi les hommes de Dana. Ils discutèrent du lieu où se déroulerait la bataille et du jour où elle débuterait. Puis, le roi dit à son hôte qu'il désirait le trai-

---

1. Morrigane, fille d'Étrange (Ernmas), est un personnage des plus mystérieux. Elle est l'image archaïsante d'une déesse de la guerre, de la sexualité et de la magie, ces trois domaines étant indiscutablement liés dans la tradition celtique où les guerriers reçoivent d'une femme leur initiation sexuelle, magique et guerrière (par exemple, Perceval, avec les sorcières de Kaerloyw dans le Cycle du Graal). Mais Morrigane revêt ici son aspect le plus terrifiant. Elle fait songer évidemment à la Judith biblique, mais elle s'apparente surtout à la Kâli la Noire de la tradition indienne, déesse de la vie et de la mort, que l'on représente souvent comme la castratrice par excellence. De plus, une comparaison très poussée s'impose entre elle et la fée Morgane des récits arthuriens, même si celle-ci a perdu un peu de sa cruauté primitive pour devenir une sorte de *sex-symbol*.

ter avec les plus grands égards, et il ordonna à ses serviteurs et à ses cuisiniers de lui servir de la nourriture.

Les Fomoré commencèrent par lui donner à boire, de larges rations de bière et de l'hydromel autant qu'il voulait. Puis ils lui préparèrent de la bouillie, car ils connaissaient son goût immodéré pour elle, mais ils se promettaient surtout, ce faisant, de se moquer de lui et de le prendre au piège de sa gourmandise. Ils remplirent donc à son intention le chaudron du roi à la hauteur de cinq poings d'hommes puissants avec du lait frais et autant de farine et de graisse. Et comme cela n'était pas suffisant, on jeta dans le chaudron des chèvres, des moutons et des porcs que l'on fit cuire avec la bouillie. Et comme Dagda ne pouvait manger tout cela à même le chaudron brûlant, on creusa un trou dans le sol et on y versa tout ce qu'il contenait [1].

Quand Dagda vit la nourriture qu'on lui avait préparée, il commença par se plaindre et dit qu'il n'avait pas l'habitude d'être servi d'une façon si fruste et si cavalière. Mais le roi des Fomoré vint le trouver et le menaça de mort s'il ne mangeait tout ce que contenait la fosse. Ainsi, ajouta-t-il, Dagda n'irait pas se plaindre que les Fomoré ne savaient pas soigner leurs hôtes.

Comprenant qu'il ne pouvait refuser, Dagda prit sa cuiller. Elle était assez grande pour qu'un homme et une femme pussent se coucher au fond. Et chaque cuillerée

---

1. Sous les dehors d'une farce de mauvais goût, l'épisode repose sur une certaine réalité. Les découvertes archéologiques et les expériences anthropologiques ont prouvé que les hommes des Âges du Bronze puis du Fer pratiquaient une sorte de cuisine en plein air. On creusait une fosse que l'on étayait avec des planches ou des pierres sèches et dans laquelle, une fois remplie d'eau, l'on plongeait du gibier entouré de paille et agrémenté d'aromates et d'ail sauvage. Alors, on faisait chauffer des galets ou des pierres sur un foyer, et on les immergeait ensuite de façon à cuire les aliments à une température modérée, pratique en tous points conforme aux règles de la diététique moderne.

qu'il tirait de la fosse l'obligeait d'avaler un demi-cochon, un cuissot de brebis ou de chèvre [1].

« Si j'en crois l'odeur de la viande, dit Dagda, cette nourriture ne doit pas être mauvaise. » Il se mit donc à manger et trouva très bonnes la bouillie et la viande. Les Fomoré le regardaient avec curiosité engloutir le contenu de sa cuiller, et ils se moquaient de lui. Mais quand ils virent que, non content d'avoir absorbé tout le contenu de la fosse, il en raclait le fond pour n'y rien laisser, ils furent bien ébahis, car jamais ils n'avaient vu d'homme manifester pareille gloutonnerie.

Cependant, Dagda se sentait alourdi. Son ventre avait pris la tournure du plus vaste chaudron qu'il y eut jamais en une maison de roi. Il s'allongea sur le sol et s'endormit aussitôt, tandis que les Fomoré tournaient autour de lui, riant et plaisantant. Ils disaient : « Si tous les héros des tribus de Dana ressemblent à celui-ci, comment s'étonner qu'ils ne veuillent pas livrer le blé et les troupeaux qu'ils nous doivent, en tant que vassaux ? » Et ils ajoutaient : « Dans ces conditions, ce sera pour nous un jeu d'enfant que de les vaincre par les armes ! »

Dagda se réveilla enfin, ne sachant trop où il était. Mais quand il vit les Fomoré se moquer de lui, la colère se ranima dans son cœur. Il se sentait cependant si lourd qu'il préféra ne rien répondre à leurs railleries. Après

---

1. Ici apparaît l'aspect *gargantuesque* de Dagda. C'est un géant, porteur de massue, sexuellement insatiable et d'une invraisemblable gloutonnerie. Il représente la puissance d'absorption prêtée à la divinité, trait de caractère qu'on retrouve bien évidemment chez Gargantua et Pantagruel, lesquels, avant d'être les héros de Rabelais, étaient des personnages divins devenus folkloriques. Gargantua n'est autre que le géant Gwrgwnt des légendes celtiques anciennes, et son nom signifie « à la jambe courbe ». Quant à Pantagruel, c'est une sorte de démon médiéval qui assoiffe ses ennemis en leur jetant du sel. Le Dagda irlandais est l'un des aspects de ce personnage issu de la plus lointaine mythologie.

avoir pris congé, il alla rejoindre l'assemblée de Tara pour y faire le récit de ce qu'il avait vu et entendu.

Mais les dimensions de son ventre lui rendaient la marche pénible, et il devait s'arrêter souvent, tant lui coûtait l'effort. Sa tenue était indécente, car sa tunique brune était remontée jusqu'au renflement des fesses, et son membre viril, qui était long, dépassait par-dessous. Il avait ramassé une branche d'arbre et s'en servait comme d'une canne, mais il l'appuyait avec tant de force sur le sol qu'il laissait derrière lui un sillon assez large et profond pour tracer la frontière d'une province.

Il arrivait dans une vallée quand il aperçut une jeune fille qui se lavait dans le ruisseau. Elle était très belle, avec de belles tresses sur sa tête et des formes si agréables qu'il fut saisi de désir pour elle. La fille s'en aperçut et ne le repoussa point. Ils s'étendirent dans l'herbe, près du ruisseau, mais Dagda était si lourd et si las qu'il ne put s'unir à elle. Alors, la fille se releva et se moqua de lui.

Une violente colère envahit Dagda qui voulut frapper l'insolente, mais elle se déroba, bondit sur ses pieds et s'enfuit. Dagda se leva, non sans peine, et, trop bien persuadé qu'il ne pourrait la rattraper, lui lança des pierres, mais sans l'atteindre. Alors, dans sa fureur, il jura de se venger en massacrant tous les Fomoré qu'il rencontrerait au cours de la bataille, car c'est à eux qu'il devait sa honte. Sur ce, il reprit sa marche vers la maison royale de Tara.

Pendant ce temps, les Fomoré, après avoir préparé leurs lances, leurs épées et leurs boucliers, s'étaient tous rassemblés autour de leur roi, Indech, pleins de courage et de résolution, afin de gagner la plaine de Tured où ils avaient convenu avec Dagda de livrer la bataille. « Les hommes d'Irlande sont bien prétentieux de nous offrir le combat, dit Indech. J'ai l'impression que leurs os seront tout petits ou réduits en poussière au lendemain de la lutte qui se prépare. – Roi suprême, intervint alors Bress, fils d'Elatha, il serait bon de tenter une dernière fois d'éviter l'affrontement. – Serais-tu lâche ? s'écria Indech. Aurais-tu peur de te mesurer aux guerriers des tribus de Dana ? – Certes non, roi suprême, répondit Bress. Si je parle ainsi, c'est dans l'intérêt de tous. Pour ma part, je serai parmi vous dans le combat et, quoi qu'il puisse arriver, je m'y conduirai en roi. Mais si nous exterminons les hommes d'Irlande, cette île sera déserte. Il ne s'y trouvera plus personne pour cultiver les champs et s'occuper des troupeaux. Où serait notre profit ? Vos propres terres sont dans les îles au milieu du brouillard, et votre intérêt est de maintenir les hommes d'Irlande dans la servitude afin qu'ils vous procurent en abondance nourriture et richesses. Il serait de votre intérêt que les hommes d'Irlande acceptent, par crainte de votre puissance, de me rendre la royauté : ainsi pourrais-je vous fournir ce qui vous revient. – Tu as sans doute raison, dit Indech. Qu'on envoie une vingtaine d'hommes vers les hommes d'Irlande pour leur demander de payer ce qu'ils nous doivent et de reconnaître Bress comme roi suprême. S'ils acceptent ces dernières propositions, s'ils consentent à payer le tribut, nous nous abstiendrons de les combattre et repartirons vers nos îles. Mais s'ils refusent, il leur faudra subir un combat mortel et disparaître de cette terre dont nous serons, dès lors, les seuls maîtres. »

Le roi des Fomoré ordonna à une vingtaine de guerriers, parmi les plus courageux et les plus cruels, de s'apprêter à gagner Tara afin de réclamer le tribut dû aux Fomoré et d'obliger les hommes de Dana à reconnaître Bress, fils d'Elatha, comme leur roi suprême. Aussitôt groupés, les émissaires partirent sans plus tarder. Et ils ne mirent pas longtemps à atteindre Tara. [1]

---

1. D'après le récit de *La seconde bataille de Mag-Tured*, première version.

En voyant cette troupe hargneuse et de mauvaise mine s'arrêter devant les remparts de la forteresse, le portier, terrifié, s'enquit de ce qu'elle voulait, et on lui donna réponse. Il s'empressa d'aller trouver Nuada et l'informa des prétentions des Fomoré : ils exigeaient ce qu'on leur devait de récoltes, de bétail et d'objets précieux, ainsi que la restitution de la royauté à Bress, fils d'Elatha.

Nuada bondit de son siège, très en colère. « Va leur répéter mes paroles, répondit-il au portier : jamais plus les fils de Dana ne paieront de tribut aux Fomoré, jamais plus Bress, fils d'Elatha, ne sera le roi suprême d'Irlande. Ajoute ceci encore : nous livrerons bataille au jour fixé dans la plaine de Tured, et nous détruirons tous les Fomoré, parce qu'ils n'ont aucun droit sur cette terre et que nous voulons nous libérer de toute contrainte qui nous serait imposée par des étrangers. Qu'ils retournent donc vers les leurs, et qu'ils se préparent à nous affronter pour leur plus grande honte et leur plus dure destinée. »

Le portier transmit le message, et les Fomoré, sans insister, partirent rejoindre l'armée du roi Indech. Sur ces entrefaites, survint Lug, fils de Cian. Il s'informa de ce qui venait de se passer et, en apprenant les exigences de l'adversaire, il entra dans une fureur noire : « Comment ? s'écria-t-il. Vous avez subi pendant de si longues années le joug des Fomoré, ils vous ont réduits en esclavage, et vous laissez repartir sains et saufs les plus mauvais et les plus cruels d'entre eux ? – Nous ne pouvions faire autrement, répondit Nuada. Ils étaient venus en messagers, il était difficile de les empêcher d'aller rejoindre leur armée. – Je n'ai que faire de vos scrupules ! rugit Lug. Il fallait les retenir en otages ou les massacrer pour qu'ils ne puissent plus vous nuire, lors de la bataille qui se prépare. Je vais donc les poursuivre et leur faire payer cher leur audace et leurs prétentions ! – Non pas ! intervint alors Cian, fils de Diancecht. Il ne t'appartient pas, mon fils Lug, de poursuivre ces malfaiteurs. Ta place est ici, parmi les chefs des tribus de Dana, qui s'apprêtent à livrer la plus grande bataille qu'on ait jamais vue dans le monde. C'est moi qui m'élancerai à la poursuite de cette troupe abominable. »

Et, avant que personne eût pu réagir, Cian sauta sur un cheval et se mit à galoper à bride abattue sur les traces des Fomoré. Deux de ses frères, qui avaient nom Cu et Ceithenn, décidèrent de se joindre à lui pour le seconder, mais ils ne purent le rattraper et s'engagèrent vers le sud, alors qu'il était parti vers le nord. Quant aux Fomoré, ils avaient trop d'avance et Cian, désespérant de les rejoindre, se consola en se disant que, de toute façon, il les retrouverait devant lui, lors de la bataille dans la plaine de Tured, et prendrait sa revanche à ce moment-là. Aussi rebroussa-t-il chemin dans l'intention de rentrer à Tara.

Il traversait la plaine de Murthemné et n'y avait guère progressé quand il aperçut trois jeunes gens armés, équipés, et qui venaient vers lui. Il reconnut en eux, sur-le-champ, les trois fils de Tuirenn, dont les noms étaient Brian, Iucharba et Iuchar.

Or, depuis bien longtemps déjà, les gens de la famille de Diancecht et ceux de la famille de Tuirenn se détestaient et se haïssaient même mortellement. C'en était au point qu'on ne comptait plus les batailles qu'ils s'étaient livrées, et que, quel que fût l'endroit où ils se rencontraient, certains d'entre eux restaient toujours sur le terrain. Ils faisaient pourtant partie, les uns comme les autres, des tribus de Dana et descendaient de Nemed. Mais c'était ainsi, et les trois fils de Tuirenn avaient tous trois hérité de la même haine farouche.

Or, ayant aperçu et aussitôt reconnu Cian dans la plaine de Murthemné, ils se dirent entre eux qu'ils tenaient là l'occasion rêvée de se débarrasser d'un fils de Diancecht, puisqu'il était seul et sans défense contre trois jeunes gens, braves et résolus. Ils se dirent aussi que si Cian perdait la vie dans cette aventure, on en rejetterait la responsabilité sur les Fomoré. Aussi décidèrent-ils de l'attaquer sans pitié.

Cian avait très bien compris leurs intentions. Il se vit en danger mortel et se murmura à lui-même : « Si mes deux frères étaient ici, nous nous battrions tous trois farouchement et, sans peine, nous aurions raison de ces trois-là. Mais je ne les ai pas à mes côtés, je suis seul. Aussi n'ai-je mieux à faire que de m'enfuir. Ils ne perdront rien pour attendre. » Se voyant alors entouré d'un grand troupeau de porcs, il n'hésita plus et, se frappant lui-même d'une baguette druidique, il transforma son aspect en celui d'un porc et se mit à fouiller le sol comme le faisaient les autres porcs. « Voilà qui est étrange, dit Brian, fils de Tuirenn à ses frères. Vous avez bien vu, comme moi, l'un des fils de Diancecht traverser la plaine ? – Nous l'avons vu, effectivement, répondirent-ils, et nous l'avons bien reconnu. – Il n'est pas possible qu'il ait disparu sans cause, reprit Brian. Depuis le temps que j'observe plaines et vallées, j'ai appris à y discerner ce qui est de ce qui n'est pas. Sur ma foi, je sais comment il a disparu : il s'est frappé lui-même d'une baguette druidique en or et a pris l'apparence d'un porc, parmi les porcs de ce troupeau. Et, en ce moment même, sous nos yeux, il est en train de fouir la terre comme ses semblables. – Voilà une chose qui n'est pas bonne pour nous, dirent les deux frères, car ce troupeau appartient à quelqu'un des tribus de Dana, et nous ne pouvons les tuer tous, on nous le reprocherait. D'ailleurs, même en admettant que nous le faisions, le porc druidique nous échapperait, c'est certain. – Vous n'avez pas grande intelligence, répondit Brian, et je vois que l'enseignement que vous avez reçu quand nous étions dans les Iles du nord du Monde ne vous a pas servi. Vous ne savez même pas distinguer une bête druidique d'une bête naturelle. »

Pendant qu'il achevait de prononcer ces paroles, Brian toucha ses frères avec une baguette magique et druidique qu'il portait toujours sur lui, et il leur donna la forme de deux chiens très minces, très agiles et très rapides qui, donnant fortement de la voix, se précipitèrent sur le troupeau et le dispersèrent. Puis, ils s'acharnèrent contre l'un des porcs, celui-là même dont Cian avait pris l'aspect. Il s'était réfugié près d'un taillis de coudrier, comptant y disparaître ; mais, en homme au fait des arts magiques, Brian, devinant son intention, brandit sa lance et lui en traversa la poitrine.

« Pourquoi m'as-tu frappé de la sorte, cria le porc, puisque tu savais qui j'étais et que je me trouvais sans défense ? – Voici donc une voix humaine ! s'écria Brian. Je ne m'étais pas trompé, et mes deux chiens druidiques ont eu tôt fait de te reconnaître. – C'est vrai, dit le porc. J'étais un homme avant de prendre cette forme. Je suis Cian, fils de Diancecht. Fais-moi grâce de la vie, je te prie, et je serai ton serviteur, en particulier lors de la bataille contre les Fomoré. – Je jure par tous les esprits de l'air, s'écria Brian, que si ton âme revenait sept fois dans ton corps, je te l'en chasserais sept fois ! – Alors, dit Cian, accorde-moi une faveur. – Je te l'accorde, répondit Brian. – Permets-moi de reprendre ma forme humaine. – Bien volontiers, car il m'est parfois plus difficile de tuer un cochon qu'un homme », dit Brian, fils de Tuirenn.

Cian reprit donc son apparence naturelle. « Je vous ai bien trompés, dit-il, car si j'avais été tué sous la forme d'un porc, mon fils n'aurait pu vous réclamer que le prix d'un porc. Mais, puisque vous voulez me tuer sous ma forme naturelle, le prix de compensation sera celui d'un homme, et il sera très élevé, à cause de mon rang, de mes actions et de mes mérites. Et ce sont les armes avec lesquelles vous me tuerez qui raconteront ce meurtre à mon fils [1]. – Ce

---

1. Dans de nombreux récits mythologiques ou épiques, les armes peuvent parler et révéler ce à quoi elles ont servi. Ce n'est pas une naïveté, mais un symbole, et l'on sait que la criminologie moderne

n'est donc pas avec nos épées que tu seras tué, dit Brian, mais avec des pierres que nous ramasserons sur le sol. »

Et, là-dessus, les trois frères se mirent à le frapper rudement, sauvagement, violemment, avec des pierres qu'ils ramassaient tout autour, si bien que le corps du héros devint une masse informe et misérable. Ils creusèrent alors une fosse et l'ensevelirent. Mais la terre n'accepta pas ce meurtre et rejeta le corps à la surface. Les fils de Tuirenn l'ensevelirent une seconde fois, mais la terre ne le reçut pas davantage. Et ils eurent beau l'ensevelir six fois de suite, six fois de suite, la terre le rejeta. Ce n'est qu'à la septième qu'elle le garda. Alors, les fils de Tuirenn quittèrent la plaine de Murthemné et s'en allèrent vers la plaine de Tured où devait se dérouler la grande bataille contre les Fomoré. [1]

Entre-temps, les tribus de Dana avaient établi leur camp sur une colline qui dominait la plaine et d'où elles pouvaient surveiller les faits et gestes des Fomoré. Et, chaque jour, le combat s'engageait entre eux. N'y prenaient part ni roi ni nobles, mais seulement des guerriers ardents et téméraires. Les Fomoré s'étonnaient fort des mésaventures que leur réservait la bataille. Leurs armes, qu'il s'agît de leurs javelots ou leurs épées, se détérioraient sans motif apparent, et ceux de leurs gens qu'on avait tués ne revenaient pas le lendemain. En revanche, il en allait tout autrement parmi les gens des tribus de Dana : leurs armes, quand d'aventure elles étaient détériorées, se trouvaient refaites le lendemain, toujours intactes, et aussi redoutables que meurtrières. En fait, le forgeron Goibniu ne cessait de fabriquer des épées, des fers de lance et des javelots, et, pour chacune de ces armes, trois coups suffisaient. Le charpentier Luchté fabriquait des

---

applique ce principe que l'arme du crime peut fournir des indices et permettre la découverte du meurtrier.

1. D'après le récit du *Sort des fils de Tuirenn*.

hampes également en trois coups : le troisième les polissait et les insérait dans la douille de la lance ou du javelot. Quand les armes étaient posées à côté de la forge, il lançait les anneaux sur les hampes, et il n'était point nécessaire de les ajuster. Quant au bronzier Credné, il fabriquait des clous en trois coups, lui aussi, sans avoir besoin non plus de les ajuster. Et ceux des guerriers qui avaient été tués ou blessés au combat revenaient le lendemain occuper leur poste. C'était grâce à Diancecht, qui, avec son fils Oirmiach et sa fille Airmed, chantait un charme sur la Fontaine de Santé. Ils y baignaient les hommes, blessés ou morts, et c'est vivants et pleins de santé qu'en ressortaient ceux-ci. On appelle cette fontaine Lusmag, c'est-à-dire Plaine des Herbes, parce que Diancecht y avait mis un brin de chaque herbe qui poussait en Irlande. D'autres prétendent toutefois que ces plantes, au nombre de trois cent soixante-cinq, étaient celles qui avaient poussé sur la tombe de Miach, fils de Diancecht, que son père avait tué par jalousie, pour avoir si bien greffé le bras d'argent du roi Nuada. Airmed, la fille de Diancecht, avait recueilli ces herbes dans son manteau et les avait jetées dans la Fontaine de Santé. Mais Diancecht, toujours par jalousie, avait alors si bien mélangé ces herbes que plus personne ne connaît la vertu particulière de chacune.

Comprenant à la fin ce qui se passait, les Fomoré chargèrent l'un des leurs d'aller voir de près la disposition des bataillons des tribus de Dana et d'étudier comment ils accomplissaient ces merveilles. Et c'est Ruadan, fils de Bress et de Brig, fille de Dagda, qui, par conséquent, appartenant bien plus au clan de Dana qu'à celui des Fomoré, alla rôder dans le camp adverse. A son retour, il raconta aux Fomoré les exploits qu'il avait vu accomplir par le forgeron, le charpentier, le bronzier et les médecins réunis autour de la fontaine. Alors, on lui confia la mission d'aller tuer le forgeron.

Ruadan demanda à Goibniu un javelot, des clous au

bronzier et au charpentier une hampe, et ils les lui donnèrent. Mais, une fois muni du javelot, Ruadan se retourna et en frappa Goibniu, le blessant sérieusement. Goibniu arracha l'arme de sa chair et, la retournant contre Ruadan, le perça de part en part, si bien que celui-ci rendit l'âme au vu et au su de son père qui était en face, dans la troupe des Fomoré. Alors Brig vint pleurer son fils. Elle cria d'abord, se lamenta ensuite, et l'on prétend qu'en cette occasion l'Irlande entendit pour la première fois des pleurs et des lamentations. Quant à Goibniu, il alla se plonger dans la Fontaine aux Herbes et, aussitôt guéri, regagna sa forge et reprit son travail.

Parmi les Fomoré, se trouvait un jeune guerrier qui, nommé Octriallach, était l'un des fils du roi Indech. Il conseilla aux Fomoré de prendre chacun une pierre dans le lit de la rivière et de la jeter dans la Fontaine aux Herbes, au nord du lac, à l'ouest de la plaine de Tured. Les Fomoré s'y rendirent donc, chacun à son tour, et jetèrent leur pierre dans la fontaine qui se trouva ainsi comblée, de sorte qu'il fut impossible de s'y plonger. Et depuis lors, en ce lieu, se dresse un tertre qu'on appelle le Tertre d'Octriallach.

Quand vint le moment de la grande bataille, de part et d'autres les chefs s'assemblèrent. Les Fomoré sortirent de leur camp et formèrent des bataillons invulnérables et indestructibles. Qu'il fût chef ou simple guerrier, il n'en était aucun, parmi eux, qui ne portât une armure sur la peau, un casque sur la tête, une lance acérée dans la main droite, une épée bien aiguisée à la ceinture, un bouclier solide et large sur l'épaule. Attaquer les Fomoré, ce jour-là, dans la plaine de Tured, c'était se frapper la tête contre un rocher, poser la main dans un nid de vipères ou s'exposer la figure à un feu ardent.

Les chefs des tribus de Dana se levèrent de leur côté et se préparèrent à la rencontre. Mais, comme Lug au Long Bras était sorti de la maison royale, Nuada au Bras d'Argent dit à ceux qui se trouvaient là : « Il ne serait pas bon pour nous de permettre au noble Lug au Long Bras, fils de Cian, d'aller se battre, au risque d'être blessé. Mieux vaudrait, je pense, l'empêcher d'aller au milieu du carnage. – C'est juste, dit Ogma, mais nous savons qu'il peut nous conduire à la victoire. Qu'en sera-t-il, s'il n'est avec nous ? – N'aie aucune crainte à cet égard, répondit Nuada, nos héros n'éprouvent aucune peur devant les armes de nos ennemis, et je sais qu'ils résisteront à la fureur de cette race cruelle des Fomoré, quand bien même Lug ne serait pas là pour nous entraîner à sa suite et diriger nos actes. Il serait meilleur pour nous qu'il restât à l'écart du combat, car il est notre stratège et notre maître de sagesse [1]. – Mais, dirent les nobles des tribus de Dana, Lug n'acceptera jamais de rester à l'écart. – Voici ce qu'il faut faire, reprit Nuada au Bras d'Argent : avant de nous engager dans la lutte, nous devons organiser un grand festin de bière facile à boire et délicieuse pour les champions. Nous donnerons ce festin autour de Lug et en son honneur. Dans sa joie, il boira beaucoup et finira par s'enivrer. Et nous, sitôt que nous le verrons privé de ses sens, nous le lierons et l'attacherons solidement avec des chaînes de métal bleu aux grands piliers plantés en terre sous la tente des festins. Ainsi la bataille se déroulera-t-elle en dehors de sa présence, et sa vie sera sauvegardée. – Ce conseil est convenable et honnête, dirent les chefs des tribus de Dana, et nous le suivrons en tous points. »

Ainsi firent-ils. Ils préparèrent la tente des festins et s'assemblèrent autour de Lug et de Nuada. On servit à Lug tant de bière brillante et guérisseuse que, bientôt, il fut ivre et joyeux. Les assistants lui jouèrent ensuite de leurs

---

1. Dans la première version de *La seconde bataille de Mag-Tured*, la mise à l'écart de Lug n'est ni expliquée, ni justifiée. Dans la seconde version, en revanche, c'est par jalousie et pour assumer à lui seul le triomphe final que Nuada la propose.

harpes et de leurs cornemuses, ainsi que de divers instruments, si bien que le royal guerrier dodelina sous l'excès de boisson et les délices de musique. Là-dessus, on apporta sa harpe à Craftiné. Il en dévoila les neuf cordes et joua jusqu'à ce que le jeune guerrier fût reposé, calme et profondément endormi. Alors, les nobles des tribus de Dana s'empressèrent d'enchaîner le héros. Ils le lièrent étroitement aux piliers bien plantés en terre, et ce sans qu'il pût seulement s'en apercevoir. Les troupes se levèrent ensuite, toutes prêtes, pour livrer bataille autour du roi suprême d'Irlande, Nuada au Bras d'Argent. Et seul Craftiné, le harpiste, resta pour veiller sur Lug au Long Bras.

Le combat était engagé depuis longtemps et le tumulte était grand lorsque Lug émergea du sommeil. « Qu'est-ce donc que cela, mon ami Craftiné ? s'écria-t-il. D'où vient que je sois attaché à ces piliers et que j'entende les cris de la bataille à l'extérieur de la tente ? – Je ne sais, répondit Craftiné. Certes, j'entends les cris des Fomoré et les incantations de Morrigane qui déverse sur eux les sortilèges dont elle a le secret. J'entends aussi Goibniu qui frappe sur sa forge. Mais j'ignore ce qui se passe à l'extérieur de cette tente. – Tu mens ! répliqua Lug au Long Bras. Tu sais très bien que c'est le bruit d'une bataille que nous entendons. Je t'en prie, Craftiné, dénoue mes liens, que j'aille sur le front guider les troupes à la victoire. – Je n'ai ni la force, ni la bravoure nécessaires pour desserrer tes liens, ô Lug, répondit Craftiné, car ce sont des mains de héros et une force de guerrier qui t'ont attaché à ces piliers. »

Alors, Lug se secoua avec tant de force et d'énergie qu'il renversa les lourds piliers que l'on avait fichés en terre et qu'il entraîna à sa suite les lourdes chaînes bleues par la seule vigueur de ses bras. Il eut du reste tôt fait de s'en dégager et se précipitant au-dehors, se mit à courir vers le lieu où s'affrontaient les armées. Et le vacarme causé par sa course fut si formidable que tous les combat-

tants le regardèrent venir avec autant d'effroi que d'étonnement. Les armées reculèrent de part et d'autre, tant son
aspect était impressionnant. Alors, Lug s'en fut vers les
tribus de Dana et s'arrêta devant Nuada au Bras d'Argent.
« Ce n'est pas une bonne action que tu as faite là, ô héros
royal ! s'écria-t-il. Pensais-tu engager la bataille et délivrer l'Irlande sans que je puisse y participer de mon plein
gré ? Vous vous êtes engagés dans cette lutte sans réfléchir et sans prendre le temps de préparer vos assauts.
Rentrez donc dans votre campement, et attendez le signe
que je vous donnerai au moment le plus favorable pour
que la race des Fomoré soit exterminée, et pour que la
terre d'Irlande soit libérée de ses oppresseurs. »

Les chefs et les guerriers des tribus de Dana retournèrent donc à leur campement. Et la nuit se passa ainsi sans
qu'il y eût la moindre escarmouche entre les guerriers des
Fomoré et ceux des tribus de Dana. Cependant, Morrigane, fille d'Ernmas, s'était rendue au camp des Fomoré,
et elle avait pénétré dans la tente d'Indech, leur roi
suprême. Et lorsqu'elle en ressortit, elle tenait, dans ses
mains rouges de sang, les rognons de la valeur royale
qu'elle montra fièrement aux Fomoré pour leur apprendre
qu'ils n'avaient plus de chef. Et, là-dessus, elle rentra au
campement des tribus de Dana.

Le lendemain matin, Lug au Long Bras fit sortir les
troupes devant le camp et leur prodigua des encourage-
ments. Il dit aux hommes qu'ils devaient mener courageusement le combat, que mieux valait périr que de
continuer à subir l'esclavage et payer tribut comme on les
y avait jusqu'alors contraints. Puis, devant tous les chefs,
les nobles et les guerriers, Lug ferma l'un de ses yeux et,
debout sur une seule jambe, chanta un chant tout en faisant le tour des guerriers des tribus de Dana [1].

---

1. Il s'agit d'un chant magique – et druidique – accompagné
de *circumambulation*, selon un rituel très ancien. Le fait de fermer

Les armées lancèrent une immense clameur en allant
au combat. Elles se rencontrèrent au milieu de la plaine
de Tured, et chacun se mit à frapper ce qui lui faisait
face, et nombre d'hommes braves et généreux tombèrent
dès lors sur le champ de la mort. Le massacre fut grand,
et il fut érigé par la suite bien des tombes en ce lieu.
L'honneur et la honte furent côte à côte. Il s'y mêla colère
et férocité. D'abondants flots de sang coulèrent sur la
peau blanche des beaux guerriers qui, déchirés par les
épées, s'opposaient de la sorte, donnant des coups impétueux de leurs lances effilées. Ce furent grand tumulte et
grand fracas, tandis que les uns frappaient les autres
à coups de lance et d'épée. Rude était le tonnerre qui
gronda tout du long : le cri des guerriers répondait au
bruit des boucliers qui se heurtaient, les épées sifflaient
dans les airs à la rencontre de la chair humaine, le craque-
ment des armures se mêlait au bruissement des javelots.
Peu s'en fallait qu'extrémités des doigts et jointures des
jambes ne se confondissent dans le choc. Les héros tombaient les uns sur les autres, tant glissait le sol sous les
pieds, à cause du sang répandu. Et les têtes s'entrecho-
quaient, faisant éclater les os du crâne et répandant la cervelle sur l'herbe déjà souillée. Et la rivière charriait des
cadavres qui, emportés par le courant vers les lacs, s'y
amoncelaient.

Parmi la mêlée, Lug au Long Bras semait la mort et la
destruction. Il avait revêtu un équipement merveilleux,
inconnu, qui provenait sans doute du Pays de la Promesse.
Il avait une chemise de lin, brodée de fil d'or sur la peau
blanche, et sa tunique, ample et confortable, était multi-

---

un œil et de se tenir sur une seule jambe renvoie également à une
sorte de rituel chamanique d'extase guerrière qu'on retrouve dans le
thème indo-européen du dieu borgne (Odhin-Wotan qui a donné un
de ses yeux pour jouir de la « double vue ») et du roi boiteux gardien des secrets de l'Autre Monde (le Roi Pêcheur du cycle du
Graal).

colore. Il avait revêtu son tablier très large et très beau, orné d'or fin et muni de franges, d'agrafes, avec des bordures en argent, ainsi que sa ceinture de guerre que nul n'aurait pu trancher, fût-ce avec la plus aiguisée des épées du monde. Il arborait également une armure d'or épaisse, avec de belles pommes incrustées de pierres précieuses, et il se protégeait derrière un large bouclier de bois rouge recouvert d'or. Il avait saisi son épée, très longue et très fine, mais sombre et des plus tranchantes ; il brandissait sa lance dont le fer était empoisonné, une lance large, cruelle, à cinq pointes, à qui personne ne pouvait échapper. Mais, surtout, il avait pris sa massue de bataille, en fer très solide, et sa fronde qui lui permettait de lancer des boules de fer redoutables qui ne manquaient jamais leur but.

C'est sous cet aspect que se leva le puissant soutien du pays, le valeureux Lug au Long Bras, prêt à attaquer quiconque se présenterait devant lui, prêt à entraîner tous les guerriers des tribus de Dana par son exemple d'homme fort et puissant, d'homme qui ne tremblait jamais devant ses ennemis. Il avait en lui la colère d'un lion enragé, le bruit des vagues de la mer au moment des grandes tempêtes, le grondement de l'océan aux écumes bleues et vertes quand la marée se précipite à l'assaut du rivage. Et les guerriers de Dana le suivaient dans son élan impétueux.

Soudain, Lug au Long Bras se trouva en face de Balor, champion des Fomoré qui était le père d'Ethné, elle-même mère de Lug. Balor était puissant et redoutable, et jamais personne ne l'avait vaincu. Il avait un œil maléfique, mais cet œil ne s'ouvrait qu'au cours des combats. Quatre hommes étaient alors obligés de lui soulever la paupière avec un croc bien poli. Ceux que frappait le regard de cet œil n'y pouvaient résister, et ils étaient paralysés par la peur. Le sortilège de cet œil était la conséquence d'un charme que Balor avait reçu dans sa jeunesse. Les druides de son père faisaient bouillir un chaudron dans lequel ils avaient placé des herbes magiques et des incantations, il avait ouvert la fenêtre et regardé au-dehors de telle sorte que la vapeur empoisonnée qui s'échappait du chaudron l'avait atteint dans l'œil. Et, depuis lors, on ne l'appelait plus que Balor à l'œil maléfique.

Une fois devant Balor, Lug au Long Bras lui demanda de cesser le combat, pour que les Fomoré fussent épargnés dans la bataille et qu'ils pussent retourner sains et saufs dans leurs îles sous le brouillard. Il ajouta que ce n'était pas par peur qu'il parlait ainsi, mais pour mettre fin à une rencontre qui avait déjà coûté trop de morts et de blessés. Alors, Balor se tourna vers ceux qui l'assistaient. « Garçons, dit-il, soulevez-moi la paupière, afin que je voie le bavard qui me parle avec tant d'impertinence. »

Ils lui soulevèrent donc la paupière, et Balor se mit à se contorsionner tout autour de Lug pour le provoquer. Un frisson de peur parcourut le fils de Cian lorsqu'il aperçut la sombre cavité injectée de sang noir qui, béante, observait les tribus de Dana. Mais il se garda bien de regarder l'œil de Balor. Il appela Goibniu et le pria de lui apporter une pierre de fronde terrible, blessante, merveilleuse, qui pût atteindre l'œil de Balor et l'anéantir.

Goibniu fit immédiatement appel à ses fils adoptifs qui s'activaient et le secondaient autour de la forge. Ils se levèrent tous à l'appel de leur tuteur et se mirent à la tâche, avec autant de célérité que de décision. Ils activèrent le feu de la forge et fabriquèrent la balle à fronde la plus terrible et la plus meurtrière qu'on eût jamais vue. Mais, la balle une fois forgée, ils ne purent même pas la saisir, tant elle était lourde et ardente. Il fallut que Goibniu lui-même l'apportât à Lug au Long Bras.

Or, grande était la détresse de Lug à ce moment-là car, autour de lui, il n'était guerrier que n'eût blessé l'œil maléfique de Balor, cet œil d'où soufflaient des vents violents comme ceux d'une tempête et d'où surgissaient des averses emplies de venin. Pour comble, la chaleur qui émanait de la balle de fronde, les fumées, les vapeurs qui l'environnaient, les gerbes d'étincelles qui la constellaient, brûlant la peau, empêchaient quiconque, fussent-ils les plus braves, d'approcher du lieu où Lug au Long Bras se trouvait confronté à son grand-père Balor, champion invincible des Fomoré.

Toutefois, Lug saisit avec autant d'adresse que de prestesse la pomme de fer brûlante et, l'ayant placée dans sa fronde, il la fit tournoyer au-dessus de sa tête et, de toutes ses forces, la lança vers Balor. Malgré la distance qui les séparait, il sut si bien ajuster son tir que le projectile traversa la peau très dure de Balor et lui vida entièrement l'orbite du mauvais œil. Comme l'armée des Fomoré regardait le terrible combat de son champion contre Lug au Long Bras, l'œil maléfique, après avoir traversé le crâne de Balor, tomba sur les Fomoré, et il en mourut sur-le-champ trois neuvaines. Mais Balor s'enfuit, à la faveur de la confusion.

Morrigane, fille d'Ernmas, intervint alors. Elle montra aux guerriers des tribus de Dana les dépouilles qu'elle avait arrachées à Indech, roi des Fomoré. Elle leur narra l'exploit qu'elle venait d'accomplir et les encouragea à poursuivre leurs ennemis jusqu'à leur destruction complète. Du coup, les héros des tribus de Dana s'élancèrent dans un assaut furieux où périrent, avec Elatha, fils d'Indech, maints champions venus des îles sous les brouillards.

Aussitôt, Bress, fils d'Elatha, sortit des rangs des Fomoré et s'en vint au-devant de Lug, avec l'intention de venger son père. Tous deux échangèrent des coups terribles. En frappant Lug de son bouclier, Bress lui fit trois blessures, mais Lug l'attaqua à son tour et lui jeta, avec le rebord du sien, un jeu de destruction si tranchant que Bress se voyait perdu quand les Fomoré vinrent à son secours. Poussant trois grands cris contre Lug, ils firent pleuvoir sur lui une grêle de lances et de javelots mais il les évita et les fit tomber à terre, les piétinant jusqu'à les réduire en morceaux de ferraille. Mais cette diversion avait permis à Bress de s'échapper sans être blessé puis de se fondre parmi les siens, et Lug ne put le retrouver.

Cependant, les hommes des tribus de Dana s'élancèrent à nouveau contre les Fomoré et ne tardèrent pas à les mettre en déroute. Affolés, ceux-ci refluèrent en désordre et, abandonnant la plaine de Tured, se dirigèrent vers la mer dans l'espoir de se rembarquer et de fuir au plus vite l'île d'Irlande. Au milieu d'eux, Balor tentait de se ressaisir après la grave blessure que lui avait infligée Lug au Long Bras.

Mais Lug s'acharnait à poursuivre Balor, massacrant avec rage et colère les fuyards qu'il rencontrait. Il finit par rejoindre Balor sur le rivage et là, il lui lança un cri de défi. Balor, se retournant, tenta de se défendre, mais Lug, de son javelot, lui perfora la poitrine de part en part. « Souviens-toi que je suis ton grand-père, cria Balor à Lug, et que ta mère est Ethné au doux visage. – Je suis aussi le fils de Cian, fils de Diancecht, et j'appartiens aux tribus de Dana ! répliqua Lug. – De grâce, implora Balor, ne m'humilie pas davantage ! – Vaines paroles que tout cela ! répliqua Lug. N'est-ce pas t'humilier toi-même que de me prier d'épargner ta vie ? – Je ne te demande pas la vie sauve, reprit Balor, je te demande seulement d'exaucer un souhait. – Que veux-tu donc ? – Eh bien, voici : si tu triomphes de moi et si tu me tues, quand tu me couperas la tête [1], je te demande de la placer sur ta propre tête. Ainsi, ma valeur guerrière et ma gloire iront en toi [2], car je ne saurais trouver parmi mes descendants quelqu'un

---

1. Dans le contexte magique inhérent à cette épopée mythologique, nous l'avons dit, on peut ressusciter les morts, mais à condition que la colonne vertébrale et le cerveau ne soient pas altérés ni tranchés. Cela explique pourquoi il est d'usage de couper la tête d'un ennemi, même mort, pour l'empêcher de ressusciter.
2. Référence au curieux « rituel des têtes coupées », prouvé abondamment par l'archéologie gallo-romaine, et dont témoignent de

qui jamais me soit plus cher que toi. – Je suivrai ton conseil, répondit Lug, mais selon ma conscience. »

Ils marchèrent l'un contre l'autre, animés d'une égale fureur. Ils se blessèrent le corps en maniant l'épée, en brandissant leurs lances, et le combat fut acharné, mais Balor, affaibli, finit par s'écrouler. Alors Lug lui trancha la tête.

Sur ce, il s'éloigna, portant sa dépouille par les cheveux, et vint la déposer sur le fût d'un pilier de pierre qui se trouvait à proximité. Mais elle n'y demeura guère, car sa chaleur était si intense qu'elle fit éclater la pierre en quatre fragments avant de tomber à terre. Alors, Lug la plaça sur la fourche d'un coudrier et revint auprès du corps de Balor. « Vraiment, dit-il, le conseil que tu m'as donné n'était guère amical. Si je l'avais suivi, ma tête aurait subi pire que le pilier de pierre. » Et, là-dessus, il repartit, emportant la tête de Balor.

Des Fomoré massacrés ne subsistaient plus guère que leurs poètes. Ils adoptèrent l'aspect de pierres et de piliers dans la plaine. Mais Lug alla vers eux et les menaça sous cette apparence. Aussi reprirent-ils leur forme humaine et Lug leur promit de leur faire grâce s'ils lui révélaient les pertes exactes des Fomoré. « Je ne sais pas le nombre des esclaves et des plébéiens qui sont tombés, répondit l'un d'eux, mais je sais celui des seigneurs, des nobles champions, des fils de rois et des grands rois des Fomoré : c'est cinq mille soixante-trois. Quant au nombre des plébéiens et des esclaves qui accompagnaient les nobles et les chefs, car tous les chefs étaient venus avec leurs gens, je ne pourrais dire que celui de ceux que j'ai vus tomber de mes propres yeux : c'est trois mille six cent vingt-sept.

---

nombreux auteurs de l'Antiquité classique : il s'agit de prendre par là possession des qualités d'un héros, ennemi ou ami. Le thème se retrouve dans plusieurs récits irlandais, en particulier dans ceux du cycle d'Ulster.

Quant aux autres, ceux qui ont péri hors de ma vue, jusqu'à ce qu'on compte les étoiles du ciel, les grains de sable de la grève, les gouttes de rosée dans la prairie, les grêlons dans la tempête, nul ne saurait les dénombrer. »

Comme Lug au Long Bras quittait les poètes et retournait vers les tribus de Dana, il aperçut soudain Bress, fils d'Elatha, qui tentait de se cacher derrière un rocher. Il bondit aussitôt vers lui et le menaça de son épée. « Maudit sois-tu ! s'écria-t-il. C'est par ta faute que nous avons souffert l'oppression des Fomoré et que nous avons dû livrer cette sanglante bataille ! – Mieux vaut m'épargner que me tuer, dit Bress. – Vraiment ? répondit Lug. Où serait l'avantage de t'épargner ? – Si l'on m'épargne, je ferai en sorte que les vaches d'Irlande aient toujours du lait en abondance. – Je vais demander à nos sages ce qu'ils en pensent », répondit Lug.

Il alla trouver Mailtné au grand jugement et lui répéta ce que lui avait dit Bress au sujet des vaches d'Irlande. « Doit-on l'épargner pour cette raison ? demanda Lug. – Non, répondit Mailtné, car il n'a aucun pouvoir sur les vaches d'Irlande ni sur la quantité de lait qu'elles peuvent donner. » Lug revint donc vers Bress. « Ce n'est pas cela qui pourra te sauver, lui dit-il, car tu ne peux rien sur la vie des vaches ni leur production. » Bress prononça une incantation magique. « Y a-t-il autre chose qui puisse te sauver ? reprit Lug. – Oui, certes, dit Bress. Si l'on m'épargne, il y aura toujours une moisson par saison dans toute l'Irlande. »

Lug alla de nouveau consulter Mailtné. « Doit-on épargner Bress, demanda-t-il, s'il assure aux hommes d'Irlande une moisson de blé par saison ? – Non, répondit Mailtné, car voici ce qui se passe : nous avons le printemps pour labourer et pour le semer, le commencement de l'été pour que le blé se fortifie et mûrisse, le commencement de l'automne pour le moissonner et l'hiver pour le manger. Il n'y a là rien de nouveau. »

Lug revint une nouvelle fois vers Bress. « Tu ne seras pas épargné, lui dit-il, car ce que tu proposes, nous l'avons déjà. – Ce n'est pas certain, reprit Bress, car, si l'on m'épargne, je vous dirai comment labourer, semer et moissonner. Ce sont là trois choses que vous ignorez. – Si tu me les révèles, dit Lug, je te garantis la vie sauve. – Eh bien, voici, dit Bress. Il faut labourer le mardi, il faut répandre la semence un mardi, et il faut moissonner un mardi. »

Et c'est grâce à cette ruse qu'il avait inventée que Bress, fils d'Elatha, eut la vie sauve après la bataille de la plaine de Tured.

Sur ce, Lug rejoignit Dagda et Ogma. Ogma, l'homme fort, avait trouvé l'épée du roi des Fomoré. Il l'avait sortie de son fourreau et la nettoyait. Alors, l'épée raconta ce qu'elle avait vu et entendu car, en ce temps-là, les épées avaient coutume, lorsqu'elles étaient dégainées, de faire connaître les exploits qu'elles avaient accomplis ou dont elles avaient été les témoins. C'est pourquoi il y a maintenant des sortilèges dans les épées. Il faut savoir qu'en ce temps-là, ce sont les démons qui parlaient par l'intermédiaire des armes, et voilà pourquoi souvent les hommes adoraient les armes.

Lug, Dagda et Ogma dressèrent des piliers pour les héros qui avaient succombé durant la bataille, et ils y gravèrent des inscriptions. Puis Morrigane, la magicienne, vint les rejoindre. « Où en es-tu et que vois-tu ? lui demanda Dagda. – Je vois la victoire et le triomphe pour maintenant, répondit-elle, mais je vois le malheur pour les temps à venir. Le monde ne me plaira guère, car il y aura des étés sans fleurs, des vaches sans lait, des femmes sans pudeur, des hommes sans courage, des arbres sans fruits et des mers sans poissons. Plus rien ne sera comme auparavant : les vieillards auront le jugement faux, les hommes seront traîtres les uns aux autres, les fils voleront leurs pères, mais les pères iront dans le lit des fils. Voilà le monde qui sera. Mais, en ce jour, il y a victoire et triomphe pour les tribus de Dana. »

Et Morrigane, fille d'Ernmas, s'en alla à travers toute l'Irlande pour annoncer que les tribus de Dana avaient vaincu les Fomoré des îles dans le brouillard au cours de la grande bataille de la plaine de Tured. [1]

---

1. D'après le récit de *La seconde bataille de Mag-Tured*, première version, avec des détails empruntés à la deuxième version, notamment l'épisode de la mise à l'écart de Lug et celui de l'affrontement de Lug et de Balor.

CHAPITRE V

La vengeance de Lug

Après la victoire des tribus de Dana sur les Fomoré
dans la plaine qu'on appela depuis Mag-Tured, Lug au
Long Bras rencontra deux frères de son père, Cu et Ceithenn, tous deux fils de Diancecht, et il leur demanda
s'ils avaient vu Cian dans la bataille. « Nous ne l'y avons
pas vu, répondirent-ils. Nous nous étions jetés à sa suite
sur les traces des Fomoré qui étaient venus à Tara exiger
le paiement du tribut. Mais nous ne sommes pas parvenus
à le rejoindre, car nous sommes partis vers le sud, tandis
qu'il allait vers le nord. Et, depuis lors, nous ne l'avons
pas revu. – Les Fomoré l'auraient-ils tué ? demanda Lug.
– Nous ne le pensons pas, répondirent Cu et Ceithenn, car
les Fomoré se dirigeaient vers le sud, et nous doutons fort
qu'il les ait rencontrés. – Partons à sa recherche », dit
Lug au Long Bras.

Ils chevauchèrent tous trois jusqu'à l'endroit où leurs
routes avaient dû diverger et, piquant franchement au
nord, finirent par se retrouver dans la plaine de Murthemné. « Je suis sûr que mon père n'est plus en vie, dit
Lug, et je fais serment de ne plus prendre ni nourriture ni
boisson tant que je ne saurai de quelle manière il a succombé. »

Or, comme ils arrivaient près d'un tertre qui se dressait au milieu de la plaine, voici que la terre se mit à parler. Elle dit à Lug qu'en ce même lieu Cian, rejoint par les fils de Tuirenn, avait pris l'apparence d'un porc. Elle dit aussi qu'il avait péri de leurs mains après avoir repris son aspect naturel et se trouvait inhumé sous le tertre.

Alors, Lug et les deux frères de Cian se mirent à creuser sous le tertre. Ils découvrirent le corps et examinèrent les blessures innombrables qu'il avait reçues et qui avaient provoqué sa mort. « Il n'a pas été tué en combat loyal, dit Lug. Ces blessures ont été causées par des pierres que les fils de Tuirenn ont jetées sur lui. Ils ont commis là un crime abominable sur la personne de mon père bien-aimé. »

Se penchant, il donna trois baisers au corps de son père, puis se redressa fièrement et dit à ses compagnons : « Ce crime me fait très mal, et il n'est une seule veine de mon cœur qui ne souffre du deuil où me plonge la mort de mon père. Que n'ai-je été ici lorsqu'il se trouvait aux prises avec les fils de Tuirenn ! Mais je jure de faire payer très cher à ces maudits meurtriers leur vilenie contre un des leurs, un héros des tribus de Dana. »

Alors, Lug entonna un chant funèbre sur le corps de son père, puis, aidé de ses oncles, replaça celui-ci sous le tertre, avant d'ériger un pilier sur lequel ils gravèrent une inscription qui donnait le nom de Cian en *ogham* et qui expliquait de quelle manière traîtresse l'avaient tué les fils de Tuirenn. Enfin, Lug reprit : « Le forfait qui fut commis ici ne restera pas impuni, je le jure, bien que, de tout cela, ne doivent découler que haine et malheur. Longtemps encore, des luttes fratricides déchireront l'Irlande, et qui n'auront d'agrément pour personne. Quant à moi, je me sens infiniment triste et malheureux du meurtre qu'ont perpétré les fils de Tuirenn contre mon père, le valeureux fils de Diancecht. »

Et, là-dessus, il prit congé des deux frères de Cian : « Allez rejoindre ceux qui se réjouissent de la victoire des tribus de Dana mais, je vous en prie, ne révélez à personne ce qui s'est passé ici tant que je ne l'aurai pas dévoilé moi-même. »

Quelques jours plus tard, Nuada au Bras d'Argent, roi suprême d'Irlande, convoqua l'ensemble des tribus de Dana dans la forteresse de Tara. Lug au Long Bras, quand il arriva, s'assit noblement et avec honneur auprès de Nuada, devant tous les chefs et tous les nobles qui se trouvaient là. Il regarda autour de lui et aperçut les fils de Tuirenn. Tous trois étaient renommés pour leur valeur et leur beauté, pour leur agilité et leur adresse. Ils avaient eu leur part dans la victoire sur les Fomoré, et chacun les tenait en haute estime. Lug, quant à lui, demanda la parole, et on la lui donna. Et tous l'écoutèrent avec attention.

« Quel sujet convient-il donc d'examiner, ô fils de Dana ? questionna-t-il. – Il t'appartient de nous le dire, répondirent-ils. – Eh bien, reprit Lug, je vais vous poser une question : quelle vengeance exercerait chacun de vous sur une troupe qui serait coupable d'avoir tué son père ? »

A ces mots, tous firent silence et ce fut le roi d'Irlande qui s'exprima le premier : « Ce n'est pas une mort d'un seul jour que j'infligerais pour ma part à celui qui aurait tué mon père, mais quelque chose de plus pénible et de plus insupportable. Chaque jour, je lui enlèverais un membre jusqu'à ce qu'il tombât devant moi, si la chose était en mon pouvoir. »

Tous les nobles des tribus de Dana abondèrent dans le même sens, les fils de Tuirenn tout comme les autres. « Je constate, dit Lug, qu'ils partagent l'avis général, ceux-là qui ont tué mon père. Aussi vais-je leur demander la compensation qu'ils me doivent, puisque tous les hommes des tribus de Dana font partie du même clan et sont issus d'un même ancêtre. S'ils me donnent satisfaction, je ne violerai pas le droit qui oblige le roi d'Irlande à protéger tous ses hôtes. Mais je ne réponds de rien s'ils refusent de s'acquitter du meurtre qu'ils ont commis. Cependant, je souhaite qu'ils ne quittent pas la maison royale de Tara sans s'être entendus avec moi. – Si j'avais tué ton père, dit le roi d'Irlande, je serais heureux que tu acceptes de moi le prix de la compensation. »

Les fils de Tuirenn s'étaient mis à l'écart et parlaient entre eux. « C'est à notre propos que Lug parle ainsi, disaient Iuchar et Iucharba. Manifestement, il a cherché des nouvelles de son père et il a appris comment Cian est mort dans la plaine de Murthemné. – Je crains fort, répondait Brian, qu'il n'attende de nous un aveu en présence de tous les nobles des tribus de Dana, puis, cela fait, n'accepte plus de nous le prix de la compensation. – S'il demande un aveu, dirent les deux autres, nous le ferons. Mais nous pensons que c'est à toi de le faire à voix haute, puisque tu es notre aîné. »

Alors, Brian, fils de Tuirenn, se leva et, devant tous les nobles et les chefs des tribus de Dana, interpella Lug en ces termes : « C'est nous que tu accuses, ô Lug, fils de Cian ; c'est à propos de nous que tu parles de meurtre et de compensation. Selon ce que tu supposes, nous nous sommes dressés tous les trois contre le fils de Diancecht. Nous n'avons pas à faire d'aveu, mais nous ne nous déroberons pas non plus. Nous sommes prêts à te donner un prix de compensation pour la mort de Cian comme si nous avions commis ce crime nous-mêmes. – Fort bien, dit Lug, je vais donc vous proposer le prix de la compensation. – Quel est-il donc, ô Lug ? Dis-le-nous. – Le voici, reprit Lug. Je vous demande trois pommes, une peau de porc, une lance, deux chevaux et un char, sept cochons, un jeune chien, une broche à rôtir et trois cris poussés sur une colline. Voilà quel est le prix de la compensation pour le meurtre de mon père. S'il vous paraît excessif, je le diminuerai, mais s'il vous paraît à votre portée, payez-le sans davantage discuter. – En vérité, répondit Brian, fils de Tuirenn, nous le trouvons minime, et voilà pourquoi je te soupçonne de méditer quelque traîtrise à notre encontre. Il aurait été modéré, en effet, de nous réclamer trois cent mille pommes, la même quantité de peaux de porc, cent lances, cent chevaux et cent chars, cent cochons, cent chiens, cent broches à rôtir et cent cris à pousser sur une colline. – Dans ce cas, reprit Lug, je maintiens ce prix de compensation. Je vous donnerai la garantie des chefs des tribus de Dana ; je ne vous demanderai rien d'autre et je serai toujours loyal envers vous. Mais j'exige que vous me donniez la même garantie. »

Les trois fils de Tuirenn jurèrent alors qu'ils paieraient le prix de la compensation, et ils donnèrent pour garanties Nuada, roi suprême d'Irlande, ainsi que Bobdh Derg, fils de Dagda, et quelques-uns des chefs qui se trouvaient là. « Puisqu'il en est ainsi et que j'ai vos garanties, dit Lug, je vais maintenant vous donner connaissance de ce que vous devrez m'apporter. – Nous allions t'en prier, dirent les fils de Tuirenn. – Eh bien, voici, dit Lug. Les trois pommes que je vous réclame sont les trois pommes du Jardin des Hespérides, qui se trouve à l'est du monde. Il n'est pas de pommes qui puissent me satisfaire en dehors de celles-là, qui sont les meilleures et les plus belles de toute la terre. Elles ont la couleur de l'or le mieux poli, et la tête d'un enfant d'un mois n'est pas plus grande que chacune d'elles. Elles ont le goût du miel quand on les mange, et elles ne laissent ni amertume ni aigreur dans la bouche. De plus, elles ne diminuent pas quand on en consomme, même tous les jours. Celui qui réussira à enlever l'une de ces pommes aura réussi le plus bel exploit possible en ce monde, car la pomme lui appartiendra pour toujours. Et je sais que, selon une prophétie de ce lointain pays, ce sont trois jeunes gens courageux et hardis venus de l'ouest de l'Europe qui les raviront de force.

« La peau de porc que je vous demande, continua Lug, est la peau de porc qui appartient à Tuis, roi de Grèce. Cette peau guérit et rend sains tous les blessés et les malades qui s'en revêtent, si mauvais que soit leur état, pourvu qu'ils aient encore un souffle de vie. Ce porc avait une vertu exceptionnelle : si l'on faisait passer sur lui une rivière, l'eau de celle-ci se changeait en vin pendant neuf jours. Toute blessure qu'il touchait était cicatrisée mais, à en croire les druides de la Grèce, sa peau seule, et non lui, possédait cette vertu. Aussi l'a-t-on tué et écorché, et la peau en est conservée depuis lors. Il ne vous sera certainement pas facile de vous en emparer, car elle est surveillée et bien gardée. Et savez-vous quelle lance je vous réclame ? – Nous ne le savons pas, répondirent les fils de Tuirenn. C'est à toi de nous le dire. – Eh bien, voici, reprit Lug. C'est la lance empoisonnée de Pisear, roi des Perses. Il s'agit d'une arme magique qui accomplit les exploits les plus extraordinaires du monde. Elle est si ardente qu'en temps de paix, on laisse continuellement sa tête plongée dans un chaudron d'eau froide. Si l'on ne procédait ainsi, la ville où elle se trouve serait incendiée et détruite. Oui, vraiment, il vous sera très difficile de l'obtenir. Maintenant, savez-vous quels sont les deux chevaux et le char que je désire recevoir de vous ? – Nous ne le savons pas, car c'est à toi de nous le dire. – Eh bien, voici : ce sont les deux chevaux merveilleux que possède Dobar, roi de Sicile. La mer et la terre leur conviennent également, et il est fréquent de les voir galoper sur les vagues. Il n'est pas de chevaux plus rapides et plus résistants qu'eux. Il n'est pas non plus de char plus solide et plus beau que celui auquel ils sont attelés. De plus, si souvent que l'on tue ces chevaux, toujours ils renaissent, et chaque fois plus beaux et plus sains qu'ils ne l'étaient auparavant, pourvu du moins que l'on en rassemble tous les os. Non, je crois qu'il ne vous sera pas facile de les obtenir, car on les garde précieusement dans les écuries du roi.

« Maintenant, continua Lug, savez-vous quels sont les sept porcs que je vous demande ? Ce sont les porcs que possède Easal, roi des Colonnes d'Or. Ils ont cette particularité merveilleuse que, quand bien même on les tue chaque soir, on les retrouve vivants le lendemain matin. Et celui qui en mange un morceau n'est plus jamais malade ni en mauvaise santé.

« Le petit chien que je vous réclame porte le nom de Failinis, et il appartient au roi d'Ioraidh. Il a ceci de singulier qu'aucune des bêtes qui le regardent ne peut rester debout et se couche sur le sol. Comme les porcs d'Easal, il vous sera difficile de l'obtenir. La broche à rôtir que je vous demande est l'une de celles qui servent aux femmes de Fianchair pour préparer leur nourriture. Mais il est presque impossible de s'en emparer, tant ces femmes sont vigilantes et surveillent avec soin leur bien. Quant aux trois cris que je vous demande également de pousser sur une colline, ce sont les trois cris de la colline de Miodchain, dans les pays du nord. Or, c'est un interdit pour Miodchain et ses enfants de laisser quiconque pousser un cri sur cette colline. C'est chez lui que mon père a fait son apprentissage, et si j'ai la faiblesse de vous pardonner votre crime, Miodchain ne vous le pardonnera certainement pas. Voilà le prix de la compensation que je vous demande. »

Les fils de Tuirenn demeurèrent silencieux, et une grande angoisse les saisit. Ils quittèrent l'assemblée et allèrent trouver leur père pour lui expliquer ce qui s'était passé, et quelle compensation réclamait Lug au Long Bras pour le meurtre de Cian, fils de Diancecht. « Voilà de mauvaises nouvelles, dit Tuirenn. Vous allez vous attirer mort et destruction si vous partez à la recherche de ce que vous réclame Lug. Mais vous ne sauriez faire autrement, et il faut bien avouer que c'est là justice, car vous avez commis le pire crime qui se puisse commettre. Mais je vous préviens : vous ne pourrez obtenir tout cela sans les pouvoirs merveilleux de Mananann ou de Lug lui-même. Voici donc ce que je vous conseille : demandez qu'on vous prête le cheval de Mananann, c'est Lug qui le monte, actuellement. Lug ne pourra vous le prêter, puisque le cheval n'est pas à lui. Aussi refusera-t-il. Alors, vous lui demanderez la barque que Mananann lui a prêtée également. Et comme c'est un interdit pour lui de rejeter une seconde demande de prêt, vous l'obtiendrez. Et, croyez-moi, la barque vous sera plus utile que le cheval... »

Les fils de Tuirenn allèrent donc trouver Lug au Long Bras, le saluèrent et lui dirent qu'ils ne pourraient jamais obtenir le prix de la compensation si lui-même ne les aidait pas. Et ils le prièrent alors de leur prêter le cheval de Mananann.

« C'est impossible, répondit-il, ce cheval ne m'appartient pas. – Alors, dit Brian, fils de Tuirenn, prête-nous la barque de Mananann. – Cette fois, dit Lug, je ne puis vous la refuser. Prenez-la. – Et où se trouve-t-elle ? – A Brug-na-Boyne [1]. »

Une fois en possession de la barque, les fils de Tuirenn allèrent dire adieu à leur père. Celui-ci les vit partir avec tristesse et désespoir, car il savait l'entreprise vouée à l'échec, même avec la barque de Mananann. Ethné, fille de Tuirenn, accompagna ses frères jusqu'au port et, là, elle leur chanta un chant plaintif dans lequel elle déplorait que les fils de Tuirenn eussent commis pareil attentat contre le père de Lug et fussent par là condamnés à errer à travers le monde en quête de choses impossibles à obtenir.

Les trois frères s'embarquèrent et gagnèrent la pleine mer. « Quelle route allons-nous prendre ? demandèrent les deux cadets. – Allons à la recherche des pommes, répondit Brian, car c'est la première demande que l'on nous a faite. »

Ils ordonnèrent à la barque de Mananann de se diriger vers le Jardin des Hespérides, et la barque prit sa course sur le sommet des vagues, au milieu de l'océan, par le

---

1. Le tertre mégalithique de Newgrange, au-dessus de la vallée de la Boyne, dans le comté de Meath.

chemin le plus court, et elle eut tôt fait d'aborder dans un port, sur la côte des Hespérides.

Quand ils furent arrivés, Brian demanda à ses frères : « Comment allons-nous approcher du Jardin des Hespérides ? M'est avis que voici des champions et des guerriers armés qui ne sont pas d'humeur à nous y laisser pénétrer, et le roi lui-même monte la garde avec eux. Je vous l'accorde, notre valeur et notre courage sont grands et, si nous engagions la lutte avec eux, nous serions assurément vainqueurs, mais au prix de rudes fatigues, et toujours au risque de périr. Aussi je vous propose d'assaillir ce Jardin sous la forme de faucons forts et rapides. Les gardiens ne disposent que d'armes légères et, tandis qu'ils les jetteront contre nous, nous n'aurons besoin que de prudence et de vigilance. Et, dès que nous verrons nos adversaires désarmés, nous fondrons sur les pommiers. Que chacun de vous emporte une pomme. Quant à moi, si je puis, j'en emporterai deux, l'une dans mes serres, l'autre dans mon bec. »

Iuchar et Iucharba approuvèrent ce plan. Alors, Brian les frappa, ainsi que lui-même, d'une baguette magique et druidique et, sous la forme de trois beaux faucons rapides et puissants, ils s'envolèrent vers le Jardin. Les gardiens les remarquèrent et, après avoir vainement crié pour tenter de les effrayer, leur décochèrent des averses drues d'armes légères mais empoisonnées. Les fils de Tuirenn se montrèrent si attentifs qu'ils évitèrent tous les traits et que, conformément au plan de Brian, lorsque les gardiens eurent dardé tous leurs traits, il leur fut facile de fondre sur les pommiers. Brian emporta deux pommes, et chacun de ses frères une. Et, là-dessus, ils s'envolèrent à tire-d'aile, sains et saufs, vers la barque de Mananann.

La nouvelle de leur exploit se répandit instantanément par la ville et par tout le pays. Or, le roi des Hespérides avait trois filles aussi fines qu'habiles dans les arts magiques. Elles adoptèrent pour leur part l'aspect de trois griffons et poursuivirent les faucons jusqu'à la mer, leur lançant des rayons de feu très brûlants. « Nous voici dans une situation intenable, dit Brian. Nous serons calcinés si nous n'inventons une ruse – mais je vois ce qu'il convient de faire. »

Prenant sa baguette magique et druidique, il en frappa ses deux frères et lui-même, et ils se métamorphosèrent immédiatement en trois cygnes blancs qui ne firent qu'un saut dans la mer. De sorte que les griffons les survolèrent sans les remarquer. Alors, les fils de Tuirenn remontèrent dans la barque et reprirent leur aspect humain.

Après cela, ils décidèrent d'aller en Grèce obtenir, de gré ou de force, la peau de porc. La barque de Mananann les conduisit très vite dans le voisinage du palais royal. « Sous quelle forme allons-nous nous présenter à la cour du roi ? demandèrent alors les cadets à l'aîné. – Sous notre propre forme, répondit Brian, mais nous nous ferons passer pour des poètes et des artistes d'Irlande. Ainsi serons-nous reçus avec honneur. »

Ils ceignirent sur leur chevelure le bandeau des poètes et allèrent frapper à la grande porte de la ville. Le portier leur demanda qui ils étaient et ce qu'ils voulaient. « Nous sommes des artistes d'Irlande, répondirent-ils, et nous venons en cette ville avec un poème que nous réciterons devant le roi. »

Le portier s'en fut avertir le roi. « Qu'on les fasse entrer, répondit le roi, car c'est un grand honneur pour nous que de recevoir des artistes étrangers. »

Il ordonna également qu'on arrangeât la cour de façon à lui donner la plus grande magnificence. Ainsi, les artistes d'Irlande, à leur retour dans leur pays, pourraient-ils vanter les mérites et l'opulence du roi de Grèce et des nobles qui l'entouraient. Les fils de Tuirenn furent donc introduits dans une grande salle tendue de belles tapisseries brodées. Ils commencèrent par boire et se réjouir, car ils n'avaient jamais vu auparavant de maison aussi splendide et n'avaient jamais été reçus nulle part avec tant de munificence.

Là-dessus, les poètes du roi se levèrent pour chanter leurs poèmes aux hôtes de la salle. Quand ils eurent fini, Brian pria ses frères de leur succéder, mais ils refusèrent, prétextant qu'ils savaient seulement combattre. Brian s'avança donc lui-même devant le roi et l'assemblée. On fit un grand silence en son honneur, et il chanta un poème qu'il termina par ces vers :

> *« La peau d'un porc, richesse sans égale,*
> *Telle est la récompense que je demande. »*

« Ton poème est très bon, lui dit alors le roi, mais que signifie cette allusion à la peau de porc ? Je ferais plus volontiers l'éloge de ce poème si tu n'y avais mis cela, car c'est la dernière des impertinences que de me demander cette peau. Sache que, pour rien au monde, je ne la donnerais aux poètes et aux artistes, pas plus qu'aux nobles et aux princes, à moins qu'on ne s'avisât de me l'enlever de force. Mais, pour te récompenser, je consens à te donner trois fois le plein d'or de cette peau de porc, sois-en assuré. – Qu'il te vienne tout le bien possible pour ta générosité, ô roi, répondit Brian. Mais je te préviens : je suis si avide que je ne prendrai l'or que tu me proposes que s'il est pesé et mesuré convenablement dans cette peau, et ce en ma présence, car je n'ai confiance en personne. »

Le roi ordonna à ses serviteurs et à ses intendants de conduire Brian et ses frères dans la maison du trésor afin d'y mesurer et peser l'or. Mais, en arrivant sur les lieux, Brian se saisit de la peau d'un mouvement preste de la main gauche et la plia soigneusement dans l'intention de l'emporter puis, dégainant son épée, en assena à l'homme qui l'accompagnait un coup si violent qu'il le coupa en deux. Après quoi, serrant contre lui la peau, il se fraya un passage au milieu des serviteurs et des intendants, et ses deux frères vinrent le rejoindre. Le roi et ses guerriers se précipitèrent vers eux mais, au cours du rude combat, héroïque et sanglant, qui s'ensuivit, le roi de Grèce périt de la main même de Brian, et ses deux frères massacrèrent tant de gens autour d'eux que personne ne put les empêcher de sortir de la ville et de regagner la barque de Mananann.

Ils eurent tôt fait d'être en haute mer et ne cessèrent de naviguer qu'ils ne fussent arrivés sur le rivage de la Perse. Là, Brian et ses frères prirent à nouveau l'apparence de poètes venus d'Irlande, et c'est comme tels qu'ils furent introduits chez le roi. Celui-ci les reçut fort bien et leur demanda de chanter. Brian récita un chant qu'il venait d'improviser, mais dans lequel il était incidemment question de la lance de Pisear, roi des Perses.

« Ton poème est très bon, dit le roi lorsque Brian eut fini de chanter. Mais je ne comprends pas pourquoi tu y as mentionné la lance, ô poète d'Irlande ? – Ce n'est pas difficile, répondit Brian. C'est tout simplement parce que je veux obtenir en récompense la lance merveilleuse que tu possèdes. – Tu es vraiment mal inspiré de m'adresser cette requête, dit le roi. Et je n'ai pas fait preuve de plus d'honneur et de générosité envers les nobles et les princes de ce pays qu'envers toi en ne te mettant pas à mort immédiatement. »

A ces paroles, Brian se souvint qu'il avait pris deux pommes au Jardin des Hespérides. Il en saisit une et la lança sur le roi avec tant de fureur qu'elle lui traversa la cervelle. Puis, il dégaina son épée et se mit à massacrer tous ceux qui se trouvaient à sa portée, tandis que ses deux frères faisaient de même. Ils découvrirent alors la lance, la pointe plongée dans un chaudron pour éviter que ne s'embrasât la maison. Ils s'en emparèrent, ainsi que du chaudron, et regagnèrent en hâte la barque de Mananann.

Ils reprirent la mer et ne tardèrent guère à se retrouver devant la forteresse du roi de Sicile. Brian dit à ses frères qu'ils se présenteraient sous l'apparence de trois mercenaires d'Irlande venus dans l'intention de prendre du service auprès du roi. Ainsi, sans avoir besoin de combattre, apprendraient-ils, au bout d'un certain temps, dans quel endroit l'on gardait les chevaux et le char qu'ils avaient coutume d'entraîner dans les courses et les combats. Et ils abordèrent, sur ces entrefaites, au terre-plein derrière lequel se dressait la ville.

Le roi, les princes et les nobles de sa maison vinrent à leur rencontre en un cortège des mieux ordonné. Les fils de Tuirenn rendirent hommage au roi de Sicile, et celui-ci leur demanda qui ils étaient, d'où ils venaient et dans quelle intention. « Nous sommes des mercenaires d'Irlande, répondit Brian, et nous gagnons nos soldes chez tous les rois de la terre. – Voulez-vous entrer à mon service ? demanda le roi. – En vérité, nous le voulons. »

Ils établirent un contrat et firent alliance avec le roi de Sicile. Mais, au bout de quinze jours et un mois dans la forteresse, ils n'avaient pas obtenu le moindre renseignement sur les deux chevaux et le char. « Ce contrat est mauvais pour nous, mes frères, dit Brian. Nous ne sommes pas plus avancés aujourd'hui qu'au jour de notre arrivée. – Que penses-tu donc opportun d'entreprendre ? lui demandèrent ses frères. – Voici ce que nous allons faire, dit Brian. Prenons nos armes et nos équipements, allons trouver le roi, et annonçons-lui que nous quitterons son service s'il ne nous montre son attelage. »

Ses frères approuvèrent, et tous trois, après s'être équipés, se présentèrent devant le roi de Sicile. Celui-ci leur demanda pourquoi ils étaient en tenue de voyage. « Tu vas le savoir, ô roi, dit Brian. Nous sommes des mercenaires d'Irlande, mais nous ne nous contentons pas de servir les rois de la terre au moment des guerres et des conflits. Nous sommes aussi leurs confidents et leurs conseillers, surtout quand ces rois possèdent de précieux trésors. Or, depuis que nous sommes ici, tu nous as traités d'une façon bien désinvolte. Nous savons que tu as les deux meilleurs chevaux et le meilleur char du monde, mais tu t'es bien gardé de nous en parler et de nous les montrer. Voilà pourquoi nous avons décidé de partir. – Il est mal à vous de penser à me quitter, répondit le roi, car vous êtes les plus chers à mes yeux, parmi les mercenaires que j'ai pris à mon service. Dès le premier jour, si vous me l'aviez demandé, je vous aurais montré ces deux chevaux et ce char, soyez-en persuadés. Mais puisque vous me faites des reproches, je m'en vais sans plus tarder satisfaire votre demande. »

Il ordonna à ses serviteurs d'aller chercher les deux chevaux, de les atteler au char, et l'équipage survint aussi vite qu'un vent de printemps. Brian observa avec attention les chevaux. Il arrêta le char, saisit le cocher par le mollet, et le jetant contre un rocher qui se trouvait à proximité, lui fracassa le crâne. Puis, grimpant lui-même dans le char, il porta au roi un coup si violent qu'il lui fendit le cœur et la poitrine. Après quoi, ses frères et lui combattirent vigoureusement les gardes du roi, les troupes de la ville, et en firent un grand carnage avant de regagner la barque de Mananann avec les deux chevaux et le char.

De là, ils se rendirent en un rien de temps jusqu'au pays d'Easal dans l'intention de s'y emparer des porcs merveilleux que leur avait réclamés Lug au Long Bras. Or, le roi Easal avait eu vent des exploits accomplis par les fils de Tuirenn. Aussi vint-il en personne les accueillir lorsqu'ils abordèrent au pied de sa forteresse. « Pourquoi êtes-vous venus dans ce pays ? leur demanda-t-il. – Par suite de l'injustice, répondit Brian, et à cause d'une compensation que nous devons payer. Il s'agit aujourd'hui de tes porcs qu'il nous faut emmener. Si tu nous les donnes de ton plein gré, nous repartirons en te manifestant l'ampleur de notre gratitude. Mais si tu refuses de nous les livrer, nous les emporterons néanmoins, coûte que coûte, après de sanglantes batailles au cours desquelles nombre des tiens perdront la vie. – Certes, dit le roi, il serait mauvais pour nous de vous livrer bataille à ce sujet. Je vais prendre conseil. »

Il alla donc consulter ses sages et ses devins. Tous furent d'avis qu'il valait mieux donner les porcs aux fils de Tuirenn plutôt que de tenter de résister à leurs furieux assauts. Et le roi vint leur dire qu'il consentait à les laisser emmener ses porcs. Les fils de Tuirenn en furent émerveillés, car c'était la première fois qu'on leur donnait ainsi une partie du prix de la compensation sans qu'ils eussent à combattre et à s'exposer aux dangers. Le roi les emmena dans sa propre résidence pour la nuit. Ils y furent traités avec déférence et servis de manière à combler leurs désirs, tant en nourriture qu'en boisson et bons lits pour dormir.

Le lendemain matin, on leur présenta les porcs, et le roi dit : « Voici ce que vous cherchiez avec tant d'ardeur. Ils sont maintenant à vous. Mais quel voyage allez-vous entreprendre ? Que devez-vous encore acquérir pour satisfaire aux clauses de compensation ? – Il nous faut aller dans le pays d'Ioraidh, répondit Brian, et en ramener le chien que possède le roi. C'est un chien devant lequel se couchent tous les animaux sauvages. – Puis-je vous demander une faveur ? dit le roi Easal. – Certainement, et nous te l'accordons volontiers, car nous te devons une grande reconnaissance. – Eh bien, voici, dit le roi Easal. Il se trouve que ma fille a épousé le roi d'Ioraidh. Il est donc mon gendre. Acceptez que je vous accompagne, et je me charge de vous procurer le chien sans combat. »

Les fils de Tuirenn remercièrent le roi Easal et partirent avec lui jusqu'au pays d'Ioraidh. Le pays était sous bonne garde, car on savait que les fils de Tuirenn avaient massacré bien des gens dans les royaumes où ils s'étaient rendus. Aussi, se trouvait-il partout d'énormes quantités de troupes prêtes à engager le combat contre n'importe quels étrangers qui aborderaient sans motif.

Mais le roi Easal se fit connaître et descendit à terre

pacifiquement. Il alla jusqu'à l'endroit où se tenait son gendre, le roi d'Ioraidh, et lui raconta les voyages et les aventures des fils de Tuirenn. « Pourquoi les avoir amenés dans mon pays ? demanda le gendre. – Pour te demander le chien que tu possèdes, répondit le roi Easal. – Par tous les dieux ! s'écria le roi d'Ioraidh, il ne serait pas juste que je reconnaisse à trois guerriers le droit de s'emparer de mon chien sans avoir auparavant livré bataille. – Ce n'est pourtant pas ainsi qu'il convient d'agir, reprit le roi Easal. Il ne t'en coûtera que des malheurs et des outrages. »

Malgré les remontrances de son beau-père, le roi d'Ioraidh refusa de revenir sur sa décision. Le roi Easal revint donc vers les fils de Tuirenn et leur annonça la nouvelle. « Puisqu'il en est ainsi, dit Brian, force nous sera d'engager la lutte. »

Les armées d'Ioraidh se ruèrent sur les fils de Tuirenn et, pour ce combat rude et violent, ceux-ci se séparèrent, chacun donnant des coups furieux contre tous ceux qui se présentaient. Brian ouvrait devant lui une brèche de danger et de mort, mettait ses adversaires en déroute, les rattrapait et les massacrait sans pitié. Ses deux frères faisaient de même sur les flancs, et ils livrèrent une bataille qui fut héroïque et sanglante. On se rendait coup pour coup, mutuellement, et, pendant de longues heures, ce ne furent que martèlement incessant, assauts farouches, lutte impitoyable. A la fin, Brian bondit sur le roi d'Ioraidh mais, au lieu de le frapper et de le tuer, il le ligota puis le promena dans cet appareil devant son armée avant d'aller le présenter au roi Easal. « Voici ton gendre, roi Easal ! s'écria-t-il. Et je te jure, sur mon honneur et la valeur de mes armes, qu'il m'aurait été plus facile de le tuer que de le mener de la sorte vers toi. Si je l'ai épargné, c'est par égard et reconnaissance envers toi. Prends cet homme et fais-en ce que tu voudras. »

Le roi Easal fit en sorte que le combat prît fin. Il délivra son gendre sous condition que celui-ci donnerait le chien aux fils de Tuirenn, et il accepta. Puis on conclut une paix fondée sur une amitié sans faille. Alors, les fils de Tuirenn firent leurs adieux au roi Easal et au roi d'Ioraidh, et s'en revinrent, avec le chien, heureux et satisfaits, sur la barque de Mananann.

Or, pendant ce temps, Lug au Long Bras, qui possédait le don de voir ce qui se passait très loin dans le monde, eut connaissance des hauts faits des fils de Tuirenn. Il apprit ainsi qu'ils étaient sortis victorieux de toutes les épreuves qu'il leur imposait. Et il en conçut une grande amertume. Il chanta une incantation dans le vent et plaça un charme druidique si puissant sur les fils de Tuirenn qu'ils en oublièrent que manquaient encore deux parties de la compensation due à Lug. Et celui-ci leur mit aussi au cœur un grand désir de revoir au plus tôt l'Irlande.

Aussi la barque de Mananann les ramena-t-elle à Brugna-Boyne. Une fois descendus à terre, ils s'informèrent sur l'assemblée des tribus de Dana. On leur apprit que le roi Nuada au Bras d'Argent tenait conseil dans la forteresse de Tara et, sans plus tarder, ils s'y rendirent, avec ce qu'ils avaient conquis pour prix de la compensation. On leur souhaita la bienvenue, et le roi leur demanda s'ils avaient obtenu ce que réclamait Lug au Long Bras. « Nous avons tout cela, répondit Brian, et nous sommes prêts à le lui présenter. »

Mais Lug n'était pas là, car il avait su le retour des fils de Tuirenn en Irlande, et il voulait que sa vengeance fût plus complète. On envoya donc des messagers à travers toute l'île, et ceux-ci finirent par le retrouver. Il vint à l'assemblée des chefs et des nobles des tribus de Dana.

Quand il fut sur le terre-plein devant la maison royale de Tara, les fils de Tuirenn lui présentèrent le prix de la compensation. Après avoir examiné soigneusement les pommes d'or, la peau de porc, la lance, les chevaux et le char, les sept porcs et le jeune chien, Lug s'exclama :

« Il est heureux que les chefs des tribus de Dana soient vos cautions car, sans cela, je vous aurais tués immédiatement pour avoir failli à vos engagements. – Comment cela ? » dirent les fils de Tuirenn.

Lug au Long Bras les toisa d'un air de mépris et dit d'une voix forte, de façon à être entendu par tous ceux qui se trouvaient dans l'assemblée : « Où sont donc la broche à rôtir et les trois cris que je vous avais demandés ? Il me semble qu'ils ne sont pas dans ce que vous m'apportez. »

En entendant cela, les fils de Tuirenn furent atterrés et se souvinrent tout à coup qu'ils avaient perdu la mémoire. Ils quittèrent Tara et s'en allèrent chez leur père à Dun Edair [1]. Ils lui racontèrent leurs aventures et la façon dont Lug au Long Bras les avait traités devant l'assemblée. Tuirenn fut saisi d'une grande tristesse et d'une grande mélancolie. Ils passèrent cette nuit-là ensemble et, au matin, redescendirent vers le port. Mais ils n'avaient plus pour partir la barque de Mananann, car ils l'avaient rendue à Lug. Ethné, leur sœur, était avec eux, qui les accompagna tant qu'ils furent à terre. Et, avant leur embarquement, elle chanta un chant plaintif qui plaignait le sort des fils de Tuirenn.

Après avoir écouté le chant de leur sœur, les fils de Tuirenn hissèrent les voiles de leur bateau et s'en allèrent sur la mer. La broche à rôtir qu'ils devaient découvrir se trouvait dans l'île de Fianchair, mais aucun d'eux ne connaissait l'emplacement de cette île, et leur nouveau vaisseau ne pouvait les conduire de lui-même où ils désiraient aller. Ils savaient seulement que cette île était sous la mer.

Ils errèrent pendant le quart d'une année, interrogeant tous ceux qu'ils rencontraient, et ils finirent par apprendre

---

1. C'est-à-dire sur la colline de Howth, à l'extrémité nord-est de la baie de Dublin.

que l'île de Fianchair se trouvait à peu de distance de leur bateau. Chacun à son tour, tous trois longèrent dans les vagues et tentèrent de découvrir un chemin qui menait à cette île. Au bout de quelques semaines, ils surent enfin qu'elle se trouvait juste au-dessous d'eux, et qu'il suffisait de plonger pour y parvenir. « C'est à moi seul d'y aller, dit Brian à ses frères, car en tant qu'aîné, je suis responsable de vous. »

Ils le laissèrent donc aller, et il pénétra dans la ville qui s'étendait sous la mer. Un groupe de femmes y était occupé à coudre et broder. Et, parmi les innombrables objets qui entouraient ces femmes, il aperçut des broches à rôtir. Alors, sans faire de bruit, Brian s'approcha des broches, en saisit une et se dirigea vers la porte mais toutes les femmes présentes éclatèrent soudain de rire. « Quelle action hardie tu viens d'accomplir ! dit enfin l'une d'elles à Brian. Sais-tu que si tes deux frères t'avaient accompagné, aucune d'entre nous ne vous aurait permis d'emporter de broche. Loin de là, nous nous serions précipitées sur vous, nous vous aurions crevé les yeux et vous aurions châtrés. Mais, comme tu es venu seul, sans défense et que tu ne nous as pas agressées, nous te permettons d'emporter la broche. Nous te savons brave, et voilà pourquoi nous te laissons aller. »

Brian les remercia et leur dit adieu. Puis il sortit de la ville et rejoignit ses frères à bord. Et ceux-ci se réjouirent de le voir revenir, sain et sauf. Hissant les voiles, ils repartirent sur la mer en direction du nord, afin d'atteindre la colline de Miodchain, l'ancien maître de Cian, fils de Diancecht, sur laquelle ils devaient pousser trois cris afin de les rapporter à Lug, fils de Cian.

Ils mirent plusieurs mois à atteindre l'île où s'élevait la colline de Miodchain. Quand ils y arrivèrent, Miodchain les vit et vint à leur rencontre, car son interdit était d'empêcher quiconque de pousser des cris sur cette colline. Quant il l'aperçut, Brian n'hésita pas à l'attaquer, et ils

combattirent tous deux longtemps. Enfin, Miodchain suc-
comba mais il laissait trois fils qui, à leur tour, vinrent
affronter les trois fils de Tuirenn. Après une lutte âpre,
rageuse et désespérée, les fils de Miodchain passèrent
leurs lances au travers du corps des fils de Tuirenn mais
ceux-ci, loin d'avoir peur et de craindre la mort, transper-
cèrent à leur tour les poitrines des fils de Miodchain, les
laissant morts sur le terrain. Alors, les fils de Tuirenn
poussèrent trois cris sur la colline et, quoiqu'ils souffris-
sent de grandes peines, ils regagnèrent leur bateau et
mirent à la voile. « Il ne nous faut pas mourir avant
d'atteindre l'Irlande, dit Brian à ses frères, car nous
devons payer à Lug au Long Bras la compensation qu'il
nous a demandée. »

Ils naviguèrent ainsi de longues semaines sur la mer
avant d'atteindre l'Irlande et d'aborder devant la forteresse de Ben Edair. Tuirenn vint les accueillir sur le
rivage et, les voyant dans ce triste état, n'éprouva plus
qu'un sombre désespoir. « Père, lui dit faiblement Brian,
voici la broche à rôtir et les trois cris poussés sur la colline de Miodchain. Nous avons rapporté ce que Lug au
Long Bras nous réclamait en compensation du meurtre de
son père. Apporte-les-lui et demande-lui de te prêter la
peau de porc du roi de Grèce, afin que tu puisses nous
guérir de nos blessures et nous sauver de la mort. Fais
vite, car nous sommes épuisés, mais nous ne voulions pas
mourir sans avoir revu l'Irlande et sans avoir payé le prix
que l'on nous réclamait. »

Tuirenn partit immédiatement à la recherche de Lug au
Long Bras. Il le rencontra à Tara au milieu de l'assemblée
des nobles et des chefs des tribus de Dana. Il lui donna la
broche et les trois cris de la colline de Miodchain. Puis il
le pria, devant toute l'assemblée, de lui prêter la peau de
porc du roi de Grèce afin de sauver ses trois fils de la
mort. « Cela n'entre pas dans nos conventions, répondit
Lug. Je suis satisfait que tes fils aient rempli leurs obliga-

tions et payé la compensation que je leur avais réclamée pour le meurtre de mon père, mais leur sort ne m'intéresse pas. Je ne te prêterai en aucun cas la peau de porc du roi de Grèce. »

Alors, Tuirenn revint là où il avait laissé ses fils, à bord du bateau où ils gisaient, à bout de résistance, et il leur annonça la réponse de Lug. « Emmène-moi jusqu'à Lug, ô mon père, dit Brian, et je le supplierai de m'accorder la peau de porc qui guérit toute maladie et toute blessure. »

Tuirenn l'emmena donc jusqu'à Tara. Une fois dans la maison royale, Brian dit à Lug au Long Bras : « Nous avons commis un meurtre à l'encontre de ton père, ô Lug, et tu nous as demandé une compensation que nous t'avons apportée. Permets donc que nous puissions enfin guérir de nos blessures. – Cela n'entre pas dans nos conventions, dit Lug avec obstination. Vous avez satisfait à cette compensation, votre honneur est sauf, voilà tout ce que je puis pour vous. Et rien ne m'oblige à venir en aide aux meurtriers de mon père. »

Quand Brian eut entendu la réponse de Lug, il pria son père de le ramener dans le bateau où gisaient ses deux frères et, montant à bord, alla s'étendre auprès d'eux. Et, là-dessus, son âme le quitta, tandis que celles de ses cadets les abandonnaient. Tuirenn fit ériger un pilier pour ses fils et y inscrivit leurs noms en *ogham*. Et Ethné, fille de Tuirenn, chanta un chant funèbre pour ses trois frères.

Telle fut la vengeance de Lug au Long Bras sur les fils de Tuirenn pour le meurtre qu'ils avaient perpétré sur la personne de son père, Cian, fils de Diancecht. [1]

---

1. D'après le récit du *Sort des fils de Tuirenn*.

CHAPITRE VI

Les Fils de Milé

En des temps très lointains, vivait un roi très puissant qui avait établi son autorité sur tout le pays qu'on appelle aujourd'hui la Celtique. Et ce roi avait une fille, à qui il avait donné le nom de Celtiné : cette fille était d'une taille si extraordinaire qu'elle surpassait toutes les autres femmes, mais son extrême beauté la faisait rechercher par une foule de prétendants. Seulement, son aspect, l'admiration qu'on lui vouait l'avaient enflée d'un tel orgueil qu'elle refusait tous ceux qui se présentaient à elle, les jugeant indignes de son rang comme de ses charmes.

A la même époque, le grand Héraklès venait d'affronter l'horrible géant Géryon, qui avait trois têtes et trois corps. Après une lutte sans merci, il avait tué ce monstre et emmené son troupeau de génisses. C'est alors qu'il quitta l'Erythie, poussant celles-ci devant lui, et il erra longuement à travers la Celtique, espérant y trouver un lieu où bâtir une ville. C'est ainsi qu'il arriva chez le père de Celtiné, qui le reçut, lui procura de bons pâturages et l'invita à s'établir dans son royaume.

Or, dès qu'elle aperçut Héraklès, la belle Celtiné en devint amoureuse, car un tel homme, d'une si grande taille et d'une si belle prestance, se disait-elle, devait forcément lui être destiné. Par malheur, Héraklès ne semblait guère lui prêter attention, tout occupé qu'il était avec ses génisses. Alors elle imagina une ruse et, un soir, cacha les bêtes dans une caverne dont elle était seule à connaître l'entrée.

Héraklès fut en grande angoisse lorsqu'il s'aperçut de la disparition de son troupeau, et il se jura de le retrouver au plus tôt. Il arpenta donc les vallées les plus écartées et les plus secrètes, mais sans trouver le moindre indice ; et il avait beau interroger les gens qu'il rencontrait, il n'en recevait aucune réponse qui pût le mettre sur le bon chemin. Alors, la belle Celtiné vint le trouver. « Je peux te faire retrouver tes génisses, lui dit-elle, mais il te faudra d'abord me jurer d'accepter mes conditions. »

Héraklès jura, et elle le conduisit à la caverne où se trouvaient les génisses. Fou de joie, Héraklès les mena dans une belle prairie mais, le soir, il dut se soumettre aux conditions posées par la jeune fille. Et ces conditions étaient qu'il consentît à s'unir à elle. Et comme il commençait à priser ses charmes, il se soumit de fort bon cœur.

De leur étreinte naquit un fils qui fut nommé Celtos en l'honneur de sa mère. Il surpassait de beaucoup tous les gens du pays par la vaillance de son âme et la force de son corps. Arrivé à l'âge d'homme et ayant hérité du royaume de ses ancêtres, il conquit une grande partie des régions voisines et se signala par mille hauts faits. Et, pour marquer sa puissance, il donna son nom aux peuples qu'il avait rangés sous sa loi ; puis ce nom finit par s'étendre à tout le pays des Celtes.

Ses descendants régnèrent dans la paix et la prospérité, et ils construisirent de vastes forteresses pour se protéger d'éventuelles invasions. Aussi braves que généreux, ces souverains s'entouraient d'artistes et de poètes. L'un d'eux, qu'on appelait Luern, faisait tout son possible pour s'attirer les faveurs de son peuple. Quand il passait en char à travers les campagnes, il jetait de l'or et de l'argent à la multitude d'hommes et de femmes qui le suivaient ou qui se pressaient sur le bord des chemins. Parfois, il faisait aplanir et enclore un grand espace de terrain, y faisait apporter des cuves pleines de boissons précieuses et des victuailles en telle quantité que, plusieurs jours durant, chacun pouvait entrer librement dans l'enceinte et se régaler des mets qu'on y apprêtait et servait sans interruption à tout nouvel arrivant.

Un jour – la date avait été fixée longtemps à l'avance –, le roi Luern donna un grand festin à tout ce que comptait le pays de poètes et de musiciens. La fête fut somptueuse et dura de longues heures. Les convives commençaient à se lever pour prendre congé quand survint un poète, qui avait pris beaucoup de retard. Voyant la fête terminée, il alla au-devant de Luern et lui chanta un chant dans lequel il célébrait la magnificence du roi, tout en gémissant du retard qui l'avait privé d'une si grande joie. Le roi, amusé et charmé par ses vers, demanda une bourse d'or à l'un de ses serviteurs et la jeta aux pieds du poète qui courait derrière son char. Le poète ramassa la bourse, mais il n'en poursuivit pas moins sa course, tout en faisant entendre un autre chant, disant que les traces laissées sur la terre par le char du roi étaient des sillons qui promettaient aux hommes une riche moisson d'or et de bienfaits.

Cependant, au fur et à mesure que s'accroissaient les richesses, la population devenait aussi de plus en plus nombreuse, et il vint un temps où les récoltes ne furent plus suffisantes pour assurer la nourriture de tous, un temps surtout où il devenait difficile de gouverner pareille multitude. Aussi le roi Ambigat, successeur de Luern, qui se sentait devenir vieux et qui désirait décharger le royaume de son surcroît de population, fit-il venir à lui les deux fils de sa sœur, Bellovèse et Ségovèse, jeunes gens aussi courageux qu'entreprenants. Il leur annonça son intention de les envoyer vers de nouvelles terres et les pria, dans ce dessein, de bien vouloir fixer le nombre d'hommes qu'ils emmèneraient, pour empêcher qu'aucun peuple osât s'insurger contre leur venue.

Bellovèse et Ségovèse choisirent donc les hommes qui devaient les accompagner ; puis on manda les druides, les sages, les devins, et on les interrogea sur la destination qu'il convenait d'affecter aux deux groupes. Les druides, les sages et les devins se consultèrent et dirent : « Nous pensons que deux directions s'imposent, l'une vers la forêt hercynienne, l'autre vers l'Italie. Car les contrées les plus fertiles de la Germanie se trouvent près de la forêt hercynienne, dans une région que les anciens appelaient Orcynie. Quant à l'Italie, son climat et ses vallées bien arrosées permettraient de cultiver la vigne, ce qui serait source de richesses. – Fort bien, dit le roi Ambigat, mais il nous faut maintenant savoir lequel de mes neveux ira vers l'orient, lequel vers le sud. » On s'en remit au sort, et le sort attribua l'Italie à Ségovèse et la forêt hercynienne à Bellovèse.

Bellovèse partit donc avec un grand nombre d'hommes, cavaliers et fantassins, des chars de combat et de lourds chariots pour les vivres et le butin. Mais la forêt hercynienne ne leur offrit pas le séjour qu'ils espéraient. Alors, les druides qui les accompagnaient observèrent le vol des oiseaux et préconisèrent de continuer vers le sud, à la suite de ceux-ci, lesquels franchissaient de hautes montagnes. Et voilà comment cette troupe de Celtes, qui se nommaient eux-mêmes Gaulois, troupe farouche, redoutable et audacieuse, passa la cime terrible des Alpes et viola des lieux dont le froid semblait jusqu'alors avoir interdit l'accès.

De là, ils parvinrent en Illyrie. Les Illyriens menaient une vie très oisive et passaient leur temps attablés à d'interminables festins. Les Gaulois, qui cherchaient un moyen de s'en débarrasser à moindres frais, décidèrent de profiter de leur intempérance : chacun d'eux devrait inviter un Illyrien sous sa tente, après avoir pris soin d'y faire dresser une table bien mise et bien pourvue ; mais il mêlerait aux viandes qu'il servirait à son hôte une certaine herbe qui relâche le ventre. Et, grâce à ce stratagème, les Gaulois se rendirent maîtres du pays : nombreux furent en effet les Illyriens que permit de tuer leur état de faiblesse, tandis que ceux que vidait inexorablement le flux de leur ventre se précipitaient eux-mêmes dans les rivières.

Mais on prétend aussi que les Illyriens périrent victimes de la vengeance du dieu Apollon qu'ils avaient offensé par leurs manières et leur indolence. Avant que ne commençât la bataille contre les Gaulois, ils subirent orages, tempêtes et pluies diluviennes. Et ceux qui purent échapper tant aux inondations qu'à la traîtrise des Gaulois, ceux-là rencontrèrent d'autres tourments, car la terre enfanta une quantité extraordinaire de grenouilles, par la putréfaction et l'infection desquelles toutes les eaux du pays furent corrompues. Pire encore, en raison des miasmes qui émanaient de la terre, l'air devint si infect que la peste se déclara, si violente qu'ils furent contraints d'abandonner le pays. Et les Gaulois non plus ne voulurent pas rester plus longtemps dans cette contrée maudite.

La première expédition qu'ils entreprirent fut dirigée par Cambaulès. Ils pénétrèrent jusqu'en Thrace, mais sans oser s'attaquer aux peuples qui résidaient au-delà. La suivante, ils la tentèrent à l'instigation de ceux qui avaient suivi Cambaulès. Ils mirent sur pied une armée prodigieuse de fantassins et de cavaliers qu'ils partagèrent en trois corps, le premier confié à Cerethrios, le deuxième à Brennos et Cichorios, le troisième à Bolgios. Ce dernier partit sur-le-champ guerroyer contre les Macédoniens.

Les Gaulois avaient un équipement qui étonnait les

peuples chez lesquels ils passaient. Ils usaient en effet, pour armes défensives, de boucliers aussi hauts qu'eux et que chacun d'eux ornait à sa guise. Comme ces boucliers servaient non seulement de protection mais d'ornement, certains y avaient fait graver des figures de bronze en ronde-bosse, travaillées avec beaucoup de raffinement. Leurs casques de bronze étaient munis d'éléments saillants qui donnaient à leurs porteurs un aspect fantastique. A quelques-uns de ces casques étaient fixées des cornes, à d'autres, des effigies en relief d'oiseaux ou d'animaux de toutes sortes. Enfin, ces guerriers soufflaient dans des trompes barbares dont la facture particulière rendait un son rauque qui augmentait le tumulte à l'heure des combats.

Le nom, l'aspect et la réputation de ces peuples étaient si redoutés qu'on vit jusqu'à des rois qu'ils n'attaquaient pas venir les trouver pour leur acheter la paix à prix d'or. Seul, Ptolémée, roi de Macédoine, apprit sans effroi leur arrivée. Agité par les furies vengeresses de ses crimes et de ses parricides, il osa marcher contre eux avec une poignée de guerriers en désordre, comme s'il était aussi facile de combattre que d'assassiner. Les Gaulois, dont le chef était Bolgios, envoyèrent des messagers auprès de Ptolémée pour connaître ses dispositions et savoir s'il désirait acheter la paix. Mais Ptolémée se glorifia devant les siens d'avoir contraint les Gaulois à demander la paix. Et il poussa l'outrecuidance jusqu'à déclarer, en présence des émissaires, qu'il ne pouvait être question de paix si les Gaulois ne livraient leurs armes et leurs chefs en otages, car il ne se fierait à eux qu'une fois désarmés.

Lorsque, de retour dans leur camp, les messagers eurent rapporté tout cela, les Gaulois se mirent à rire et s'écrièrent avec mépris que le roi de Macédoine verrait bientôt si c'était par crainte ou par pitié qu'ils lui avaient offert la paix. Et leur détermination à combattre n'en fut que plus grande. Quelques jours plus tard, les deux armées s'affrontèrent, et les Macédoniens furent taillés en pièces. Ptolémée, couvert de blessures, fut fait prisonnier, puis sa tête mise au bout d'une lance et promenée sur le champ de bataille afin de convaincre les Macédoniens que tout était perdu.

Une fois revenu de la poursuite des fuyards, Bolgios rassembla les captifs et, parmi eux, choisit les plus forts et les plus valides afin de les immoler et, par là, de remercier les dieux de la victoire. Peu de Macédoniens purent s'échapper. La plupart furent tués ou capturés. Quand la nouvelle de ce désastre parvint en Macédoine, les habitants se massèrent dans les villes et en fermèrent les portes. La consternation était générale, mais l'un de leurs principaux chefs, qui avait nom Sosthénès, décida de réagir et de s'opposer aux envahisseurs. Il rassembla une bonne partie de la jeunesse et, dans l'enthousiasme et la fureur, parvint à arrêter l'avance des Gaulois qui, trop occupés à célébrer leur succès dans l'ivresse, avaient perdu leur esprit offensif.

Entre-temps, l'autre chef des Gaulois, qu'on appelait Brennos, s'était dirigé vers la Grèce, qu'il entendait bien occuper. Quand il apprit que les troupes commandées par Bolgios avaient vaincu les Macédoniens mais cessé d'avancer, il fut indigné qu'elles eussent lâchement abandonné un butin immense grossi de tous les trésors de l'Orient. Il rassembla alors quinze mille cavaliers et cent cinquante mille fantassins et, au terme d'une course éperdue, fondit sur la Macédoine. Tandis qu'il en ravageait les campagnes, Sosthénès vint l'attaquer avec ses troupes. Mais celles-ci n'étaient pas nombreuses, et la réputation de férocité des Gaulois terrorisait la plupart des jeunes gens qui les composaient. Aussi furent-elles facilement dispersées aux quatre coins du pays par leur adversaire, aussi résolu que confiant dans son destin. Les Macédoniens s'enfermèrent alors une nouvelle fois à l'intérieur des murailles de leurs villes, et Brennos put dès lors dévaster à loisir l'ensemble des contrées avoisinantes.

Cependant, le butin accumulé semblait suffisant aux Gaulois, et leur satisfaction freina leur élan, ce qui n'était pas du goût de Brennos : son but était d'aller bien au-delà, et de découvrir enfin un pays où lui et les siens pourraient s'établir dans la prospérité et l'aisance. Aussi, n'eut-il de cesse qu'il n'eût engagé ses gens à porter les armes contre les Grecs. Il leur tint d'éloquents discours où il peignait d'un côté la Grèce épuisée, de l'autre l'opulence de ses villes, la richesse de ses temples et les masses d'or et d'argent promis à l'audace.

Brennos, pour exciter les Gaulois à le suivre, fit défiler dans les assemblées du peuple des prisonniers grecs à tête rasée qu'il avait choisis parmi les plus chétifs et les plus malingres, et les fit suivre par ceux de ses hommes les plus massifs et les plus robustes : ainsi pouvait-il affirmer que des guerriers si puissants n'avaient rien à craindre d'ennemis si fragiles et si démunis.

De cette façon, il réussit à lever une formidable armée de cent cinquante-deux mille fantassins et deux mille quatre cents cavaliers. Chaque maître avait deux valets qui marchaient immédiatement derrière lui : s'il perdait son cheval, l'un d'eux lui donnait le sien et, s'il était tué lui-même, prenait sa place dans le combat. Et, si tous deux succombaient, le troisième leur succédait. Les Gaulois appelaient cette sorte de milice *trimarkesia*, terme issu du mot *marka* qui, dans la langue celtique de l'époque, signifiait cheval. En cet équipage, Brennos mena, sûr de lui, son armée jusqu'en Grèce.

Il ne manquait ni d'audace ni d'expérience. Il était même fertile en ruses et en expédients de toutes sortes pour tromper l'adversaire. Une nuit, la destruction des ponts du fleuve Sperchios, loin de le mettre en peine, lui inspira d'envoyer dix mille hommes vers l'embouchure. Il voulait qu'ils pussent passer sur l'autre rive à l'insu des Grecs. A cet endroit, le fleuve, en effet, ne précipitait pas ses flots comme ailleurs, mais se répandait à travers la campagne, y formant un véritable marécage. Or, parmi ces dix mille hommes, les uns savaient parfaitement nager, et les autres étaient de très grande taille : à cet égard, Brennos n'avait que l'embarras du choix, les Celtes surpassant tous les autres peuples par leur stature. Et voilà comment une partie du détachement put passer le fleuve à la nage, cette nuit-là, tandis que l'autre traversait à gué, exploit impossible à des gens plus petits.

Cependant, Brennos avait ordonné aux habitants des environs du golfe Maliaque de jeter un pont sur le Sperchios, et ceux-ci s'activèrent, tant les terrifiaient les guerriers en armes qui les entouraient et les obligeaient à travailler jour et nuit. Quand le pont fut achevé, les Gaulois traversèrent le fleuve et s'avancèrent vers Héraclée, pillant toutes les demeures qu'ils rencontraient, tuant autant d'hommes qu'ils en découvraient, éparpillés dans la campagne. Mais peu importait à Brennos la prise d'Héraclée. Il voulait seulement chasser de ses remparts la garnison qui, sans cela, l'empêcherait de gagner le passage des Thermopyles.

Après quelques rudes combats, Brennos réussit à mettre en fuite la garnison. Etant passé sans encombre sous les murs d'Héraclée, il poursuivit sa course vers les Thermopyles et résolut d'attaquer les Grecs qui ne manqueraient pas de s'opposer à lui de toutes leurs forces. Il fixa la rencontre au lendemain, au lever du soleil. Les Grecs marchèrent au combat en bon ordre et dans un silence total. Fatigués par leur longue errance, les Gaulois n'étaient, eux, ni au mieux de leur forme ni puissamment armés, loin de là : ils n'avaient guère que leurs boucliers et en étaient réduits à se jeter sur l'ennemi avec une aveugle impétuosité, telles des bêtes féroces sur leurs proies.

Pourfendus à coups de hache, percés de coups d'épée, ils ne lâchaient pourtant pas prise et ne perdaient pas l'air menaçant et opiniâtre dont ils étaient coutumiers. Leur fureur ne connaissait pas de bornes, et ils luttaient jus-qu'au dernier souffle. On en voyait qui n'arrachaient de leurs plaies les traits mortels dont ils étaient atteints que pour les relancer aussitôt contre les Grecs ou en frapper ceux qui les approchaient trop.

Cependant, les Athéniens les prirent si bien de flanc que les envahisseurs ne purent sortir des défilés où ils s'étaient rassemblés. Ils en souffrirent grandement. Voyant que la situation devenait grave, leurs chefs firent sonner la retraite, mais celle-ci s'opéra dans une telle précipita-tion que, tombant les uns sur les autres, nombreux furent les guerriers qui périrent écrasés. D'autres s'enfoncèrent dans les marécages que formait à cet endroit le voisinage de la mer. Et les Gaulois perdirent dans leur fuite autant d'hommes que leur en avait coûté la bataille.

Mais Brennos ne renonça pas pour autant. Sept jours plus tard, de nouvelles troupes gauloises se mirent en marche pour tenter cette fois de passer par le mont Œta. Brennos prétendait leur faire emprunter un petit sentier qui menait à Trachine, ville qui était en ruine, à cette époque, mais au-dessus de laquelle se dressait un temple de Pallas que les habitants de la région avaient enrichi de maintes et maintes offrandes. Les Gaulois voulaient, par ce chemin dérobé, gagner le haut de la montagne et en profiter pour piller le temple.

La chose n'était pourtant pas facile, car les Etoliens gardaient les passages, et ils s'élancèrent à l'improviste sur les Gaulois, les taillant en pièces. Ceux-ci commen-çaient à désespérer, et nombre d'entre eux parlaient de rebrousser chemin. Seul, Brennos ne perdait pas courage. Il lui vint à l'esprit que, s'il pouvait obliger les Etoliens à retourner chez eux, il aurait le passage libre. Aussi forma-t-il un détachement de quarante mille hommes à pied et de huit cents cavaliers dont il confia le comman-dement à un chef très brave du nom de Milé, ainsi qu'à son lieutenant Orestorios. Il leur donna l'ordre de repasser le Sperchios, de traverser la Thessalie et d'aller mettre à feu et à sang le pays des Etoliens.

Ce furent ces troupes qui saccagèrent la ville de Callion et y firent un massacre épouvantable. Tout sexe viril fut mutilé ; les vieillards furent passés au fil de l'épée, les enfants au maillot arrachés du sein de leur mère et égorgés ; et ceux qui paraissaient nourris d'un meilleur lait que les autres, les Gaulois en buvaient le sang et se rassasiaient de leur chair [1]. Les femmes et les jeunes filles qui avaient quelque sentiment de l'honneur se donnèrent elles-mêmes la mort pour échapper à la fureur des vainqueurs. D'autres, obligées de souffrir toutes les indignités que l'on imagine, devinrent ensuite la risée de leurs tortionnaires, aussi peu susceptibles de pitié que d'amour.

Quand les Etoliens qui défendaient les Thermopyles apprirent ce qui se passait dans leur pays, ils quittèrent leur poste au plus vite pour aller secourir leurs compatriotes et laissèrent les Gaulois libres d'agir comme bon leur semblait.

Depuis les Thermopyles, on pouvait gagner le sommet du mont Œta par deux sentiers très différents : l'un, fort étroit et rude, menait au-dessus de Trachine ; l'autre, plus aisé pour le passage d'une armée, traversait les terres des Enianes. Brennos décida de l'emprunter pour son expédition.

Ainsi, les Grecs apprirent-ils soudain que les Gaulois tenaient cette route, conduits par les habitants d'Héraclée et par les Enianes. Brennos avait laissé son lieutenant Kikorios au camp et, avec quarante mille hommes, il suivait ses guides. Le hasard voulut que, ce jour-là, le mont Œta fût recouvert d'un brouillard si épais que le soleil

---

1. Ces détails de source grecque sont en l'occurrence extraits de Pausanias (X, 22). Lequel, il faut le remarquer, n'est guère fiable historiquement, car le récit qu'il fait de l'attaque de Delphes par les Gaulois (voir plus loin) est un démarquage intégral de celui qu'Hérodote a consacré au pillage du sanctuaire par les Perses.

181

lui-même ne put le percer. De sorte que les Phocéens postés dans la région n'aperçurent l'ennemi que lorsqu'ils eurent à subir son premier assaut. La confusion fut alors très grande et le danger extrême : les uns s'acharnèrent à empêcher les Gaulois de passer ; les autres tentèrent d'opérer des diversions mais, à la fin, cernés de toutes parts, ils abandonnèrent leurs positions et s'éparpillèrent en tous sens, laissant l'adversaire maître du terrain.

Brennos ne perdit pas de temps. Il ordonna aussitôt de marcher sur Delphes, répétant à qui voulait l'entendre que les dieux n'avaient que faire de trésors puisque c'étaient eux qui les prodiguaient aux humains. Un jour, d'ailleurs, étant entré dans un temple, il n'accorda même pas un regard aux offrandes d'or et d'argent que l'on y avait déposées mais s'y empara seulement des images de pierre et de bois, non sans un énorme éclat de rire : comment les Grecs pouvaient-ils prêter des formes humaines aux divinités et les fabriquer avec des matériaux périssables ?

Sans attendre que Kikorios l'eût rejoint, Brennos, en compagnie de Milé, se précipita donc en direction du sanctuaire de Delphes. A l'annonce de la nouvelle, les villes de Phocidie envoyèrent chacune du secours. Amphisie donna quatre cents hommes d'infanterie. Les Etoliens, pourtant bien éprouvés déjà, fournirent un petit nombre de guerriers. Les autres dépêchèrent à Delphes autant de troupes qu'ils purent en rassembler pour empêcher le pillage que Brennos semblait méditer.

A la vue du sanctuaire, celui-ci hésita cependant : devait-il en ordonner l'attaque immédiatement, ou bien accorder à ses hommes, épuisés par leur longue marche, une nuit de repos ? Deux des chefs gaulois qui s'étaient associés à lui dans l'espoir d'un butin extraordinaire voulaient qu'on attaquât d'emblée l'ennemi qui, campant sur la défensive, montrait des signes de faiblesse. Mais les guerriers gaulois, qu'émerveillait après tant de privations ce pays débordant de vivres et de vins, avaient abandonné leurs étendards et se livraient à la joie de leurs succès et de cette abondance inespérée. Ils se répandaient partout dans les campagnes, pillant ce qui pouvait l'être et se gorgeant de nourriture et de boisson.

Brennos s'efforça de les regrouper et de les exciter en leur montrant le magnifique butin qui s'offrait à eux. Il improvisa des discours enflammés, vantant l'or massif des statues, des chars qu'on distinguait au loin, jurant que le poids de ces objets serait plus riche encore que leur seule vue ne semblait le promettre. Excités par son éloquence, échauffés par les orgies qu'ils venaient de s'offrir, les Gaulois acceptèrent enfin de combattre.

Ressentant le danger imminent, les habitants de Delphes interrogèrent le dieu pour savoir s'il fallait retirer des temples les trésors qui s'y trouvaient, s'il fallait éloigner au plus vite femmes et enfants et les mettre en sûreté dans les villes voisines, mieux fortifiées. Par la voix de la Pythie, le dieu ordonna de laisser les offrandes et les ornements de ses sanctuaires en leurs lieu et place, car lui-même, ainsi que les Vierges Blanches ses compagnes, prenait tout sous sa sauvegarde. Dans le temple du dieu, se trouvaient en effet deux chapelles fort anciennes, l'une consacrée à Pallas Pronaos, l'autre à Artémis, et ces deux déesses, d'après l'oracle, seconderaient Apollon.

Et, de fait, se manifestèrent tout à coup les signes évidents de la colère céleste contre les Gaulois. D'abord, le terrain qu'occupait leur troupe fut agité d'un tremblement qui dura une grande partie de la journée. Ensuite, gronda le tonnerre, accompagné d'éclairs continuels qui non seulement terrifiaient l'assaillant, mais l'empêchaient d'entendre les ordres de ses chefs. La foudre, qui tombait fréquemment sur eux, ne se contentait pas de tuer ceux qu'elle frappait : une exhalaison enflammée se communiquait à leurs compagnons immédiats et les réduisait en cendres, eux et leurs armes. En outre, on vit paraître dans le ciel des héros de l'ancien temps qui ranimaient le courage des Grecs et leur montraient comment combattre leurs ennemis. Même les prêtres du sanctuaire s'élancèrent au milieu de la bataille et se placèrent au premier rang, criant que le dieu était venu les protéger, qu'ils l'avaient vu surgir à travers les épais nuages qui entouraient les montagnes.

Il semblait que l'univers entier était en furie. Les Gaulois, après avoir essuyé tant de malheurs et tant de craintes pendant la journée de la bataille, subirent une nuit plus funeste encore : il fit en effet un froid mortel qui devint plus cuisant à cause de l'énorme quantité de neige qui tomba. Et les Gaulois crurent même voir les Vierges Blanches des prophéties les combattre, tant les rafales et les bourrasques de neige les accablaient.

D'ailleurs, comme si tous les éléments avaient comploté leur perte, il se détacha du mont Parnasse de grosses pierres, ou plutôt des pans de rochers entiers qui, roulant sur eux, n'en écrasaient pas seulement un ou deux à la fois, mais des trente et quarante. Et le soleil ne fut pas plus tôt levé que les Grecs, qui s'étaient retranchés dans la ville, firent une sortie. Au même moment, les Phocéens dévalaient du Parnasse à travers les neiges. Seuls, les gardes de Brennos, tous hommes d'élite et d'une taille prodigieuse, résistèrent à cet assaut, malgré le froid et l'épuisement. Mais, voyant leur chef grièvement blessé et presque aux abois, ils ne songèrent plus qu'à le couvrir de leurs corps et à l'emmener, donnant par là le signal d'une débandade générale.

Dans leur fuite, ils campèrent où la nuit suivante les surprit et, cette nuit-là, ils subirent une terreur panique, puisqu'ainsi l'on nomme ces frayeurs qui, faute de fondement, sont, à ce qu'on croit, inspirées par le dieu Pan en personne. L'horreur de la nuit leur fit d'abord croire à une fausse alerte : la peur saisit un petit groupe de guerriers qui entendirent un bruit de galopade et s'imaginèrent que les ennemis les attaquaient à revers. Bientôt, leur peur se communiqua aux autres, et l'épouvante fut si générale que tous se saisirent de leurs armes, se divisèrent en plusieurs groupes et se frappèrent mutuellement, fermement convaincus qu'ils affrontaient les Grecs.

Leur trouble était si grand qu'à chaque mot qu'ils entendaient, ils s'imaginaient entendre parler des Grecs, comme oublieux de leur propre langue. D'ailleurs, dans les ténèbres, ils ne pouvaient reconnaître ni distinguer la forme de leurs boucliers, pourtant si différente de celle des boucliers adverses. Ainsi, chacun d'eux se méprenait-il d'une façon ou d'une autre, et cela dura toute la nuit. De sorte que bien peu d'entre eux purent, une fois la lumière du jour revenue, regagner le camp d'Héraclée.

De fait, Brennos avait perdu plusieurs milliers d'hommes dans l'aventure, et lui-même avait été blessé trois fois. Sachant qu'il n'avait plus beaucoup de temps à vivre, il fit venir à son chevet ses principaux lieutenants et leur conseilla de l'achever, ainsi que tous les blessés, de brûler les chariots, de gagner un port et de s'en retourner au plus vite vers leur pays d'origine. Il confia aussi le commandement de ce qui lui restait de troupes à Kikorios et à Milé puis, après s'être enivré, il se poignarda de sa propre main. Ainsi périt le chef de cette expédition à travers les montagnes et les vallées de la Grèce.

Kikorios le fit ensevelir et tuer les blessés, de même que tous ceux que le froid ou la faim avaient rendus infirmes, et dont le nombre était très élevé. Alors, en accord avec Milé, il prit avec lui ceux des hommes qui appartenaient à son clan et se dirigea vers la mer. Il lui fallut combattre encore à plusieurs reprises pour se frayer un passage et pour s'emparer de bateaux. Une fois sur la mer, lui et les siens se dirigèrent où les vents les poussaient, et ils abordèrent en Asie. Et ce sont eux qui, depuis lors, sont appelés Galates. [1]

---

1. Toute cette première partie du chapitre a été rédigée d'après divers épisodes dispersés dans des ouvrages d'écrivains grecs et latins

Quant à Milé et à ses compagnons, ils prirent une autre direction et, après de nombreuses tribulations, parvinrent à un port où ils décidèrent de quitter le pays. Après avoir troqué une partie de leur butin contre des bateaux, ils s'en allèrent sur la mer et abordèrent en Crète. Mais ils y restèrent peu de temps, parce que les habitants du pays les traitaient en indésirables. Alors, ils s'embarquèrent de nouveau et atteignirent l'Egypte. C'est là que mourut Milé et que son fils, Bréogan, devint le chef du clan qu'on appela plus tard les Fils de Milé.

Mais, le pays d'Egypte ne leur convenant pas, ils décidèrent tous de repartir. Ils errèrent sur la mer Tyrrhénienne et finirent par prendre pied en Sicile. Ils n'y restèrent pas longtemps, car leurs druides et leurs devins leur avaient dit d'aller le plus loin possible vers l'ouest, vers les pays où le soleil disparaît dans les flots de l'océan. Ils reprirent donc la mer, avec plusieurs navires, et finirent par aborder en Espagne. Et c'est là que mourut Bréogan, fils de Milé. Mais il laissait huit fils, et ce sont eux qui furent les chefs des Fils de Milé et qui voulurent leur donner un pays digne de leur vaillance.

Le fils aîné de Bréogan portait le nom d'Ith. Il était, plus que tous les autres, décidé à découvrir le pays merveilleux dont son frère Amorgen, qui était poète, vantait les mérites à chacune de ses visions prophétiques. Un jour, il gravit une montagne et en atteignit le sommet. Le temps, très clair, permettait de voir très loin à l'horizon. Il regarda dans la direction où le soleil se couche chaque soir, et il aperçut une terre verdoyante qui lui parut admirable. Il redescendit en hâte vers la plaine et s'en vint

---

de l'Antiquité : Apamée (XXIII), Tite-Live (V, 34), Justin, qui résume le Gaulois Trogue-Pompée (XXIV, 4, 5, 6, 8), Athénée (X, 60), Appien (*Illyrica*), Diodore de Sicile (V, 31 et fragments XXII et XXXI), Polyen (VII, 35), Cicéron (*De Divinatione*) et, surtout, Pausanias (X, 19, 20, 21, 22, 23).

raconter à ses frères ce qu'il avait vu. Mais Brégu, fils de Bréogan, se moqua de lui, disant que la terre qu'il avait vue ne pouvait être qu'un nuage dans le ciel. Néanmoins, Ith insista et les emmena tous sur le sommet d'où lui était apparue la terre merveilleuse. « Tu avais raison, dirent les fils de Bréogan, il s'agit d'une terre où il ferait bon vivre en faisant paître nos troupeaux et en cultivant de riches plaines. Préparons-nous à partir et à nous élancer sur la mer. »

Pendant plusieurs semaines, les Fils de Milé construisirent des bateaux qu'ils équipèrent et où ils eurent soin d'entreposer des provisions et de l'eau douce. Quand tous leurs préparatifs furent terminés, ils levèrent l'ancre et mirent à la voile. Et les vents les poussèrent rapidement en plein cœur de l'océan qui entoure le monde, au risque de les culbuter dans les abîmes où règnent les ténèbres de la nuit.

Ils naviguaient déjà depuis plusieurs jours quand la brume les enveloppa. Comme le vent était tombé, ils allèrent longtemps à la dérive sur les flots. Mais, tout à coup, ils virent à travers la brume une faible lumière qui semblait surgie de nulle part. Ils essayaient tous de voir ce qu'il en était et commençaient à désespérer, se croyant aux confins du monde, quand ils aperçurent la silhouette d'une tour au milieu de la mer. Ils ramèrent de toutes leurs forces dans sa direction et parvinrent ainsi au-dessous d'une immense tour qui, plantée droit dans la mer, s'élançait vers le ciel. Et leur stupéfaction fut grande quand ils virent que cette tour était en verre et qu'à l'intérieur allaient et venaient des hommes qui ne semblaient pas prendre garde à eux.

Les Fils de Milé crièrent le plus fort qu'ils purent pour attirer l'attention des inconnus. Ceux-ci les regardèrent, mais sans s'étonner autrement de les voir, et ils ne leur dirent rien. Alors, les Fils de Milé leur demandèrent qui ils étaient et quelle était cette tour. Mais, de l'autre côté de la muraille de verre, les autres, sans répondre un seul mot, continuèrent à vaquer à leurs occupations comme si de rien n'était. Alors, la lumière disparut, et la brume les noya dans une étrange obscurité qui les pénétra d'angoisse [1].

Cependant, la brume ne tarda pas à se dissiper, et aussi vite qu'elle s'était formée. Ils se retrouvèrent en pleine mer, tandis que le soleil commençait à décliner sur l'horizon. Mais ils eurent beau regarder de tous leurs yeux tout autour, ils ne virent pas trace de la tour de verre ni de ses mystérieux habitants. Alors, ils reprirent leur navigation vers le nord.

Ils abordèrent en Irlande sur la grève qui borde la plaine qu'on appelle aujourd'hui Mag Itha en souvenir de Ith qui, le premier des Fils de Milé, y posa le pied. Quant au deuxième qui aborda, ce fut son frère Amorgen au genou blanc, le poète, qui, sitôt son pied droit posé sur la terre, chanta le chant que voici :

> « *Mer poissonneuse et brillante,*
> *terre fertile, bois vallonnés,*
> *avec des multitudes d'oiseaux,*
> *mer rude aux vagues blanches,*
> *profonds estuaires*
> *avec des centaines de saumons,*
> *irruption de poissons,*
> *mer poissonneuse infiniment,*
> *rivières abondantes en eau,*
> *terre fertile et verdoyante...* »

Les Fils de Milé étaient arrivés sur trente-six navires. Une fois qu'ils eurent tous débarqué, des gens vinrent à eux pour leur parler, et ils s'aperçurent avec stupeur, les uns et les autres, qu'ils parlaient la même langue, c'est-à-

---

1. L'épisode de la Tour de Verre ne se trouve que dans l'*Historia Brittonum*, récit en latin de Nennius, et qui date du Xe siècle.

dire le gaélique, et leur entretien en fut d'autant plus affable. Les Fils de Milé s'enquirent du nom de l'île et de l'identité des habitants. « Vous êtes sur l'île d'Elga, répondirent-ils, et nous appartenons aux tribus de Dana. Nous avons actuellement trois rois, Mac Cuill, Mac Cecht et Mac Greine, fils de Cermat, fils de Dagda, et leurs trois reines sont Banba, Fothla et Eriu [1]. »

Après s'être concertés sur ce qu'il convenait de faire, les Fils de Milé convinrent d'envoyer l'un des leurs vers les rois des tribus de Dana afin de leur demander s'ils pouvaient s'installer dans une partie de cette île afin de la cultiver et d'y faire paître des troupeaux. Et comme c'est Ith qui les avait menés jusque-là, c'est à lui qu'ils confièrent cette mission. Il partit aussitôt, avec une quinzaine d'hommes.

Ce jour-là, les chefs des tribus de Dana étaient réunis à Tara, dans la maison royale, pour trancher la contestation qui s'était élevée entre Mac Cuill et ses frères, Mac Cecht et Mac Greine. Ces deux derniers accusaient Mac Cuill d'avoir accaparé une plus grande part des trésors de Fiachna, fils de Delbaeth, qui était mort peu auparavant. Quant Ith arriva à Tara, le portier le fit entrer dans la maison royale, et les rois lui souhaitèrent la bienvenue puis lui exposèrent l'objet de leur dispute.

« Il serait convenable que vous soyez en bonne amitié, répondit Ith, car il n'y a pas de pays heureux et prospère si l'entente et la fraternité ne lient ceux qui le gouvernent. Votre île est bonne et verdoyante, avec ses agréables pâturages ; le blé, le poisson, le grain y abondent. La chaleur et le froid y sont modérés ; vous avez tout ce qu'il vous faut. Cessez donc de vous disputer, partagez équita-

---

1. On retrouve ici les trois noms de la Femme Primordiale, celle qui s'est endormie pendant le Déluge et qui symbolise l'Irlande. Les trois rois portent des noms révélateurs : Mac Cuill est littéralement « fils du coudrier » (le coudrier étant un arbre magique et druidique), Mac Cecht, « fils de la charrue » et Mac Greine, « fils du Soleil ».

blement les trésors qui font l'objet de la contestation. Pour ma part, je ne vous demande qu'une chose : que vous nous laissiez nous installer dans l'une de vos régions : nous la cultiverons avec soin, nous y élèverons de grands troupeaux, et nous vous rendrons hommage pour tous les bienfaits que vous nous accorderez. – Certes, dirent les rois, il serait malheureux que nous nous disputions si ardemment pour des trésors qui n'en valent pas la peine. Quant à toi, retourne vers les tiens et dis-leur que nous sommes prêts à conclure un traité avec vous tous. »

Ith leur dit adieu et, satisfait d'avoir bien rempli sa mission, repartit vers l'endroit où avaient abordé les Fils de Milé.

Cependant, les chefs des tribus de Dana murmuraient derrière lui. Ils disaient que c'était le fils d'un des rois du monde, et qu'il était venu les espionner dans le but de s'emparer de toute l'île, et qu'il ne fallait pas permettre à ces gens-là de s'installer sur des terres que les tribus de Dana avaient conquises par leur valeur, leur bravoure et leur ténacité. Ils complotèrent donc de tuer Ith et se lancèrent à sa poursuite. Et c'est grièvement blessé qu'Ith se traîna jusqu'auprès des Fils de Milé. Il eut le temps de leur conter ce qui s'était passé, et il mourut. Très affligés, ses frères et les autres Fils de Milé lui dressèrent un tombeau et un pilier funéraire. « Nous ne laisserons pas ce crime impuni, dit Eber Donn, le frère puîné d'Ith. Nous irons sans tarder demander justice auprès des trois rois des tribus de Dana. »

Ils se mirent donc en marche en direction de Tara. En route, ils rencontrèrent Banba, l'une des trois reines. Elle les vit arriver et leur dit : « Si c'est pour vous emparer de cette île que vous êtes ici, sachez que vous n'êtes pas venus sous un bon signe. – C'est par nécessité que nous sommes ici, répondit Amorgen, le poète. Mais de quel droit te permets-tu de prononcer des paroles néfastes ? – Faites-moi un don, dit Banba. – Lequel ? demanda

Amorgen. – Que l'on donne mon nom à cette île. – Quel est ton nom, et de quelle race es-tu ? reprit Amorgen. – On me nomme Banba, répondit-elle, et je suis de la race d'Adam. Je suis plus vieille que Noé. J'étais au sommet d'une montagne pendant le Déluge, et les vagues de la mer ne m'ont pas atteinte. » Les druides des Fils de Milé chantèrent alors une incantation, et Banba s'éloigna d'eux sans qu'ils lui eussent accordé son don.

Plus loin, ils rencontrèrent Fothla, la deuxième des trois reines. Elle leur tint le même langage que Banba, et ils l'écartèrent de même en prononçant sur elle des incantations. Puis, après avoir repris leur route, ils rencontrèrent la troisième reine, l'épouse de Mac Greine, qui avait nom Eriu. « O guerriers ! s'écria-t-elle en les voyant, soyez les bienvenus sur cette île. Il y a longtemps que nos prophètes ont annoncé votre arrivée. Cette île sera vôtre à tout jamais et, dans le monde entier, il n'y aura pas de terre plus magnifique. Nulle race ne sera plus nombreuse que la vôtre. – La prophétie est bonne, dit Amorgen au genou blanc. – Faites-moi un don, reprit Eriu. – Lequel ? demanda Amorgen. – Que l'on donne mon nom à cette île, répondit-elle. – Eh bien, dit Amorgen, que ton nom soit son principal nom. »

Ils arrivèrent ensuite à Tara. Eber Donn et ses frères furent reçus par les trois rois, et ils leur reprochèrent avec véhémence le crime qu'ils avaient commis envers Ith, car celui-ci était venu vers eux en messager de paix et non pour des raisons agressives ou malhonnêtes.

Ils délibérèrent pendant longtemps, puis ils convinrent d'un arrangement : les Fils de Milé devraient retourner dans leurs bateaux et lever l'ancre et si, avant un délai de trois jours, ils avaient réussi à aborder de nouveau, toute l'île leur appartiendrait. Si, en revanche, au bout des trois jours, les Fils de Milé n'avaient pu aborder, l'île demeurerait la possession des seules tribus de Dana. En fait, les trois rois pensaient que les Fils de Milé ne reviendraient

191

jamais, car les druides mettraient tant d'incantations contre eux que les vents les pousseraient bien loin dans le grand océan. « Nous verrons bien, dit Eber Donn. Que pense Amorgen de cette proposition ? – C'est un bon jugement, répondit Amorgen. – A quelle distance irons-nous ? demanda Eber Donn. – Au-delà de neuf vagues. »

Les Fils de Milé sortirent donc de la forteresse de Tara et se dirigèrent vers le sud jusqu'au port de Scene, à l'embouchure de la rivière Feile, où ils avaient laissé leurs bateaux. Ils embarquèrent, levèrent l'ancre et naviguèrent jusqu'au-delà de la neuvième vague. Les druides des tribus de Dana et tous les poètes chantèrent alors des incantations derrière eux, de telle sorte que les vents entraînèrent les navires très loin de l'Irlande et que leurs passagers, fatigués, connurent l'angoisse de se retrouver en pleine mer.

« C'est un vent druidique qui nous pousse aussi loin, dit Eber Donn. Regardez si le vent souffle au-dessus des mâts. » Ils regardèrent attentivement et virent qu'il n'en soufflait pas. « Patience, dit Erech, l'un des fils de Milé, qui pilotait le bateau d'Eber Donn ; il suffit de demander à Amorgen d'agir contre ce vent druidique. » Erech était fils adoptif d'Amorgen. Il appela celui-ci. « C'est une honte pour tous nos hommes d'art, dit Eber Donn, de supporter plus longtemps l'affront que nous font subir les druides d'Irlande. – Non, répondit Amorgen, ce n'est pas une honte. Mais nos hommes ne peuvent rien entreprendre tant que tu n'auras pas toi-même fait quelque chose contre la magie des tribus de Dana. »

Eber Donn tira son épée hors de son fourreau et la tendit vers le ciel. « Par le dieu que jure ma tribu ! s'écria-t-il, je jure de passer par le tranchant de mon épée tout ce qui vit sur cette île. » Le vent tournoya et poussa alors les bateaux des Fils de Milé vers le rivage où ils ne tardèrent guère à aborder. « Vois-tu, dit Amorgen, notre puissance druidique vaut bien celle des tribus de Dana. Nous sommes revenus en Irlande avant les trois jours qu'on

192

nous avait fixés. Nous sommes donc en droit de nous emparer de toute cette île. »

Ils prirent leurs armes et leurs équipements et se mirent en route vers Tara. Pendant ce temps, les chefs des tribus de Dana avaient appris leur retour en Irlande. Ils s'étaient réunis en hâte dans la maison royale de Tara. Il y avait là les trois rois, Mac Cuill, Mac Cecht et Mac Greine, ainsi que Mananann, fils de Lîr, Goibniu, le forgeron, Diancecht, le médecin, Lug au Long Bras, fils de Cian, Dagda, qu'on appelait aussi Eochaid Ollathair, et Bobdh Derg, fils de Dagda. Ils examinèrent longuement la situation, mais ils ne parvenaient pas à trouver de solution au conflit qui allait les opposer fatalement aux Fils de Milé. « Il nous faut partager le pays avec eux, disait Dagda. – C'est impossible, répondaient les trois rois. Il faut les rejeter à la mer, car nous sommes les uniques possesseurs de cette île. – Nous avions établi avec eux une convention, disait Lug, et nous devons la respecter. S'ils revenaient sur cette terre avant trois jours, ils devenaient les maîtres de l'Irlande. Respectons nos engagements, et retirons-nous dans nos domaines féeriques : nous y serons toujours les maîtres, quoi qu'il arrive, et ils ne pourront pas pénétrer jusqu'à nous sans que nous le sachions. – Et puis, ajouta Mananann, n'avons-nous pas le don d'invisibilité ? Nous pouvons errer à travers le monde sans que personne puisse soupçonner notre présence. »

Mais les trois rois des tribus de Dana se montrèrent intraitables. Ils exigèrent de leurs compagnons qu'ils s'engageassent dans une lutte sans merci contre ces Fils de Milé qui prétendaient descendre d'une même lignée qu'eux, la lignée des fils de Nemed. Aussi proposèrent-ils de constituer une armée et de s'opposer avec vigueur, tant par la puissance magique que par la valeur des armes, aux prétentions des Fils de Milé à occuper toute l'Irlande. Et, finalement, tous acceptèrent, bon gré mal gré, d'aller à la rencontre des envahisseurs et de les empêcher de s'emparer de l'Ile Verte. Le sort déciderait ainsi de l'avenir, et ils jurèrent tous ensemble de se conformer à toute décision qui résulterait de ce conflit.

Les tribus de Dana rassemblèrent tous les hommes disponibles, mais ceux-ci n'étaient pas nombreux. Elles comptaient surtout sur la puissance magique de leurs druides, ceux-ci leur ayant promis la victoire sans perte de vies humaines. Leurs troupes se regroupèrent donc non loin de Tara, au lieu que l'on avait nommé Tailtiu en l'honneur de la mère nourricière de Lug au Long Bras, et où celui-ci l'avait fait enterrer, créant en l'honneur d'elle des jeux et des fêtes qui se déroulaient dix jours avant le début du mois d'août et dix jours après, jeux et fêtes appelés *Lugnasad*, c'est-à-dire « Assemblée de Lug », et le nom en est resté pour désigner le mois d'août.

C'est donc à Tailtiu que s'affrontèrent les tribus de Dana et les Fils de Milé. Comme l'armée des premières n'était pas nombreuse, leurs druides firent des incantations et suscitèrent de grandes troupes pour s'opposer aux envahisseurs. Mais les druides et les poètes des Fils de Milé eurent tôt fait de s'apercevoir que leurs ennemis recouraient à la magie. Aussi chantèrent-ils à leur tour des incantations et, bien vite, nul n'ignora que les belles armées des tribus de Dana n'étaient que des arbustes et des mottes de tourbe. Et cela n'empêcha pas les trois rois Mac Cuill, Mac Cecht et Mac Greine de succomber sous les coups des Fils de Milé.

Privés de leurs chefs, les gens des tribus de Dana tinrent conseil, et Morrigane vint leur dire qu'il était temps de conclure la paix, parce que la magie des Fils de Milé valait bien la leur. Aussi Dagda et son fils Bobdh Derg, en compagnie de Mananann, fils de Lîr, vinrent-ils trouver les Fils de Milé pour leur proposer un arrangement quant au partage de l'Irlande. Ils commencèrent par s'asseoir autour d'un foyer et s'y partagèrent la nourriture qu'on y avait cuite, puis ils burent de la bière et de l'hydromel et conclurent enfin un accord.

Eber Donn et ses frères avaient fait valoir que les tribus de Dana s'étaient rendues coupables d'un grand crime envers Ith, fils de Bréogan, qui était roi, et que, dans ces conditions, elles devaient payer une forte compensation, en l'occurrence l'Irlande entière. Mais les tribus de Dana ne voulaient en aucune façon abandonner cette île qu'elles avaient conquise autrefois. On fit alors venir le sage Fintan, fils de Bochra, qui parla aux uns et aux autres et leur démontra que mieux valait faire la paix que de s'affronter jusqu'à la fin des temps. Fintan et Amorgen préparèrent alors les termes d'un traité qui devait être juré sous la sauvegarde des dieux : les Fils de Milé occuperaient la surface de l'Ile Verte, se chargeant de l'entretien de la terre et des troupeaux, tandis que les tribus de Dana se retireraient dans le monde des tertres et dans les petites îles qui entourent l'Irlande. Ainsi, chacun serait chez soi, mais cela ne dispenserait pas les uns et les autres de rester toujours en contact. Il fut notamment précisé que les gens des tribus de Dana pourraient, si tel était leur désir, quitter leur invisibilité et venir parmi les Fils de Milé, mais qu'en contrepartie les Fils de Milé pourraient pénétrer dans le domaine des tribus de Dana chaque année, pendant le temps que durerait la fête de *Samain*.

Le traité fut juré solennellement par les deux parties. Les tribus de Dana se retirèrent donc dans le domaine obscur des tertres et dans les îles qui entourent l'Irlande, et les Fils de Milé se répandirent à travers tout le pays, y bâtissant des forteresses, y cultivant la terre et y aménageant de bons pâturages pour les troupeaux qu'ils avaient amenés. Ainsi se termina la bataille de Tailtiu, pour la plus grande satisfaction des uns et des autres, et ainsi commença en Irlande le règne des Fils de Milé, ceux qu'on appelle maintenant Gaëls. [1]

---

1. D'après le *Livre des Conquêtes*.

CHAPITRE VII

L'étrange destinée des enfants de Lîr

Après la bataille de Tailtiu et le partage de l'Irlande entre les tribus de Dana et les Fils de Milé, les uns et les autres s'organisèrent comme le commandaient leurs usages et leurs antiques lois. Les Fils de Milé confièrent la royauté à deux des fils de Bréogan, Eber Donn, qui était l'aîné, et Eremon, qui était le puîné. Eber se réserva le sud de l'Ile Verte ; à Eremon échut la souveraineté du nord. Mais les deux frères ne s'entendirent pas et se livrèrent bientôt une guerre sans merci. Au cours d'une bataille, Eber Donn fut tué, et Eremon, devenu le roi suprême de toute l'Irlande, organisa de grandes fêtes dans la maison royale qui se dressait à l'intérieur de la grande forteresse de Tara.

Les tribus de Dana s'étaient, quant à elles, et conformément à leur accord avec les Fils de Milé, réfugiées dans les domaines féeriques, sous les tertres, dans les profondes cavernes de la terre, dans les palais qu'elles s'étaient construites au fond des grands lacs, ainsi que dans les îles qui entourent l'Irlande. Et comme leurs trois rois avaient péri durant la bataille de Tailtiu, elles se réunirent un jour pour désigner celui qui régnerait sur elles.

Ils avaient le choix entre plusieurs de leurs héros, tels

Mananann, fils de Lîr, ou le grand Dagda, ou le forgeron Goibniu, ou Mider de Bri Leith, frère de Dagda, ou bien encore Bobdh Derg, fils de Dagda. Quant à Lug, fils de Cian, il avait décidé de n'être jamais roi, mais de conserver sa liberté entière pour agir comme bon lui semblait.

Or, les gens de Dana décidèrent, après mille discussions, de donner la souveraineté à Bobdh Derg, fils de Dagda, en raison tant de sa noblesse que de la sagesse qu'il avait héritée de son père, et ce au grand dépit de Lîr, qui régnait sur le tertre de Finnachaid, car il avait espéré voir attribuer la couronne à son propre fils, Mananann [1]. Il quitta donc l'assemblée des tribus de Dana sans prendre congé de personne ni dire un mot. Son attitude choqua tant les chefs que tous ceux-ci, après avoir solennellement confirmé Bobdh Derg, cherchèrent un moyen de châtier son outrecuidance et son mépris.

---

1. Lîr est un personnage emblématique. On traduit souvent son nom par « mer » ou « flots », mais cette étymologie est d'autant moins certaine que l'Irlande païenne n'a pas de dieu marin (pas plus d'ailleurs que de dieu laboureur). Lîr, pour habiter des îles lointaines, n'est aucunement le dieu de la navigation maritime. De plus, les Gaëls semblent avoir horreur de la mer et se désintéressent de ce qui se passe sur l'océan, sauf à le décrire en tant que pays de l'Autre Monde. Ils sont beaucoup plus attachés aux sources et aux rivières, donc aux eaux douces, ainsi que semble le révéler le nom de Nechtan (dérivé du latin *Neptunus*), autre appellation d'Elcmar, frère de Dagda, propriétaire de Brug-na-Boyne, c'est-à-dire Newgrange. Lîr a comme correspondant gallois Llyr (le roi Lear de Shakespeare), père des héros Brân Vendigeit (« Corbeau Béni »), Branwen (« Corbeau Blanc ») et Manawyddan, strict correspondant brittonique du gaélique Mananann, lui-même éponyme de l'île de Man. Ce dernier personnage apparaît souvent dans les récits irlandais comme originaire des îles lointaines, autrement dit de la Terre de Promesse, sorte de paradis celtique, parfois appelé *Emain Ablach*, nom dans lequel se retrouve le terme désignant les pommiers, ce qui renvoie à l'île d'Avalon de la légende arthurienne. Mananann est même présenté parfois comme chevauchant un fougueux coursier au milieu de la mer, ce qui pourrait évidemment le faire assimiler à une divinité maritime. Dans la tradition galloise, Manawyddan n'a toutefois aucun lien particulier avec la mer et n'a rien d'un navigateur.

Certains d'entre eux proposèrent même de le poursuivre jusque chez lui, de brûler sa forteresse et de l'assaillir avec la lance et l'épée comme un criminel : n'en était-il pas un, pour avoir refusé de s'incliner devant le roi que les tribus de Dana avaient jugé bon de se choisir pour les guider ? « Votre conseil n'est pas juste, répondit Bobdh Derg, et je ne le suivrai pas. Lîr est un courageux guerrier, toujours prêt à défendre jusqu'au bout la forteresse qu'on lui a confiée. D'ailleurs, qu'il refuse de plier devant moi ne m'empêche pas pour autant d'être le roi des tribus de Dana. »

Ainsi parla Bobdh Derg et, pour prouver son estime et sa déférence envers Lîr, il prit Mananann, fils de Lîr, pour principal conseiller. Mananann lui donna donc son avis quant à la meilleure façon d'établir les tribus de Dana sur l'ensemble de l'Irlande, en fonction du partage conclu avec les Fils de Milé. Selon lui, il fallait disperser les tribus dans les tertres et les établir également dans les collines et les plaines les plus lointaines et les plus écartées. En conséquence de quoi Bobdh Derg répartit entre les chefs et les nobles les résidences de ses sujets. Puis Mananann, qui était aussi habile magicien qu'expert en sciences druidiques, conféra à tous le don d'invisibilité, le Festin de Goibniu et les cochons de Mananann : grâce au don d'invisibilité, personne d'autre qu'eux-mêmes ne pourrait les voir ; le Festin de Goibniu les préserverait de subir les atteintes de l'âge ; quant aux cochons de Mananann, ils leur assureraient une nourriture éternelle puisque, tués le soir et mangés pendant la nuit, ils étaient de nouveau vivants le lendemain matin.

En outre, Bobdh Derg enseigna aux chefs et aux nobles des tribus de Dana comment installer leurs résidences féeriques et comment bâtir leurs forteresses de façon qu'elles ressemblassent à celles de la Terre de Promesse, parfois appelée Emain Ablach, et qui est perdue quelque part au milieu du grand océan. Aussi, les chefs des tribus de Dana prièrent-ils Bobdh Derg, pour lui marquer leur gratitude, de venir chez eux, quand leurs demeures seraient prêtes, et d'y assister au festin qu'ils donneraient pour célébrer la Fête du Temps, date où il convenait que chacun reçut son dû en fait de tributs et d'hommages. [1]

Et il en fut ainsi. Cependant, Lîr fut affligé d'un grand malheur : sa femme, mère de Mananann, mourut au terme d'une maladie qui dura trois jours. Ce deuil lui fut très cruel, car il vouait à sa défunte épouse un amour très ardent et sincère, et il la regrettait amèrement. La nouvelle courut toute l'Irlande et parvint dans la demeure de Bobdh Derg, alors que celui-ci se trouvait réuni avec les chefs des tribus de Dana. « Si Lîr voulait croire en mon amitié, dit Bobdh Derg, je pourrais adoucir son chagrin, malgré la disparition de celle qu'il aimait. J'ai ici, dans ma demeure, les trois plus avenantes jeunes filles qui soient, avec un beau visage et un grand renom dans toute l'Irlande, Aeb, Aifé et Ailvé, toutes trois filles d'Ailill, roi d'Arann. Elles se trouvent sous ma garde et ma protection, puisqu'elles m'ont été confiées pour que je sois leur père adoptif. Qu'en pensez-vous ? Si je lui proposais l'une d'entre elles pour épouse, notre différend serait aplani... »

Les chefs et les nobles des tribus de Dana trouvèrent l'idée excellente. On envoya donc des messagers de la part de Bobdh Derg auprès de Lîr pour lui demander s'il lui plairait de conclure une réelle amitié avec le roi en recevant de lui pour épouse l'une de ses filles adoptives. Lîr fut enchanté de l'offre qu'on lui faisait et se mit en

---

1. Les deux paragraphes consacrés à la répartition des tribus de Dana et aux dons magiques qui leur sont attribués proviennent d'*Altramh Tige da Medar* (la nourriture de la maison des deux gobelets), récit contenu dans le « Livre de Fermoy », manuscrit du XVe siècle, publié avec traduction anglaise par Lilian Duncan dans *Eriu*, vol. XI, Dublin, 1932. Traduction française de Ch.-J. Guyonvarc'h dans *Textes mythologiques irlandais*, Rennes, 1980.

route dès le lendemain, depuis sa demeure de la Blanche Colline, avec cinquante chars tous plus beaux les uns que les autres, en direction du lac Derg où Bobdh avait établi sa résidence et sa forteresse. Il y reçut un bel accueil et s'y vit l'objet des plus flatteuses attentions.

Les trois filles d'Ailill, roi d'Arann, se trouvaient assises sur le même siège que la reine, femme de Bobdh, leur mère adoptive, qui les aimait de tout son cœur. « Lîr, dit Bobdh Derg, voici les filles du roi d'Arann. Tu peux choisir celle qui te plaît le mieux. – Je ne saurais choisir, répondit Lîr, car elles sont toutes trois de grande beauté et de grande noblesse. Néanmoins, je pense qu'il serait plus convenable de prendre l'aînée. – Puisqu'il en est ainsi, dit Bobdh Derg, Aeb est l'aînée : elle sera donc ton épouse, si tel est ton désir. – C'est mon désir », affirma Lîr.

Il prit donc Aeb pour épouse, cette nuit-là, et demeura chez Bobdh Derg pendant une quinzaine de jours. Puis, il emmena la femme dans sa propre forteresse, non sans promettre à tous les chefs des tribus de Dana de les inviter pour la grande fête de ses noces. Aeb lui donna deux enfants, une fille et un garçon, dont les noms furent Finula, c'est-à-dire Blanche Epaule, et Aedh, c'est-à-dire Feu. Au bout d'un certain temps, elle fut de nouveau grosse et, cette fois, donna naissance à deux fils qu'on appela Conn et Fiachra. Mais elle mourut en leur donnant le jour et, à nouveau, pour Lîr, ce fut chagrin et grande tristesse.

La nouvelle de ce deuil parvint très vite à la demeure de Bobdh Derg, et tous ceux qui se trouvaient là poussèrent trois cris de lamentation pour pleurer leur fille adoptive. Mais, quand ils l'eurent pleurée, Bobdh Derg dit : « Il est bien triste de savoir notre fille morte, tant pour l'amour que nous lui portions que pour l'amitié de l'homme de cœur à qui nous l'avions donnée comme épouse. Mais cette amitié entre nous ne sera pas rompue, car je lui donnerai pour femme Aifé, sœur de la défunte. »

Aussitôt qu'il eut connaissance de cette proposition, Lîr vint chercher la jeune fille au lac Derg, l'épousa sur-le-champ et l'emmena chez lui dans sa demeure de la Blanche Colline. Aifé aimait et honorait fort les quatre enfants de sa sœur mais, en vérité, personne au monde n'aurait pu les voir sans leur témoigner honneur et affection. Bobdh Derg en personne avait coutume de se rendre souvent chez Lîr pour les voir, et il les emmenait également séjourner chez lui, car il trouvait leur compagnie des plus agréables.

En ce temps-là, les tribus de Dana célébraient la Fête du Temps sous chaque tertre ou chaque colline féerique, et il appartenait à chacun des chefs d'inviter, à tour de rôle, les autres dans sa résidence. Or, il arriva que vint le tour de Lîr de recevoir à la Blanche Colline les chefs et les nobles des tribus de Dana. Ceux-ci arrivèrent et furent charmés par la beauté et la gentillesse des enfants de Lîr, car ceux-ci faisaient la joie et les délices de tous. Ils avaient coutume de dormir dans la même chambre que leur père et, quand Lîr se levait, le matin, il allait toujours s'étendre un instant parmi eux.

Mais ce comportement de Lîr eut pour conséquence qu'Aifé fut saisie d'une violente jalousie envers les enfants de sa sœur, et qu'elle alla même jusqu'à les prendre en dégoût et en haine. Alors, elle se prétendit malade d'une fièvre qui dura une année entière et, au bout de ce temps-là, décida de se débarrasser de ceux qui causaient son malaise et sa jalousie. Un jour donc, elle fit atteler son char et invita les quatre enfants à y grimper pour l'accompagner jusqu'à la demeure de Bobdh Derg. Une fois qu'ils eurent pris place à ses côtés, Aifé dirigea les chevaux vers le lac Derg. Mais Finula ne se trouvait là qu'à contrecœur, car elle devinait qu'Aifé nourrissait à leur endroit de l'hostilité. Et un songe lui avait même révélé que la sœur de leur mère méditait une sombre trahison.

Or, Aifé fit arrêter le char dans une vallée et dit à ses

serviteurs : « Maintenant, tuez les enfants de Lîr, car ils m'ont ravi l'amour de leur père, et je vous donnerai pour récompense tout ce que vous choisirez de meilleur en ce monde. – Nous n'en ferons rien, répondirent les serviteurs. Ces enfants ne nous inspirent que respect et amour. C'est une méchante idée qui t'est venue là, reine, et tu la paieras un jour. »

Alors, comme ils refusaient obstinément de faire le moindre mal aux enfants de Lîr, Aifé se saisit d'une épée et voulut les frapper elle-même. Mais le courage lui faillit au dernier moment, et elle ordonna de poursuivre le voyage. Parvenue auprès du Lac des Chênes, elle envoya les enfants se baigner dans le lac. Mais ils n'eurent pas plus tôt plongé dans les eaux que, les touchant avec une baguette magique et druidique, elle les changea en quatre cygnes beaux et blancs. « Partez, maintenant, enfants du roi, leur dit-elle. Partez et errez par le vaste monde. Triste sera votre aventure, et le chagrin saisira tous ceux qui vous aiment. C'est parmi les oiseaux, désormais, qu'on entendra pour jamais retentir vos cris et vos lamentations. – Sorcière ! s'écria Finula. Tu nous as frappés sans motif et avec trop de cruauté, mais la vengeance te poursuivra, sois-en sûre : tu périras, en punition de ton forfait, et rien ne pourra te sauver. Dis-nous seulement quel temps tu assignes à l'enchantement dont nous voici victimes. – Je vais vous le dire, et vous ne l'apprendrez pas sans surcroît d'angoisse, répondit Aifé. Je veux que votre enchantement dure aussi longtemps que la Femme du Sud n'aura pas rencontré l'Homme du Nord. Et puisque vous y tenez, sachez que ni amis ni puissance aucune ne pourront vous délivrer de la forme sous laquelle je vous ai enfermés avant que vous n'ayez vécu trois cents ans sur le Lac des Chênes, trois cents ans sur la Passe de Moyle, entre l'Irlande et l'Ecosse, et trois cents ans au havre de Domnann. Malgré votre apparence, vous conserverez votre langage et vous chanterez la douce musique des palais féeriques, le chant si limpide et si suave qu'il mène au sommeil tous les hommes de la terre qui l'entendent. Vous serez donc neuf cents ans sur l'eau à souffrir tantôt du vent glacial, tantôt de l'ardeur du soleil. Telle est ma vengeance, enfants de Lîr, pour m'avoir privée de l'amour de votre père. »

Remontant dans son char, elle ordonna qu'on reprît le voyage. Elle alla de la sorte jusqu'à la demeure de Bobdh Derg et y reçut un bel accueil de la part des chefs et des nobles des tribus de Dana. Mais Bobdh, fils de Dagda, s'étonna qu'elle n'eût pas amené les enfants de Lîr. « Je vais te le dire, répondit-elle. C'est parce que Lîr ne t'aime guère et qu'il ne veut pas te confier ses enfants, de crainte que tu ne les gardes tout à fait, loin de lui. – Cela est bien surprenant, dit Bobdh Derg, car je sais que Lîr a toute confiance en moi et qu'il me confierait volontiers ses enfants que j'aime aussi profondément que s'ils étaient les miens. »

Mais il pensait à part lui qu'il s'agissait d'une fourberie de la femme. Aussi se hâta-t-il d'envoyer des messagers vers la demeure de Lîr, à la Blanche Colline. En les voyant arriver, Lîr leur demanda ce qui les amenait.

« Il s'agit de tes enfants, répondirent-ils. – Comment cela ? s'écria Lîr. Ne sont-ils pas allés dans la demeure de Bobdh Derg en compagnie d'Aifé ? – Non, répondirent les messagers. Et Aifé prétend que c'est toi qui n'as pas voulu qu'ils vinssent chez le fils de Dagda, de peur qu'il ne les gardât. »

En entendant ces paroles, Lîr fut bouleversé, car il devinait trop qu'Aifé avait conçu la perte ou la mort de ses enfants. Aussi, dès le lendemain matin, fit-il atteler son char, et il prit la route qui menait vers le lac Derg. Quand il fut parvenu aux abords du Lac des Chênes, les quatre cygnes aperçurent les chevaux et le char, et Finula dit à ses frères : « Bienvenue soit cette troupe que nous apercevons et qui se dirige vers le lac. Les hommes qui la composent sont nobles et puissants. On lit sur leurs traits la tristesse et le deuil : sans aucun doute, c'est pour nous rechercher qu'ils sont ici. Approchons-nous du bord, car ceux qui arrivent sont forcément Lîr et les gens de sa maison. »

Lîr avait entre-temps fait arrêter son char et s'était approché de la pointe du lac. Il aperçut les cygnes qui venaient à sa rencontre et, ébahi d'entendre qu'ils avaient une voix humaine, leur demanda raison d'un pareil mystère. « Je vais te le dire, Lîr, répondit Finula. Les quatre cygnes que tu vois sont tes propres enfants, et c'est ta femme, sœur de notre mère, qui, dévorée de jalousie, nous a métamorphosés pour nous perdre. – Y a-t-il un moyen de vous rendre votre forme naturelle ? – Il n'y en a pas. Aucun homme au monde n'y pourrait rien, du moins pas avant que nous n'ayons subi l'épreuve du temps. Et celle-ci doit durer neuf cents ans. Voilà quel est notre sort. »

En entendant ces mots, Lîr et ses gens poussèrent trois grands cris de douleur et de lamentation. « Aimeriez-vous, reprit Lîr, venir à terre avec nous, puisque vous avez conservé votre langage, votre raison et votre mémoire ? – Le sortilège qui est sur nous, répondit Finula, nous interdit de vivre avec aucun être humain. Nous devons rester sur les eaux. Mais il nous reste notre langage, et nous pouvons chanter de suaves musiques, telles qu'on en entend dans les palais féeriques. Si vous passez la nuit près de ce lac, nous bercerons votre sommeil de nos chants les plus mélodieux. »

Lîr et ceux qui l'accompagnaient firent donc halte en ce lieu et y établirent leur camp pour la nuit. Ils tendirent l'oreille au chant des cygnes, et les heures s'écoulèrent pour eux de la plus douce façon. Mais, le lendemain matin, Lîr s'adressa aux cygnes et leur dit qu'il devait s'en aller mais qu'il ne les oublierait jamais. Et il poursuivit son chemin jusqu'au palais de Bobdh Derg.

On l'y accueillit avec honneur et bienveillance, mais le fils de Dagda lui reprocha de ne pas avoir amené ses enfants. « Hélas ! répondit Lîr, ce n'est certes pas moi qui refuserais d'amener mes enfants dans ta demeure, bien au contraire. C'est cette Aifé, ta fille d'adoption, la sœur de leur mère, qui les a soumis à un sortilège : elle leur a imposé la forme de cygnes blancs sur le Lac des Chênes, ainsi que tous les gens d'Irlande peuvent s'en rendre compte. Ils sont des oiseaux, maintenant, tout en conservant leur raison, leur esprit, leur voix humaine et leur langage. »

A cette nouvelle, Bobdh Derg fut envahi d'une fureur noire et, mandant Aifé, lui reprocha violemment la mauvaise action qu'elle avait commise. « Ta traîtrise sera châtiée, lui dit-il, et, pour avoir changé l'aspect des enfants de Lîr, sois toi-même sous le coup d'un semblable sortilège. Sous quelle forme, la pire de toutes, ne voudrais-tu pas apparaître toi-même ? – Le pire, je pense, répondit Aifé, serait d'être changée en démon de l'air. – Eh bien ! s'écria Bobdh Derg, c'est donc sous cette forme que tu seras ! »

Il la frappa immédiatement avec sa baguette magique et druidique, et Aifé se trouva soudain changée en un esprit malin de l'air. Elle s'enfuit alors dans les souffles du vent, et c'est sous cette forme qu'elle sera jusqu'à la consommation des siècles, en châtiment du crime perpétré sur la personne des enfants de Lîr.

Quant à Bobdh Derg et aux nobles des tribus de Dana, ils s'en vinrent au Lac des Chênes et y établirent leur camp afin d'écouter le chant des cygnes. Et les Fils de Milé, qui avaient remarqué la beauté de ces chants, avaient également coutume d'y venir, des quatre coins de l'Irlande. Car jamais, sur l'Ile Verte, il n'y eut musique si délicieuse qui pût se comparer à celle des quatre cygnes. Et les cygnes racontaient aussi des histoires et se divertissaient à converser chaque jour avec les hommes et les femmes qu'ils avaient autrefois connus, que ceux-ci fussent leurs anciens maîtres ou leurs anciens compagnons de jeux. Et, chaque nuit, ils se reprenaient à chanter la suave musique du pays féerique : quiconque entendait cette musique dormait d'un profond et paisible sommeil, si vifs que fussent les tourments ou les chagrins dont il se trouvait affligé. Au seul chant des quatre oiseaux, chacun goûtait la plénitude du bonheur.

Ces assemblées des tribus de Dana et des Fils de Milé se perpétuèrent ainsi sur les rives du Lac des Chênes pendant trois cents longues années. Mais, alors, Finula dit à ses trois frères : « Savez-vous que nous avons achevé le temps que nous devions passer ici ? Demain, il nous faudra partir. »

A ces mots, les fils de Lîr furent saisis d'une grande peine, car la possibilité de converser avec ceux qu'ils connaissaient, avec leurs parents, leurs amis, les réconfortait chaque jour et leur permettait de subir leur sort sans trop de souffrance. De plus, ils se savaient condamnés à gagner des régions très rudes, battues par tous les vents qui viennent du nord. Le lendemain matin, les trois frères et leur sœur vinrent une dernière fois parler à leurs deux pères, à savoir Lîr, leur père naturel, et Bobdh Derg, leur père adoptif. Ils leur dirent adieu, et Finula chanta un chant de tristesse dans lequel elle déplorait de devoir quitter pour des parages inconnus des lieux qu'elle aimait.

Quand elle eut fini de chanter, les quatre cygnes prirent leur essor et, d'une aile vive et légère, s'élancèrent dans le ciel vers la Passe de Moyle, entre l'Irlande et l'Ecosse. On les vit enfin disparaître, la gorge serrée, à l'horizon, et de là date, en Irlande, l'interdiction de tuer des cygnes.

La Passe de Moyle était un endroit inhospitalier et terrible à vivre. Quand les enfants de Lîr virent, devant eux, s'étendre la vaste côte, ils se sentirent noyés de froid, d'humidité, de crainte et d'angoisse. Toutes les misères qu'ils avaient déjà subies leur semblaient légères au regard de celles qu'ils prévoyaient. Une nuit, alors qu'une grande tempête les assaillait, Finula dit à ses frères : « Ce serait grande pitié que de ne pas nous préparer à la nuit qui vient, car la tempête est si forte et si mauvaise que nous risquons fort d'être séparés les uns des autres. Il convient donc de fixer un lieu où nous puissions nous retrouver si le vent et l'orage nous dispersaient. »

Ils décidèrent de se donner rendez-vous à l'Ile aux Phoques, car ils en connaissaient tous quatre la position. A l'approche de la mi-nuit, le vent redoubla de violence, la rumeur des vagues s'amplifia dans les éclairs de l'orage, et l'ouragan déchaîné balaya si bien toute l'étendue des flots que les enfants de Lîr furent dispersés sur le vaste océan, sans qu'aucun d'entre eux pût savoir où la tempête avait jeté les autres. Mais, enfin, la tourmente s'apaisa et un grand calme envahit le ciel et la terre. Finula se retrouva seule sur la Passe de Moyle et, en voyant que ses frères avaient disparu, elle chanta un chant de lamentation et de désespoir.

Puis, elle se dirigea sans tarder vers l'Ile aux Phoques et y resta toute la nuit. Au lever du soleil, comme elle scrutait l'horizon, elle aperçut son frère Conn qui approchait péniblement, la tête pendante et le plumage détrempé. Elle lui fit bon accueil et le réconforta du mieux qu'elle put. Peu après, survint à son tour, en aussi piètre état, Fiachra qui, à demi noyé, grelottait de froid et de souffrance. Finula le prit sous son aile et murmura : « Pourvu qu'Aedh puisse nous rejoindre, nous serions bien aises... »

De fait, peu après, leur apparut Aedh, la tête haute et le plumage sec, car il avait trouvé une grotte où se mettre à l'abri. Finula lui fit bon accueil et, de manière à les réconforter tous trois, plaça Aedh sous son poitrail, Conn sous son aile droite et Fiachra sous son aile gauche, tant et si bien que, blottis dans son duvet, ils finirent par se réchauffer.

« Hélas, mes frères ! dit-elle, si elle fut bien cruelle, la nuit que nous venons de vivre, nous en devrons subir bien d'autres encore plus terribles avant de pouvoir quitter cet endroit. »

Et, de fait, ils demeurèrent un très long temps à la Passe de Moyle, endurant le froid et la misère, jusqu'à ce que la neige, une nuit, les accablât. Ils n'avaient jamais souffert pire malheur. Ils pleuraient et gémissaient sur la cruauté de leur sort, sur le froid de la nuit, sur l'épaisseur de la neige et sur l'aigreur du vent dont les souffles glacés, transperçant leur plumage, mordaient leurs os. Après qu'ils eurent pâti de cette situation pendant une année entière, une nuit bien pire s'abattit sur eux : ils se trouvaient alors sur l'Ile aux Phoques, mais l'eau gelait autour d'eux et, comme ils se reposaient sur le roc, leurs pattes, leurs ailes, leurs plumes se prirent à geler, les collant si étroitement à la pierre qu'ils ne pouvaient faire un mouvement. Ils se débattirent cependant de toute la vigueur dont ils disposaient encore et parvinrent à se libérer, mais non sans y laisser la peau de leurs pattes, beaucoup de plumes et l'extrémité de leurs ailes. « Hélas, enfants de Lîr ! dit Finula, triste est la situation où nous nous trouvons, car nous ne pouvons endurer que l'eau salée nous touche et, pourtant, nous sommes tenus de ne pas quitter la mer : si le sel de l'eau pénètre dans nos plaies, nous risquons la mort. »

Il leur fallut donc revenir au courant marin de Moyle, mais l'eau chargée de sel était si vive et si cruelle que leurs plaies les firent atrocement souffrir. Et pourtant, si âpre que fût cette eau, ils ne pouvaient ni la fuir ni s'en préserver, car tel était leur destin. Ils restèrent ainsi le long du rivage, endurant toutes les misères du monde jusqu'au jour où, leurs plumes ayant repoussé, leurs plaies s'étant cicatrisées, ils se trouvèrent entièrement guéris. Alors, dès le matin, ils s'élançaient dans le ciel et atteignaient les rivages de l'Irlande ou ceux de l'Ecosse mais, chaque soir, avant le coucher du soleil, il leur fallait revenir à la Passe de Moyle.

Un jour qu'ils survolaient les côtes de l'Irlande, ils arrivèrent à l'embouchure de la Boyne et y aperçurent une troupe de cavaliers de belle allure et qui, richement vêtus de blanc, montaient des coursiers agiles et bien dressés. « Savez-vous qui sont ces cavaliers, enfants de Lîr ? demanda Finula. – Nous l'ignorons, répondirent ses frères, mais il se pourrait qu'ils fussent des Fils de Milé ou des enfants des tribus de Dana. »

Ils s'approchèrent davantage du rivage afin d'identifier les beaux cavaliers qui, les apercevant, s'approchèrent assez pour lier conversation. Il y avait là les deux fils de Bobdh Derg, Aedh à l'esprit agile et Fergus le Sage, et avec eux des nobles des tribus de Dana. Ils avaient quitté la demeure de Bobdh Derg pour aller dans celle de Lîr y célébrer la Fête du Temps. Les cygnes se firent alors reconnaître comme les enfants de Lîr, et les nobles des tribus de Dana, tout heureux de cette rencontre, leur souhaitèrent la bienvenue tout en s'informant de leur sort. Puis, Finula demanda des nouvelles de Lîr, de Bobdh Derg et de tous les autres chefs du peuple féerique.

« Ils sont tous aussi sains et valeureux que lorsque vous étiez des nôtres, leur répondit-on. Ils résident dans les mêmes lieux et, demain, ils se réunissent dans le palais de votre père, à la Blanche Colline. On y célébrera la Fête du Temps de façon plaisante et heureuse, sauf que chacun y déplorera votre absence, car nul ne savait ce que vous étiez devenus depuis votre départ du Lac des Chênes. – Hélas, notre sort ne vaut pas le vôtre, dit Finula. Nous avons subi de lourdes et pénibles épreuves, nous avons souffert d'interminables tourments sur les flux et reflux de la mer, depuis lors et jusqu'à ce jour. »

Et, là-dessus, elle chanta ce chant :

« *On mène grande joie dans le palais de Lîr.*
On y boit de la bière et de l'hydromel.
Pourtant, froide est la nuit quand reposent
les quatre enfants du roi.
Nos couvertures sont sans tache,
car seule la plume revêt notre corps.
Autrefois, nos habits furent de pourpre,
nous buvions le doux hydromel ;
à présent, notre boire et notre manger,
c'est le sable et l'onde amère de la mer.
Nous avions autrefois des lits bien moelleux
de duvet ravi aux oiseaux ;
mais, à présent, nos lits sont des rochers nus
que les vagues ne peuvent pas atteindre... »

Sur ce chant, les oiseaux prirent congé des cavaliers et s'élancèrent dans le ciel où ils disparurent bientôt. Les nobles des tribus de Dana s'en allèrent jusqu'au palais de Lîr, à la Blanche Colline, et ils racontèrent à tous ce que les cygnes avaient souffert et quelle était la tristesse de leur sort. « Nous ne pouvons rien pour eux, dirent les chefs et les nobles, mais nous sommes heureux de les savoir encore en vie, car il est certain qu'ils seront secourus à la fin des temps. »

Quant aux enfants de Lîr, ils étaient retournés à leur séjour de la Passe de Moyle, et ils y demeurèrent aussi longtemps qu'ils y étaient tenus. Mais, un jour, Finula avertit ses frères qu'il fallait partir. « Voici venue l'heure où nous devons quitter cet endroit maudit pour le havre de Domnann. Mais d'autres épreuves nous y attendent car, là-bas, nous n'aurons nul repos, nulle place pour atterrir, nul abri contre la tempête. Partons néanmoins sur l'aile glacée du vent, puisque tel est notre destin. »

Ils s'éloignèrent donc de la Passe de Moyle et, parvenus au havre de Domnann, vécurent une vie féconde en misères et en tourments. Une fois, la mer qui gelait autour d'eux les immobilisa totalement. Comme ses trois frères se lamentaient, Finula les consola du mieux qu'elle put, leur affirmant qu'ils seraient secourus quand viendrait le temps de leur délivrance. Et ils demeurèrent ainsi au havre de Domnann pendant les trois cents ans qui leur avaient été assignés. « Voici le moment de partir, dit un jour Finula. Nous pouvons désormais regagner le palais de Blanche Colline, où habite notre père avec tous ses gens. »

Ses frères s'en réjouirent grandement, et tous quatre prirent leur envol, et l'air leur sembla soudain plus doux et plus léger. Aussi eurent-ils tôt fait d'atteindre Blanche Colline et de s'y poser. Mais ils furent saisis d'étonnement et d'angoisse en découvrant les lieux entièrement déserts. On ne voyait là que des tertres verts, des pierres éparses, des fourrés d'orties. Tous les quatre, alors, se serrèrent l'un contre l'autre et poussèrent trois cris de douleur et de lamentation. Puis, Finula chanta ce chant :

> « *Hélas ! je demeure interdite !*
> *Pas un toit, pas un foyer !*
> *En voyant ce qu'il est devenu,*
> *ce lieu apporte l'amertume à mon cœur.*
> *Pas un chien, pas une meute,*
> *pas une femme, pas même une ombre,*
> *nous n'avons pas connu ce lieu ainsi*
> *quand Lîr, notre père, y régnait.*
> *Il n'y a plus ni coupe, ni breuvage enivrant*
> *dans une salle illuminée,*
> *ni jeunes gens remplis de joie*
> *autour du foyer, pendant le festin.*
> *Mon cœur est lourd lorsque j'y pense,*
> *lorsque je me souviens d'autrefois,*
> *et c'est un grand chagrin de voir cette demeure*
> *déserte et abandonnée comme ce soir.* »

Cependant, les enfants de Lir restèrent cette nuit-là sur le lieu où s'était élevé le palais de leur père et où ils avaient grandi. Et ils chantaient la douce musique du peuple féerique. Au petit matin, ils prirent leur essor, s'élevèrent dans le ciel et gagnèrent l'île de Clare. Là, tous les oiseaux du pays s'assemblèrent autour d'eux, et le lac sur lequel ils se trouvaient fut nommé depuis le Lac des Oiseaux.

Or, c'était le temps où le bienheureux Patrick avait apporté la foi du Christ en Irlande. Et son disciple, qui se nommait Mohévog, s'était établi dans l'île de Clare et y avait bâti un ermitage. Au bout de leur première nuit dans cette île, les enfants de Lîr entendirent le son d'une cloche qui tintait non loin. Ils furent saisis d'étonnement et de crainte, car ils n'avaient jamais rien entendu de tel. Ils écoutèrent pourtant la musique de la cloche tant qu'elle dura et, ensuite, ils se mirent à chanter en sourdine la douce musique des palais féeriques.

En entendant ces accents suaves, Mohévog, charmé par la tristesse du chant, pria Dieu de lui révéler qui pouvait bien chanter cette musique qu'il n'avait jamais entendue auparavant. Et, la nuit suivante, il eut un songe au cours duquel il lui fut révélé que les chanteurs étaient les enfants de Lîr. Le lendemain matin, il alla jusqu'au Lac des Oiseaux et aperçut les quatre cygnes sur la surface des eaux. Il descendit vers eux jusqu'au rivage. « Êtes-vous les enfants de Lîr ? demanda-t-il. – Nous le sommes, répondirent-ils. – J'en remercie Dieu, dit Mohévog, car c'est pour l'amour de vous que je suis venu dans cette île, de préférence à toutes les autres. Maintenant, enfants de Lîr, venez à terre et fiez-vous à moi. Vos souffrances sont terminées, et je veillerai sur vous. »

Ils abordèrent, et Mohévog les emmena dans son ermitage. Chaque fois que Mohévog célébrait la messe, ils assistaient à l'office. Et, tous les quatre, ils se sentaient enfin en sûreté et à l'abri du froid et de la tempête. Mohévog fit fabriquer par un habile forgeron des chaînes d'argent brillant. Il mit l'une des chaînes entre Aedh et Finula, l'autre entre Conn et Fiachra. Et tous quatre lui chantaient d'admirables chants qui lui réjouissaient le cœur.

En ce temps-là, le roi de Connaught était Lergnenn, fils de Colmann, et Déoch, fille de Finghinn, était sa reine. Ils étaient l'Homme du Nord et la Femme du Sud dont Aifé avait parlé lorsqu'elle avait lancé son sortilège contre les enfants de Lîr. Elle avait prédit qu'ils se rencontreraient. Or, la femme entendit parler des cygnes, et un grand désir lui vint de les posséder. Elle pria Lergnenn de les lui amener, et le roi lui répondit qu'il prierait Mohévog de lui confier les oiseaux. Il envoya donc des messagers vers Mohévog, mais ceux-ci revinrent en disant que le saint ermite refusait de s'en séparer.

Alors, la reine Déoch entra dans une violente colère et jura qu'elle ne resterait pas avec le roi une nuit de plus s'il ne lui amenait sur-le-champ les oiseaux qui faisaient l'objet de son grand désir. Lergnenn se rendit donc en personne auprès de Mohévog et lui demanda s'il avait vraiment refusé de donner les cygnes.

« C'est l'exacte vérité », répondit Mohévog.

Le roi Lergnenn se mit en colère. Il entra dans la chapelle où se trouvaient les cygnes et les saisit, les arrachant à l'autel, deux dans chaque poing, afin de les ramener à la reine. Mais il n'eut pas plus tôt porté la main sur eux que leur plumage tomba : et, à la place des cygnes, on vit trois maigres vieillards flétris et une vieille femme toute menue, qui n'avaient plus ni chair ni sang. Et Lergnenn fut tellement effrayé par ce spectacle qu'il prit la fuite. Alors, Finula dit à Mohévog : « Saint homme, il est temps que tu nous baptises, car nous ne sommes plus pour longtemps dans ce monde. Quand nous serons morts, creuse notre tombe et place Conn contre mon flanc droit et Fiachra contre mon flanc gauche. Quant à Aedh, tu le mettras face à mon visage, entre mes deux bras. Hâte-toi, car notre temps touche à sa fin. »

Mohévog baptisa sans tarder les quatre enfants de Lîr, et ils moururent aussitôt. Alors, Mohévog les ensevelit comme le lui avait demandé Finula. Il dressa sur leur tombe un pilier de pierre et y grava leurs noms en *ogham*. Puis, il récita des prières afin que les malheureux enfants de Lîr eussent enfin la paix éternelle. [1]

---

1. D'après le récit *Oidheadh Clainne Lîr* (le sort tragique des enfants de Lîr), contenu dans divers manuscrits de la fin du Moyen Âge. Résumé détaillé par Myles Dillon dans *Early Irish Literature*, Dublin, 1994. Traduction française par Roger Chauviré dans *Contes ossianiques*, Paris, 1949.

CHAPITRE VIII

Les tribulations du jeune Angus

Au temps où Bobdh Derg régnait sur les tribus de Dana, les principaux chefs du peuple féerique se rendaient fréquemment visite, notamment pour célébrer la Fête du Temps. Parmi ces chefs, il en était un de plus célèbre que les autres, Eochaid Ollathair, père du roi, que l'on connaissait surtout sous le nom de Dagda. Il était respecté par tous, parce qu'il accomplissait des merveilles et pouvait déclencher des tempêtes ou les apaiser. Mais il protégeait également les récoltes, et faisait en sorte que les troupeaux eussent toujours de gras pâturages, c'est de là que lui venait son nom de Dagda, c'est-à-dire « dieu bon ». Et les gens des tribus de Dana, lorsqu'ils avaient besoin d'un conseil, ne manquaient pas de venir le consulter sur les événements à venir, car il était aussi bon devin que grand magicien.

Un jour, Elcmar donna un grand festin dans sa résidence de Brug-na-Boyne, et Dagda ne manqua pas d'y venir, car Elcmar était son frère, et il se serait couvert de honte auprès des tribus de Dana s'il n'avait ainsi rendu hommage à celui-ci, dont le palais était sans conteste le plus beau de toute l'Irlande [1]. Et le festin dura trois jours et trois nuits.

---

1. Rappelons qu'il s'agit du cairn mégalithique de Newgrange,

217

Or, Elcmar avait une femme qui se nommait Boann, et elle était si belle qu'en la voyant Dagda fut tenaillé du violent désir de la connaître charnellement. Il guetta le moment propice pour la rencontrer sans témoin et, quand l'occasion se présenta, lui en fit l'aveu sans aucune honte ni réserve. « J'irais volontiers m'unir à toi, répondit Boann, mais je redoute la colère d'Elcmar, car il est habile magicien, et il se vengerait de moi de la façon la plus cruelle et la plus douloureuse. – Certes, dit Dagda, il est habile magicien, mais je le suis davantage, et je sais le moyen de le tenir à l'écart de tout ce qui nous concerne. Fais-moi confiance, ô femme, et ne crains rien. »

Le soir même, Dagda pria Elcmar d'aller porter un message de sa part à Bress, fils d'Elatha, qui avait sa résidence dans la Plaine de l'Ile. Le lendemain matin, Elcmar quitta donc le palais de la Brug pour s'acquitter de sa mission. Mais, dès qu'il fut un peu éloigné, Dagda mit de grands charmes sur lui afin qu'il ne revînt pas d'un an. Il l'égara dans l'obscurité de la nuit et lui épargna la faim et la soif, mettant également sur lui de longues errances, mais de telle sorte qu'il ne sentit pas le temps passer et crut que son voyage n'avait duré qu'un seul jour et une seule nuit.

Alors, Dagda alla trouver Boann, et tous deux eurent tout le loisir de s'unir. Tant et si bien même que Boann conçut et qu'au bout de neuf mois, elle donna naissance à un garçon, le plus beau et le plus agréable qui fût. « Quel nom allons-nous lui donner ? demanda Dagda. – Qu'il soit nommé Angus, c'est-à-dire Choix Unique, répondit Boann, car il est le fruit de mon union avec toi, et celle-ci a été le choix unique de ma vie. »

Le fils de Boann et de Dagda fut donc nommé Angus mais, par la suite, on l'appela surtout le Mac Oc, c'est-à-dire le « jeune fils », car il était le dernier-né de Dagda

_____

dans le comté de Meath, non loin de Slane, au-dessus de la vallée de la Boyne.

et possédait toutes les qualités de son père, ainsi que la beauté de sa mère. Quand Elcmar revint de voyage, Boann était déjà parfaitement remise de ses couches, et, loin de remarquer ce qui s'était passé, il demeura persuadé de n'avoir passé qu'un jour et une nuit hors de sa résidence de Brug-na-Boyne.

Avant le retour d'Elcmar, Dagda avait d'ailleurs emmené son fils pour le faire élever dans la demeure de Mider, dans le tertre de Bri Leith. Il l'avait confié à Mider parce qu'il avait toute confiance en lui, et savait qu'il élèverait le garçon dans les meilleures conditions possibles parmi les enfants les plus nobles de toute l'Irlande. Angus fut donc nourri et élevé à Bri Leith pendant de longues années. Mider avait une grande plaine de jeux devant la demeure de Bri Leith, et il hébergeait chez lui cent cinquante jeunes gens et cent cinquante jeunes filles que lui avaient confiés les chefs des tribus de Dana et ceux des Fir Bolg qui résidaient encore en Irlande. Angus était leur champion à tous, car il était plus vigoureux et plus habile que les autres, et Mider éprouvait pour lui autant d'affection que s'il avait été son propre fils.

Or, un jour, Angus se prit de querelle avec Triath, fils de Fébal, du clan des Fir Bolg et l'un des chefs de jeux de ceux que l'on élevait dans le tertre de Bri Leith. Triath était également l'un des fils adoptifs de Mider, lequel avait beaucoup de considération pour lui. Triath venait de reprocher à Angus d'avoir mal jugé le vainqueur d'une course, et le jeune homme se mit en colère : « Il me faudrait supporter, s'écria-t-il, les leçons d'un fils de serf ! »

En effet, il prenait encore Mider pour son père et croyait que la souveraineté sur Bri Leith était son héritage. Il ignorait tout de sa parenté avec Dagda. Mais, en s'entendant injurier, Triath s'emporta : « Il me faudrait supporter, moi, rétorqua-t-il, que me parle sur ce ton un mercenaire dont nul ne connaît le père ni la mère ! »

A ces mots, Angus demeura triste et désemparé. Mais, sans plus tarder, il s'en alla trouver Mider, car il voulait savoir la vérité au sujet de ce qu'avait dit Triath.

« Que t'arrive-t-il donc ? lui demanda Mider, en le voyant arriver avec un air sombre et les yeux pleins de larmes. – Triath, le fils de Fébal, m'a profondément humilié, répondit Angus. Il m'a injurié et jeté à la face que je n'avais ni père ni mère. – C'est faux, dit Mider. Il est vrai que je ne suis pas ton père, bien que je t'aie élevé avec la tendresse d'un père. Mais je puis t'affirmer que tu as un père et une mère. – Alors, reprit Angus, je te prie de me dire qui est ma mère et où je pourrais trouver mon père. – Ce n'est pas difficile : ta mère est Boann, la femme d'Elcmar de Brug-na-Boyne, mais ton père n'est pas Elcmar. C'est Eochaid Ollathair, mieux connu sous le nom de Dagda. C'est lui qui m'a chargé de t'élever, à l'insu d'Elcmar, afin qu'il ne soit pas offensé parce que tu es né malgré lui. Voilà la vérité, mon garçon, et je ne veux pas que tu m'en veuilles de ne pas t'avoir révélé plus tôt tes origines : il fallait avant tout protéger ta mère, car si Elcmar avait appris ce qui s'était passé, il se serait vengé sur elle. – Fort bien, dit Angus. Je te rends grâce de m'avoir révélé que je n'étais pas un enfant sans père ni mère. Maintenant, je vais te demander de m'emmener chez mon père, afin qu'il me reconnaisse et qu'ainsi je ne sois plus exposé aux insultes des Fir Bolg. »

Mider partit donc avec son fils adoptif s'entretenir avec Dagda. Ils arrivèrent à Uisnech de Meath, dans le centre de l'Irlande, où résidait Dagda à l'époque. Ils le trouvèrent au milieu d'une assemblée des chefs et des nobles des tribus de Dana. Mider l'appela et le pria de se retirer à l'écart pour converser avec le jeune homme qui l'accompagnait. Quittant l'assemblée, Dagda les rejoignit aussitôt. « Hé bien, demanda-t-il, que désire ce jeune guerrier qui n'est encore jamais venu ici ? – Il désire être reconnu par son père, répondit Mider, et qu'on lui donne également de la terre, car il n'est pas convenable que ton fils n'ait rien alors que tu possèdes de grands domaines dans toute l'Irlande. – C'est juste, dit Dagda. Bienvenue à lui puisqu'il est mon fils. Mais sa demande me pose un problème, car il n'est aucune terre qui soit libre dans mes domaines. – Tu ne peux pourtant refuser une terre à ton fils, reprit Mider. – Je le sais, dit Dagda. Qu'il m'accorde seulement un délai pour trouver une solution, et je lui donnerai satisfaction. » [1]

Dagda alla prendre conseil de Mananann, fils de Lîr, et, après lui avoir exposé le cas, tous deux réfléchirent sur la manière de procéder.

« Je lui donnerais volontiers le domaine de Brug-na-Boyne, expliquait Dagda, mais comment l'obtenir d'Elcmar ? Il ne voudra jamais s'en dessaisir… – Ce n'est pas si sûr, répondit Mananann. Si tu veux m'en croire, voici ce que nous allons faire : Elcmar a invité les chefs et les nobles des tribus de Dana à célébrer la Fête du Temps dans sa demeure de Brug-na-Boyne, pour la veille de *Samain* prochain. Arrange-toi pour que ton fils t'y accompagne, et, moi, je m'arrangerai pour lui faire attribuer la possession de la Brug, avec l'assentiment même d'Elcmar, et sans que personne y trouve à redire quoi que ce soit. »

Aussi Mananann, Dagda et Angus partirent-ils de conserve pour les bords de la Boyne dont l'herbe verte était couverte de rosée. Ils y furent tous trois reçus avec honneur, et on recouvrit la salle du festin de paille et de roseaux frais pour qu'ils y fussent à leur aise. La salle était belle et somptueuse : le sol en était de bronze, d'une porte à l'autre ; des plaques de bronze blanc en ornaient les murs, et de beaux lits d'argent, décorés d'animaux de

---

1. D'après le récit *Tocmarch Etaine* (*La Courtise d'Etaine*), contenu dans le « Livre Jaune de Lecan », édité et traduit en anglais par O. Bergin et R. I. Best, dans *Eriu*, vol. XII, Dublin, 1938. Traduction française par Ch.-J. Guyonvarc'h, dans *Textes mythologiques irlandais*, Rennes, 1980.

toutes sortes finement ciselés, y étaient dressés. Elcmar avait ordonné à ses serviteurs d'aller dans les lieux les plus sauvages de l'Irlande chercher des oiseaux, du poisson et du gibier en l'honneur de ses visiteurs. Les chefs des tribus de Dana s'assirent pour le festin, Bobdh Derg au milieu, avec Mananann à sa droite et Dagda à sa gauche. Plus loin, se trouvaient Mider et Angus, avec Elcmar et Goibniu.

Comme on les régalait de la fleur de chaque boisson et de chaque mets, les convives étaient heureux et de bonne humeur. Des musiciens vinrent leur jouer des airs de l'ancien temps, et l'on récita des poèmes où il était question des grandes prouesses qu'avaient accomplies les tribus de Dana lors de leurs affrontements contre les Fir Bolg et les Fomoré. Après quoi, tous allèrent se divertir sur la prairie devant la forteresse, et, à cette occasion, Mananann prit Angus à part afin de lui parler sans que personne ne pût les entendre. « Cette maison est belle, ô Angus, dit Mananann, et je n'en ai guère vu de semblable que dans la Terre de Promesse. Quelle situation bonne et plaisante elle a, sur les bords de la Boyne, à la frontière des cinq provinces ! Si j'étais toi, Angus, cette demeure serait mienne, et je lancerais des incantations sur Elcmar pour le sommer de la quitter sur l'heure et de m'en laisser l'entière possession. Nous sommes à la veille de *Samain* et tu sais que, pendant la nuit de *Samain*, le temps n'existe plus. Aussi te suffirait-il de demander à Elcmar la souveraineté de la Brug durant une nuit et un jour : il est si échauffé par la boisson qu'il ne se rendra pas compte qu'une nuit et un jour, en pleine fête de *Samain*, équivalent à l'éternité. – Pourquoi me donnes-tu ce conseil ? demanda Angus. – Ce n'est pas difficile, répondit Mananann. Comme ton père veut te donner un domaine, il m'a chargé de t'instruire sur ce qu'il fallait faire. – Dans ce cas, dit Angus, je suivrai ton avis. – Jure d'abord sur ton bouclier pourpre et sur ton épée que tu agiras en tous points comme je te le dirai. » Angus prononça le serment que Mananann exigeait de lui. « Fort bien, reprit Mananann. Sais-tu que cette demeure ne convient pas à Elcmar, et que ce n'est pas à lui que la Brug est destinée ? Quand nous aurons regagné la salle du festin, tout à l'heure, pour y savourer la boisson qu'on nous a préparée, tu iras devant Elcmar et, tirant ton épée, tu menaceras de le tuer. Tu n'en feras rien, pourvu qu'il promette de faire ta volonté. Alors, tu exigeras de lui la souveraineté d'un jour et d'une nuit sur la Brug. Il ne pourra se dérober et lorsque, ce temps écoulé, il te demandera de lui rendre la souveraineté, tu lui diras simplement que c'est en jours et en nuits que le monde se passe, et qu'il n'a plus rien à faire ici, puisqu'il t'a donné la Brug pour l'éternité. »

Ils revinrent tous dans la salle du festin, et Angus suivit point par point le conseil de Mananann. Elcmar lui abandonna donc la souveraineté de la Brug pour une nuit et un jour. Mais, au bout de ce temps, quand il vint lui réclamer la restitution de son domaine, Angus jeta sur lui une incantation magique et lui ordonna de quitter la Brug sans retard ni délai. Et, dès qu'il eut entendu cet ordre, Elcmar se leva aussi prestement qu'un oiseau qui se voit guetté par un chat prêt à bondir sur lui.

Elcmar sortit donc de la maison avec tous ses gens, aussi bien les hommes que les femmes. Aucun d'entre ceux qui se trouvaient réunis dans l'assemblée n'aurait pu l'en empêcher, et personne n'aurait pu murmurer contre l'injustice, car l'incantation était trop puissante pour que quiconque fût en mesure de s'y dérober. Mais lorsqu'il se retrouva dans la prairie tout humide des vapeurs de la nuit, Elcmar regarda sa femme et tous ses gens, et il prononça cette lamentation : « Comme vous êtes tristes et misérables, ô vous qui êtes de ma famille et de mon clan ! Il vous est pénible de quitter la Boyne et la Brug, et vous aurez grand-peine et grand chagrin lorsque vous serez au loin, en exil dans des pays inconnus. C'est, à l'évidence, le perfide Mananann qui a enseigné ce tour à Angus. Ah ! peu s'en faut que le désespoir ne m'accable et me tue. » [1]

Cependant, avant de quitter les lieux, Elcmar se retourna, fit appel à Dagda, et celui-ci vint le rejoindre. « O Dagda, dit Elcmar, toi qui es le plus sage d'entre nous, que penses-tu du méchant tour que l'on m'a joué ? – J'y vois un jugement sans défaut, répondit Dagda. C'est à ce jeune guerrier que ta terre appartient désormais. Il t'a pris par surprise, un jour de paix et d'amitié, car c'est par peur d'être tué que tu as confié ton domaine à Angus. Mais je vais t'offrir une compensation : tu recevras de moi une terre qui ne te sera pas moins profitable que la Brug. – Quelle est-elle ? demanda Elcmar. – Je vais te le dire : il s'agit de Cletech, avec les trois vallées qui l'entourent. Elle est peu distante d'ici. Tes jeunes gens pourront venir jouer dans la Brug chaque jour devant toi, et tu consommeras les fruits de la Boyne comme auparavant. – C'est bon, dit Elcmar, qu'il en soit ainsi. »

Il partit donc pour la colline de Cletech et s'y bâtit une forteresse. Quant à Angus, le Mac Oc, il demeura dans la résidence de Brug-na-Boyne. [2]

Angus organisa sa nouvelle demeure comme il l'entendait. L'intendant d'Elcmar n'avait pas suivi celui-ci, et il était venu se présenter à son nouveau maître, en compagnie de sa femme et de son fils. Angus lui dit qu'il le maintenait dans toutes ses fonctions et le prenait sous sa protection. Et, dès lors, l'intendant lui fut tout dévoué, veillant à ce que tout fût pour le mieux dans le palais de la Brug.

Or, une nuit qu'Angus dormait paisiblement, il eut sou-

---

1. Synthèse entre *La Courtise d'Etaine* et *La nourriture de la maison des deux gobelets*. Dans le premier récit, c'est Dagda qui imagine la ruse destinée à spolier Elcmar ; dans le second, où Angus est le fils adoptif d'Elcmar lui-même, c'est Mananann.
2. D'après le récit de *La Courtise d'Etaine*.

dain une vision surprenante. En songe, il aperçut une jeune
fille qui venait vers lui et se plaça à son chevet. C'était
assurément la plus belle fille qu'il y eut jamais en
Irlande. Angus voulut lui saisir les bras pour l'attirer dans
son lit, mais elle, d'un bond, s'écarta puis s'éloigna jusqu'à se fondre dans l'obscurité.

Angus se leva et interrogea ses serviteurs, mais aucun
d'eux n'avait vu la belle, et personne ne put lui dire où
elle était allée. Il se recoucha mais chercha vainement le
sommeil, tant le hantait la gracieuse image de la jeune
fille, et il demeura ainsi jusqu'au matin, qui le trouva tout
languissant et mélancolique. La forme qu'il avait entrevue durant la nuit, sans pouvoir la saisir ni même lui parler, le rendait malade. Désormais, il n'eut plus de goût
pour la nourriture. La nuit suivante, cependant, l'épuisement le fit sombrer dans un profond sommeil, et il la
revit, mais, cette fois, elle tenait une cymbale dans sa
main, qui était la plus belle qu'il eût jamais vue. Elle lui
joua de la musique puis disparut comme elle était venue.
Angus demeura éveillé le restant de la nuit et, le lendemain, ne prit aucun repas. Et il en fut de même chaque
nuit : la fille approchait de son lit dès qu'il s'endormait,
mais elle le fuyait ou bien lui jouait une musique qui
l'endormait sitôt qu'il s'était réveillé.

Cela dura pendant une année entière, et Angus semblait atteint d'une maladie de langueur. Mais, comme il
ne confiait à personne les origines de son mal, tout son
entourage s'inquiétait. On fit venir de nombreux médecins d'Irlande, mais aucun d'eux ne put dire de quoi il
souffrait ni quels remèdes conviendraient pour le guérir.
Alors, on alla trouver Fingen, le plus grand médecin
d'Ulster. Il reconnaissait au seul visage de quelqu'un de
quelle maladie il était affligé, et il lui suffisait de regarder
la fumée s'échapper du toit pour savoir combien de
malades il y avait dans une maison. Il se rendit donc à la
demeure de la Brug.

Or, après avoir soigneusement examiné le Mac Oc, il fut néanmoins incapable de dire de quoi souffrait celui-ci. Alors, Angus demanda qu'on le laissât seul avec Fingen, et il lui conta tout ce qui s'était passé, insistant sur la beauté de la fille qui venait le visiter chaque nuit.

« Tes aventures sont loin d'être heureuses, dit Fingen, car tu aimes d'amour une femme qui est toujours absente. – C'est bien là mon mal, dit Angus. – Tu es tombé dans un état lamentable, reprit Fingen, et cela pour n'avoir pas osé confier ton secret. – Je ne pouvais le faire, car personne ne m'aurait cru. Une fille d'une rare beauté, d'une distinction sans égale, est venue vers moi, une cymbale dans sa main, et, chaque nuit, elle me jouait une musique délicieuse. Voilà ce qui cause mon état de langueur, je le sais. Mais comment faire pour me guérir ? – Ce n'est pas difficile, répondit Fingen. Cette fille est, à l'évidence, venue vers toi parce qu'elle t'aime d'amour. Pourquoi ne la point faire rechercher ? Envoie des messagers vers Boann, ta mère, et prie-la de venir te parler. »

On alla donc trouver Boann à la maison de Cletech, et on l'informa que son fils était malade. Elle se hâta d'aller à Brug-na-Boyne, et c'est Fingen qui l'accueillit. « Je suis en train d'essayer de guérir ton fils, lui dit-il, car il est atteint d'une grave maladie. »

Il lui expliqua ce qui causait la langueur du Mac Oc, lequel se mourait d'avoir vu chaque nuit une jeune fille de grande beauté qui lui jouait de la musique. « Je pense, continua Fingen, qu'en pareil cas seule sa mère peut quelque chose pour lui. Si tu as de l'affection pour ton fils, fais le tour de cette île pour savoir s'il existe une jeune fille qui ait l'apparence de celle qu'Angus nous décrit. Le seul moyen de le guérir est de la découvrir et de la ramener au chevet d'Angus. »

Boann promit à Fingen de se mettre immédiatement en quête de la belle à travers toute l'Irlande, mais elle eut beau, un an durant, en parcourir les provinces, interrogeant les uns et les autres, qu'ils fussent des tribus de Dana ou des Fils de Milé, elle ne découvrit aucune jeune fille qui, de près ou de loin, ressemblât à celle qu'avait décrite le Mac Oc. Elle revint donc à Brug-na-Boyne fort désemparée et, à nouveau, fit appel à Fingen. « Je n'ai trouvé personne, dit-elle, et je suis très angoissée quant au sort de mon fils. Que faire à présent ? – Eh bien, dit Fingen, puisque sa mère elle-même n'a pu trouver de remède à ses maux, qu'on envoie chercher Dagda pour parler à son fils. Il appartient maintenant au père de tenter quelque chose pour sa guérison. »

Des messagers furent donc envoyés vers Dagda. Celui-ci leur souhaita la bienvenue et leur demanda quel bon vent les amenait.

« Hélas ! répondirent-ils, il s'agit de sauver ton fils, et c'est Boann, sa mère, qui te prie de venir au chevet d'Angus, car il est bien malade. »

Or, comme Dagda se hâtait vers Brug-na-Boyne, Boann vint au-devant de lui et lui souhaita la bienvenue. « Il faut que tu conseilles ton fils, lui dit-elle. Il est atteint d'une trop pénible langueur pour agir lui-même de son plein gré, et nous ne saurions le laisser périr ! Aide-le, je t'en prie. Il aime d'amour une jeune fille qui vient le visiter chaque nuit, mais qui s'enfuit dès qu'il se réveille. J'ai parcouru l'Irlande en tous sens, toute une année, pour tenter de la retrouver, mais tous mes efforts ont été vains. Que faut-il donc faire pour lui, sage Dagda, que lui conseiller ? – A quoi servirait-il que je lui parle ? s'écria Dagda. Je n'en sais pas plus long que toi. – Certes, reprit Boann, mais tu es le plus sage et le plus écouté de tous les chefs des tribus de Dana. Envoie, de ta part, consulter Bobdh Derg, ton fils aîné, puisqu'il est notre roi suprême. Lui saura mieux que quiconque comment il convient de secourir le Mac Oc. »

Dagda dépêcha donc des messagers vers le Tertre de Femen où résidait alors Bobdh Derg, qui les accueillit avec bienveillance. « Soyez les bienvenus dans ma demeure, chers serviteurs de mon père Dagda, leur dit-il. Quel motif vous amène ici ? – L'inquiétude où nous plonge Angus, fils de Dagda, répondirent-ils. Voilà deux ans qu'il est malade d'avoir vu une jeune fille pendant son sommeil, et cette vision lui a fait perdre la santé. Or, nous ne savons pas où se trouve, en Irlande, la belle merveilleuse qu'il aime d'amour et qui lui joue de douces musiques chaque nuit. Aussi te conjurons-nous, ô roi, de la part de Dagda, de faire chercher dans toute l'île cette incomparable beauté. – Allez dire à Dagda, mon père, répondit Bobdh Derg, que je la ferai rechercher, mais que je demande un délai d'un an pour la retrouver. »

A la fin de l'année, les mêmes messagers se présentèrent donc à nouveau chez Bobdh Derg, au Tertre de Femen. « J'ai exploré toute l'Irlande, leur dit le roi, et je commençais à désespérer de tout quand j'ai découvert, au lac Bel Dracon, la jeune fille que vous cherchez. Allez en porter la nouvelle à Dagda, et ajoutez que je suis prêt à conduire Angus à ce lac pour lui permettre de reconnaître celle qu'il a vue pendant son sommeil. »

A la hâte, les messagers regagnèrent la résidence de Dagda. « Nous avons de bonnes nouvelles, dirent-ils. On a retrouvé la jeune fille ! Et Bobdh Derg te mande qu'il est prêt à recevoir Angus et à le conduire auprès d'elle pour lui permettre de la voir et de la reconnaître. »

On emmena donc en char Angus jusqu'au Tertre de Femen, et un grand festin lui fut offert par Bobdh Derg en guise de bienvenue. Au bout de trois jours et trois nuits de festivités, Bobdh Derg dit enfin : « Il est temps maintenant de nous rendre au lac Bel Dracon. Il faut que tu voies la jeune fille pour savoir si elle est bien celle que nous avons trouvée. »

Ils partirent donc pour le lac Bel Dracon et, entre les collines, aperçurent un étonnant spectacle : car il y avait là cent cinquante jeunes filles, toutes plus belles les unes que les autres, qui s'ébattaient sur le rivage, riant, chantant et se divertissant à qui mieux mieux. Elles étaient toutes assemblées par couples que reliait une chaîne d'argent. Elles portaient un collier d'argent ; une chaîne d'or leur ceignait la taille, et leurs chevelures étaient magnifiques [1]. Néanmoins, l'une d'entre elles, plus grande que ses compagnes d'au moins une tête, se distinguait au premier coup d'œil. « Regarde celle-ci, là-bas, dit Bobdh Derg au Mac Oc. N'est-elle pas celle que tu as vue pendant ton sommeil, qui venait te visiter et te jouer de la musique ? – Certes, c'est elle, répondit Angus, je la reconnais bien. Il faut maintenant que j'aille lui parler. – Cela est impossible, répondit Bobdh Derg, car elle ne relève pas de mon autorité, et nul ne peut approcher ces jeunes filles. Je ne puis rien d'autre pour toi. Tu n'as pas le droit de lui parler, encore moins celui de l'emmener. – Que faire, alors ? demanda Angus. J'étais malade de ne la voir que pendant la nuit, et parce qu'elle me fuyait dès que je voulais l'attirer vers moi. Et maintenant que je la vois en plein jour, je ne saurais l'approcher ? Ma tristesse n'en est que plus grande. – Ecoute-moi, dit Bobdh Derg. Je vais te donner un conseil : cette fille est Caer Ibormaith, et elle a pour père Ethal Anbual du Tertre de Uaman, dans la province de Connaught. La seule façon de l'approcher et de l'obtenir serait de la demander à son père. Mais il ne consentira jamais à te l'accorder que contraint par la force ou par la magie. Telle est la situation. »

Angus et ses gens se rendirent alors vers la demeure de Dagda, Bobdh Derg avec eux. Boann s'y trouvait, en compagnie de Dagda et Angus leur raconta ce qu'il avait vu, leur décrivit la jeune fille, leur vanta sa beauté, sa dis-

---

1. Description classique des filles du peuple féerique qui, comme on le verra plus loin, peuvent se métamorphoser en cygnes : lorsqu'elles volent, c'est toujours par couples, et reliées entre elles par une chaîne.

tinction, déplorant qu'il fût si difficile de l'approcher et de l'obtenir. « Qui est-elle donc ? » demanda Dagda.

Bobdh Derg le lui dit, lui nomma aussi ses père et grand-père. « Hélas ! répondit Dagda, à mon grand regret, je ne puis rien faire pour toi, mon fils, car cette fille n'est pas en mon pouvoir. Personne ne pourra l'obtenir que son père ne la lui accorde lui-même, et je sais qu'à moins d'y être obligé par la force ou par des incantations, il n'y consentira jamais. – Il serait bon, dit Bobdh Derg à Dagda, que tu te rendes en personne chez Ailill et Maeve [1], car c'est dans leur province que se trouve la jeune fille. Si tu le leur demandes, ils pourront faire quelque chose. »

Sans tarder, Dagda partit donc pour la province de Connaught, avec une escorte d'au moins soixante chars, et en compagnie de son fils Angus. Le roi et la reine leur souhaitèrent la bienvenue, et ils furent une semaine entière à festoyer autour des mets et des boissons qu'on leur servait.

« Quel est l'objet de votre venue ? demandèrent enfin Ailill et Maeve. – Je vais vous l'expliquer, répondit Dagda. Il se trouve dans votre province une jeune fille que mon fils aime d'amour mais qu'il ne peut ni rencontrer ni obtenir, ce qui lui cause tristesse et langueur. Je suis venu vers vous pour savoir comment cette jeune fille peut être approchée et obtenue. – Qui est-elle ? demanda Ailill. – Caer Ibormaith, la fille d'Ethal Anbual. – Hélas ! repartit

---

1. Ailill et Maeve sont des personnages considérables de l'épopée celtique d'Irlande, et ils jouent un grand rôle dans tous les cycles, échappant à toute chronologie. La reine Maeve, surtout, est caractéristique : elle est la synthèse entre une probable reine historique du Connaught et une antique déesse celtique. Son nom (*Mebdh*) signifie « ivresse » mais aussi « milieu », ce qui indique une position intermédiaire entre le monde humain et l'Autre Monde, divin ou féerique. Ailill et Maeve résident dans la forteresse royale de Cruachan (actuel Croghan, dans le comté de Roscommon) ; et un cairn mégalithique portant le nom de « Tombeau de la reine Maeve » se dresse sur la petite montagne de Knocknarea, près de Sligo.

Ailill, nous n'avons nul pouvoir sur elle. Nous n'en ferons pas moins tout notre possible pour que ton fils l'obtienne. – Dans ce cas, dit Dagda, il serait bon que tu convoques son père afin que nous en puissions discuter avec lui. – Je le ferai », promit Ailill.

L'intendant d'Ailill partit immédiatement pour le Tertre de Uaman et, une fois en présence d'Ethal Anbual, lui dit : « Je viens, de la part du roi Ailill et de la reine Maeve, te prier d'aller les voir, car ils voudraient s'entretenir avec toi. – Je n'irai pas, répondit Ethal, car je connais parfaitement l'objet de leur demande. Sache-le, jamais je ne donnerai ma fille au fils de Dagda. »

L'intendant revint à la forteresse d'Ailill et de Maeve et leur rapporta mot pour mot les paroles qu'avait prononcées Ethal Anbual. « Puisqu'il en est ainsi, s'exclama Ailill, je jure qu'Ethal Anbual viendra quand même discuter avec nous ! Nous rapporterons les têtes de ses guerriers et l'emmènerons, lui, de gré ou de force. »

Il rassembla donc une troupe d'hommes armés qui se mit en route avec l'escorte de Dagda. Ils atteignirent le Tertre de Uaman et, après y avoir affronté les gens d'Ethal Anbual, ils pénétrèrent dans le tertre et le saccagèrent. Tant et si bien qu'au moment de s'en retourner, ils emportaient soixante têtes de guerriers, et Ethal Anbual était leur captif.

Aussitôt dans la forteresse de Cruachan, Ailill dit à Ethal : « Donne ta fille au fils de Dagda. – Je n'en ferai rien, répondit Ethal Anbual. D'ailleurs, le voudrais-je que je ne pourrais, car le pouvoir qui est sur ma fille est plus grand que le pouvoir que j'ai sur elle. – En quoi consiste donc ce pouvoir qui est sur elle ? demanda Ailill. – Ce n'est pas difficile : elle est soumise à un sortilège. Pendant une année entière, elle est sous la forme d'un oiseau, l'année suivante la revoit sous la forme humaine, et nul ne peut changer cela. – Fort bien, dit Ailill. Et quelle année est-elle sous la forme d'un oiseau ? – Il ne m'appartient pas de la trahir », répondit Ethal.

Alors, Ailill s'emporta et, tirant son épée hors du fourreau, il la brandit au-dessus d'Ethal Anbual. « Tu perdras la tête si tu ne parles pas ! s'écria-t-il. – Je vois que je ne peux faire autrement que de parler, soupira Ethal, car vous êtes tous décidés à me tuer. Sachez donc qu'à la prochaine fête de *Samain*, elle sera sous forme d'oiseau au lac Bel Dracon. Autour d'elle sera rassemblée une merveilleuse troupe de cygnes. Tous seront sur le lac, mais on pourra leur parler depuis le rivage. En revanche, qui voudrait les approcher ne pourrait y parvenir sous la forme humaine. – C'est bon, intervint Dagda, je sais maintenant ce qui doit être fait. »

La paix fut alors conclue entre Ailill, Dagda et Ethal Anbual, et celui-ci remis en liberté. Puis, Dagda et son fils retournèrent à Brug-na-Boyne. Le Mac Oc était maintenant tout heureux, car il se savait près d'obtenir la belle qui lui avait pris le cœur et dont l'absence le martyrisait.

Le soir avant la fête de *Samain*, il s'en alla donc sur les bords du lac Bel Dracon, et son père l'accompagnait. Il s'approcha de l'eau et vit une merveilleuse troupe d'oiseaux blancs qui, paisiblement, croisaient sur le lac, reliés entre eux par des chaînes d'argent, et couronnés de boucles d'or. Angus, sous sa forme humaine, appela la jeune fille par son nom. Alors, l'un des oiseaux vint vers lui. « Qui m'appelle ? demanda-t-il. – C'est Angus, fils de Dagda, qui t'appelle. Viens avec moi, Caer, je t'en prie, car mon amour pour toi est si grand que je ne pourrais vivre un instant de plus si tu ne m'accompagnes dans ma demeure. – Je ne saurais suivre quiconque est sous la forme humaine », répondit l'oiseau en s'éloignant.

Alors, Dagda toucha son fils avec une baguette magique et druidique, et le Mac Oc prit aussitôt l'aspect d'un cygne majestueux. « Belle Caer ! cria Angus, pourrais-tu venir avec moi maintenant ? – Je le pourrais assurément, mais à condition que tu me promettes, sur ton honneur, de me laisser revenir demain sur le lac. – Je te le promets », répondit Angus, avant de s'élancer vers elle.

Cette nuit-là, ils dormirent ensemble sous la forme de deux cygnes et, le lendemain matin, ils firent plusieurs fois le tour du lac et s'y posèrent longuement. Puis ils s'envolèrent dans le ciel, toujours sous la forme d'oiseaux blancs, et ils parvinrent à Brug-na-Boyne. Là, dès qu'elle fut sur la terre ferme, Caer reprit sa forme humaine : elle était plus belle que jamais, et Angus se trouvait au comble du bonheur. Ils se mirent à chanter tous deux la douce musique des palais féeriques, et tous ceux qui entendirent cette musique s'endormirent pendant trois jours et trois nuits. Et la fille demeura désormais avec Angus dans le palais de Brug-na-Boyne.

C'est depuis ce temps-là qu'une grande amitié lia Ailill et Maeve, roi et reine de Connaught, et Angus, le Mac Oc, dernier fils de Dagda. Et les gens des tribus de Dana, tout comme les Fils de Milé, se réjouirent tous, tant et si bien que leurs poètes firent de cette histoire de très beaux chants et des récits émouvants. [1]

---

1. D'après le récit *Aislinge Oenguso* (Le rêve d'Angus), contenu dans le manuscrit Egerton 1782 du British Museum, édité avec traduction anglaise par Edward Müller dans la *Revue celtique*, vol. III, Paris, 1876-1878. Traduction française par Ch.-J. Guyonvarc'h dans *Textes mythologiques irlandais*, Rennes, 1980.

CHAPITRE IX

Démons et merveilles

Les hommes de Connaught étaient un jour rassemblés près du Lac des Oiseaux, dans la plaine d'Aé, et on avait préparé pour eux un grand festin qui dura toute la nuit. Au petit matin, ils se levèrent et allèrent se promener sur les bords du lac et, soudain, ils virent un homme s'approcher à travers la brume : drapé d'un manteau de pourpre à cinq plis, il tenait à la main deux javelots à cinq pointes, et sur l'épaule un bouclier à bosse d'or ; une épée à poignée d'or était suspendue à sa ceinture, et sa chevelure dorée flottait harmonieusement sur ses épaules.

« Voyez-vous l'homme qui vient vers nous ? dit Loégairé, fils de Crimthann, l'un des plus beaux et des plus nobles des guerriers de Connaught. M'est avis qu'il serait bon de le saluer et de l'accueillir, car il a fière allure et ne manifeste envers nous aucune intention hostile. »

Quand le guerrier inconnu fut parvenu auprès des gens de Connaught, ceux-ci le saluèrent et lui souhaitèrent la bienvenue. « Je vous remercie, répondit l'inconnu. – Qu'est-ce qui t'amène jusqu'ici ? lui demanda Loégairé. – L'espoir d'obtenir votre secours. – Comment cela ? D'où es-tu et qui es-tu ? – Je suis des tribus de Dana, répondit-il, et mon nom est Fiachna, fils de Rété. Je suis un chef respecté parmi les miens. – Tu nous réclames du secours, reprit Loégairé, et nous te l'accorderons bien volontiers si tu nous dis de quoi il s'agit. – Voici ce qui m'amène vers vous : ma femme m'a été enlevée par Eochaid, fils de Sâl, qui l'a conduite dans sa forteresse. Mais je suis allé le combattre, et Eochaid est mort sous mes coups sur le champ de bataille. Cependant, ma femme s'est réfugiée chez un fils de son frère, Goll, fils de Golb, dont la forteresse se trouve au centre de la Plaine Agréable, et celui-ci ne veut pas me la rendre. Je lui ai livré sept batailles, mais elles ont toutes mal tourné pour moi, et je n'ai pas réussi à reprendre ma femme. Aujourd'hui, nous livrerons une autre bataille contre Goll, mais je sais que nous avons peu de chances de la gagner si l'on ne nous prête assistance. C'est donc pour demander votre aide, hommes de Connaught, que je suis venu parmi vous. Je donnerai une hampe d'argent à chacun de ceux qui voudront bien se joindre à moi et combattre avec les miens. »

Sur ces paroles, il pivota sur ses talons et repartit dans la brume. Les hommes de Connaught le virent franchir les limites de la terre ferme et s'enfoncer lentement dans les eaux du lac qui se refermèrent sur lui.

« Ce serait une honte pour nous, s'écria Loégairé, que de laisser cet homme-là sans secours ! »

Cinquante guerriers se rassemblèrent autour de lui, disant qu'ils étaient prêts à le suivre, et ils se dirigèrent tous vers l'endroit où ils avaient vu disparaître Fiachna et, sans hésiter, descendirent dans l'eau jusqu'au fond du lac. Ils aperçurent alors en face d'eux une forteresse, et, sur la prairie, deux armées qui s'affrontaient. Se précipitant de ce côté, ils rejoignirent Fiachna, fils de Rété, qui se trouvait au premier rang des siens.

« Voilà qui est bien, dit Loégairé. Je demande donc à combattre le chefs des cinquante guerriers qui se trouvent vis-à-vis de nous. – Me voici, dit Goll, fils de Golb. Puisque tu me provoques de la sorte, je lutterai contre toi. »

Et, là-dessus, ils se jetèrent les uns sur les autres. Loégairé sortit du combat sain et sauf, ainsi que les cinquante hommes qui l'avaient accompagné. Mais ils laissaient morts sur le terrain Goll et ses cinquante guerriers. Après quoi, ils poussèrent plus avant et ravagèrent tout sur leur passage. « Où se trouve la femme ? demanda Loégairé à Fiachna. – Dans la forteresse, au milieu de la Plaine Agréable, répondit Fiachna, mais une puissante armée veille tout autour. – Reste donc ici, dit Loégairé, pendant que je m'y rendrai avec mes cinquante hommes. »

Ils allèrent donc jusqu'à la forteresse de la Plaine Agréable et virent la puissante armée qui la protégeait. Ils s'élancèrent néanmoins contre elle et, se battant avec fureur, se frayèrent un passage vers la porte. Une fois arrivé au but, Loégairé cria : « Vous n'avez pas de grand profit à attendre ! Vos chefs sont déjà tombés, et Goll, fils de Golb, est mort. Nous poursuivrons, quant à nous, notre attaque, et vous périrez tous sous nos coups. Faites donc sortir la femme qui est l'objet du litige et, en échange, nous cesserons le combat et vous épargnerons. »

Ceux qui étaient dans la forteresse demandèrent un délai pour répondre, et Loégairé le leur accorda. Ils se retirèrent pour discuter et, peu après, la femme sortit de la forteresse. Elle chanta un chant de lamentation, en voyant que tant de guerriers étaient tombés à cause d'elle. Loégairé la prit par la main et la conduisit jusqu'à Fiachna ; et celui-ci, tout heureux du succès de l'expédition, invita Loégairé et ses cinquante hommes à un festin dans sa résidence. « Je ne sais comment te manifester ma reconnaissance, dit Fiachna à Loégairé, mais je vais te faire une proposition : reste avec moi dans ce pays et gouvernons-le ensemble, toi et moi. J'ai une fille qui se nomme Der Greine et, si elle t'agrée, tu l'épouseras. »

On fit venir la fille, dont Loégairé admira la grande beauté et la noble allure. Fiachna mit donc la main de Der

Greine dans celle de Loégairé et tous deux passèrent la nuit ensemble. Quant aux cinquante guerriers qui avaient accompagné Loégairé, ils eurent chacun une femme, choisie parmi les nobles jeunes filles du pays. Et tous demeurèrent là pendant une année entière.

« Nous voudrions avoir des nouvelles de notre pays, dit alors Loégairé à Fiachna. Permets-nous de partir. – Si tel est votre désir à tous, je ne le contrarierai pas, répondit Fiachna. Mais il faut que je te donne un avertissement : prenez des chevaux pour vous rendre dans votre pays, mais lorsque vous y serez, à aucun prix ne mettez pied à terre. »

Ils allèrent aux écuries de Fiachna, y choisirent des chevaux robustes et agiles, et ils quittèrent la forteresse, traversèrent des bois et des plaines et se retrouvèrent bientôt sur les rives du Lac des Oiseaux. Or, ce jour-là, précisément, les hommes de Connaught s'étaient rassemblés pour leur festin, et Crimthann, père de Loégairé, se trouvait parmi eux. Mais tous se lamentaient d'être sans nouvelles des hommes partis l'année précédente.

Aussi, en apercevant Loégairé et ses cinquante guerriers qui se dirigeaient vers eux, surgissant des profondeurs du lac, furent-ils tout joyeux, et ils allèrent à leur rencontre pour leur souhaiter la bienvenue. « N'approchez pas ! leur cria Loégairé. C'est pour vous dire adieu que nous sommes venus vous retrouver ici. » Ils échangèrent mutuellement des nouvelles. « Ne nous quitte pas, dit Crimthann, car tu peux avoir tout ce que tu veux dans le royaume de Connaught, de l'or, de l'argent, de beaux troupeaux, des chevaux rapides et les plus nobles femmes de toute cette île. »

Mais ni Loégairé ni aucun de ses cinquante compagnons ne voulut demeurer dans le royaume de Connaught. Après avoir dit adieu à leurs parents et à leurs amis, ils retournèrent dans les eaux du lac. Et, en peu de temps, ils gagnèrent la forteresse où Loégairé partageait la souveraineté avec Fiachna. [1]

Cette souveraineté, cependant, ne s'étendait que sur les tribus de Dana qui résidaient dans le Connaught, car Ailill et Maeve étaient pour leur part roi et reine des Fils de Milé. Selon les conventions faites après la bataille de Tailtiu, ceux-ci occupaient en effet la surface de l'Irlande, et celles-là s'étaient établies dans les tertres, sous les collines et sous les eaux des lacs, leurs gens n'étant visibles aux Fils de Milé qu'à leur guise, puisqu'ils possédaient le don d'invisibilité. Cela dit, les deux peuples entretenaient de bons rapports et se respectaient mutuellement.

Or, à cette époque où il partageait avec Loégairé la souveraineté sur les tribus de Dana résidant dans le Connaught, Fiachna avait un habile porcher du nom de Rucht. Et ce Rucht s'était lié d'amitié avec le porcher des tribus de Dana qui résidaient dans le Munster, lequel, nommé Friuch, l'égalait du reste en habileté et renom. Aussi, chaque fois qu'on manquait de glands en Munster, Rucht invitait-il Friuch à mener son troupeau de porcs en Connaught et, quand on manquait de glands en Connaught, à son tour Friuch invitait Rucht à la glandée en Munster.

Mais les deux hommes avaient également coutume de se rencontrer de temps à autre pour se livrer à des tours d'adresse et des jeux magiques. C'était entre eux à qui manifesterait le plus de dextérité, et les tribus de Dana arbitraient pour décerner la palme. Mais comme il n'y avait ni vainqueur ni vaincu dans ces joutes pacifiques, les deux concurrents étant d'égale valeur, les gens de Dana s'en impatientèrent et finirent par leur imposer des épreuves susceptibles de prouver la supériorité de l'un

---

1. D'après un récit contenu dans un manuscrit du XVe siècle, publié avec traduction anglaise par Saint O'Grady, *Silva Gadelica*, Dublin, 1892. Traduction française par Georges Dottin dans *L'Épopée irlandaise*, nouv. éd., Paris, 1980.

sur l'autre. « Puisque vous êtes si forts, leur dit-on un jour, faites donc en sorte que vos cochons restent en vie pendant un an sans prendre de nourriture. Nous verrons bien lequel des deux troupeaux sera le mieux portant... »

Rucht et Friuch lancèrent leurs incantations sur les cochons dont ils avaient la garde mais, au bout d'un an, les deux troupeaux avaient non seulement fort pâti du manque de nourriture mais les cochons de Munster étaient aussi maigres que ceux de Connaught. « Puisqu'il en est ainsi, leur dit-on, mieux vaut assurément que vous cessiez de vous occuper de ces troupeaux ! » Et on leur retira, à l'un comme à l'autre, leur charge de porcher.

Rucht et Friuch en furent d'autant plus mortifiés qu'ils n'avaient pas pour autant résolu leur problème : celui de savoir qui était le plus habile. Ils décidèrent alors de changer de forme pendant un an et de rivaliser pendant ce temps pour savoir lequel se tirerait le mieux d'affaire. Et, d'un commun accord, ils adoptèrent la forme de corbeaux.

Tout au long de l'année, ils survolèrent l'Irlande, se disputant les proies qui s'offraient à eux. Mais ils eurent beau se combattre sauvagement, aucun n'en acquit un quelconque avantage. Au premier jour de l'année suivante, ils apparurent à l'assemblée du Munster et reprirent leur forme humaine en se posant au sol.

On leur souhaita la bienvenue et on leur demanda ce qu'ils avaient fait pendant l'année sous leur aspect d'oiseaux. « En vérité, répondirent-ils, vous n'avez aucune raison de vous réjouir et de nous souhaiter la bienvenue. Vous nous avez obligés à prouver que l'un de nous était plus habile que l'autre, mais rien de bon n'adviendra de tout cela. Nous vous avertissons : par la faute de l'épreuve que vous nous avez imposée, il y aura beaucoup de guerriers morts et de grandes lamentations dans toute l'Irlande. »

On les pressa de s'expliquer au sujet de la guerre à laquelle ils faisaient allusion, mais ils répondirent : « Il ne nous est pas permis de le dire. Sachez seulement qu'elle concernera tous les peuples de cette île, qu'ils soient des tribus de Dana ou Fils de Milé. Nul ne pourra se soustraire aux peines et aux souffrances, et le sang des hommes coulera dans les rivières et les lacs. Maintenant, pour satisfaire à votre exigence et afin de savoir lequel d'entre nous est le plus habile, nous allons encore une fois changer d'aspect pendant une année entière. »

Et, là-dessus, quittant l'assemblée, ils allèrent chacun de son côté. L'un se rendit vers le Shannon, s'y plongea et se changea en un poisson énorme. L'autre partit vers le Suir [1], s'y plongea et, à son tour, devint un énorme poisson. Puis tous deux, à travers les rivières, les lacs et la mer, s'en furent à la rencontre l'un de l'autre. Une moitié de l'année ils furent dans le Shannon, la seconde dans le Suir, mais quelque rage qu'ils missent à s'affronter, aucun ne l'emportait, et ils passaient leur temps à s'entre-poursuivre sans en être affaiblis pour autant.

Un jour que les hommes de Connaught tenaient une assemblée sur les bords du Lac des Oiseaux, ils furent témoins d'un spectacle extraordinaire : dans les eaux, deux énormes poissons se frappaient l'un l'autre avec tant de violence que des étincelles jaillissaient de leurs écailles comme des épées dans un combat furieux. Et ces étincelles étaient si vives et si ardentes qu'elles parvenaient jusqu'aux nuages.

Quand ils eurent ainsi combattu devant les hommes de Connaught pendant un assez long temps, tous deux sortirent du lac et, sur la berge, ils reprirent leur forme humaine. On les reconnut alors pour les deux porchers. Fiachna alla vers eux et leur souhaita la bienvenue. « Il n'est pas convenable de nous souhaiter la bienvenue, répondirent-ils, car il ne résultera rien de bon de notre dispute. Et ce sont là prouesses fatigantes que celles que

---

1. Rivière du Munster.

nous avons accomplies sous vos yeux. Comme vous l'avez vu, nous ne sommes pas meilleurs l'un que l'autre. Nous allons maintenant devoir prendre un autre aspect pour éprouver notre habileté. »

Après avoir conversé un certain temps, ils prirent congé de Fiachna et des hommes de Connaught et s'en allèrent, chacun de son côté. Ils furent alors deux champions célèbres pour leur force et leur résistance. L'un était le champion d'Ochall, qui était roi du tertre de Femen, en Munster, l'autre champion de Fergna, qui était roi du tertre de Nento-sous-les-eaux, en Connaught. Tous les exploits qu'accomplissaient les gens d'Ochall, c'étaient par les mains de son champion. Il en allait de même pour ceux qu'accomplissaient les gens de Fergna à Nento-sous-les-eaux. La gloire des deux champions s'était rapidement répandue dans l'Ile Verte, mais nul ne savait l'origine ni de l'un ni de l'autre.

Sur ces entrefaites, Ochall décida de se rendre avec ses gens à l'assemblée que tenaient les hommes de Connaught, près du lac Raich. Le cortège d'Ochall était remarquable : il comprenait sept fois vingt chars et sept fois vingt cavaliers, et leurs chevaux étaient d'une seule couleur, tachetés avec des raies d'argent. En voyant une si belle compagnie, beaucoup de femmes s'évanouirent, car elles n'en avaient jamais contemplé de si splendide. Une fois arrivés, les hommes d'Ochall laissèrent leurs chars et leurs chevaux dans la prairie sans que personne ne restât à les garder.

Les hommes de Connaught vinrent à leur rencontre et leur souhaitèrent la bienvenue. On leur demanda également la raison de leur visite. « Nous sommes venus, répondit Ochall, pour nous mesurer à vous dans les jeux et les épreuves. – Qu'il en soit ainsi », répondirent les hommes de Connaught.

Toute la journée, il y eut des jeux dans la prairie. Le soir, ils s'assemblèrent tous pour le festin qui dura jusqu'au milieu de la nuit. Mais, le lendemain, Ochall dit aux hommes de Connaught : « Tout cela est très bien, mais j'ai aussi amené mon champion, qui a pour nom Rinn, et je souhaiterais voir l'un d'entre vous se mesurer à lui. – Fais venir ton champion. »

Ochall appela Rinn, et celui-ci vint au-devant des hommes de Connaught. Mais, dès qu'ils le virent, ils furent si effrayés que pas un d'entre eux n'osa relever le défi. Et les hommes de Connaught se disaient qu'ils allaient être déshonorés.

Or, ils virent au même moment un cortège qui, venant du nord, se dirigeait vers eux. Il y avait là trois fois vingt chevaux attelés à des chars et trois fois vingt hommes qui montaient des chevaux noirs. On aurait dit qu'ils chevauchaient la mer. Mais ils étaient tous mal habillés et mal armés, et leurs chevaux, maigres et sales, ne semblaient guère rapides. Tous ceux qui étaient là se mirent à rire en voyant l'aspect pitoyable des nouveaux arrivants. On les accueillit cependant, on leur demanda qui ils étaient et quelle était la raison de leur visite.

« Je suis Fergna, du tertre de Nento-sous-les-eaux, répondit fièrement le chef de la troupe. Je suis venu ici avec les miens pour entrer en compétition avec vous. J'ai en effet, parmi mes compagnons, un champion si redoutable que, désormais, personne n'ose plus l'affronter. – Eh bien, lui répondirent les hommes de Connaught, une autre troupe t'a devancé, celle d'Ochall, du tertre de Femen. Et elle a amené un champion d'une telle force que personne non plus n'ose l'affronter. – Mettons-les en présence l'un de l'autre », dit Fergna.

En voyant son champion qui portait le nom de Faebal, l'assemblée ne put s'empêcher de frémir, et une vingtaine d'hommes s'évanouirent de peur et de saisissement. Aucun des hommes de Connaught n'aurait relevé le défi, mais Rinn, le champion d'Ochall, se dressa et vint à la rencontre de Faebal, sûr de lui et arrogant.

« Je combattrai ton champion, moi ! » cria-t-il à l'adresse de Fergna.

Et, de fait, tous deux se précipitèrent l'un sur l'autre avec une incroyable férocité, et leur combat dura trois jours et trois nuits. Ils s'étaient si bien déchirés, et leurs blessures étaient si larges et si profondes, qu'on pouvait presque voir leurs poumons. Alors, on décida de les séparer, de peur qu'ils ne meurent d'épuisement. Mais à peine se furent-ils reposés que, changeant d'aspect, ils se métamorphosèrent en hideux démons de la nuit puis se ruèrent l'un sur l'autre en poussant d'affreux hurlements. Et leur combat dura trois jours et trois nuits sans qu'aucun prît le dessus sur l'autre. On alla encore une fois les séparer, et ils reprirent leur forme habituelle, c'est-à-dire celle des deux porchers Rucht et Friuch. « Voilà où nous a conduits votre folie, dirent-ils alors. Vous nous avez provoqués à affirmer notre valeur et notre habileté respectives, et vous voyez ce qu'il en est. Nous n'avons cessé, depuis, d'endurer vainement peines et souffrances pour décider lequel de nous deux est le meilleur. Tout cela ne peut être que néfaste, car notre querelle attirera bien des maux sur cette île. – Que voulez-vous dire ? leur demanda-t-on. – Une guerre impitoyable et sanglante éclatera en Irlande, nous vous l'affirmons, et cette guerre sera provoquée par notre aventure, soyez-en sûrs. Il en résultera douleur et misère pour tous les guerriers de cette île, qu'ils soient des tribus de Dana ou des Fils de Milé. Mieux eût valu pour vous ne jamais exciter notre rivalité. – Dans ce cas, dirent les hommes de Connaught, nous avons suffisamment constaté que vous êtes d'égale valeur. Pourquoi ne pas terminer la querelle en vous déclarant vainqueurs l'un et l'autre ? – Il est trop tard, maintenant, répondirent-ils, et nous ne cesserons plus jamais de nous opposer l'un à l'autre. Mais c'est vous qui l'avez voulu. »

Ils quittèrent l'assemblée et on les vit disparaître sans qu'on sût exactement où ils étaient allés. Ils s'étaient changés en vers d'eau tous les deux. L'un se trouvait dans la source de Uaran Garan en Connaught et, à ceux qui lui parlaient, il prétendait se nommer Tumuc. Le second se trouvait dans le ruisseau du Glass Gruind, à Cualngé en Ulster, et prétendait se nommer Crunniuc.

Un jour, un chef de la province d'Ulster nommé Maga, fils de Daré, s'en vint se baigner dans le Glass Gruind. Il aperçut, sur une pierre, un petit animal qui ressemblait à un ver, mais de toutes les couleurs. Et cet animal appela Maga par son nom. Maga eut peur et voulut s'en aller. « Ne pars pas, lui dit l'animal. Tu as tout intérêt, au contraire, à converser avec moi, car je pourrais t'apprendre quelque chose. – Quoi donc ? demanda Maga, fort étonné. – Le bonheur est sur toi, Maga, fils de Daré. Tu trouveras un bateau chargé de trésors sur tes terres, à l'endroit où ce cours d'eau se jette dans la mer. Si tu ne me crois pas, va donc voir par toi-même. »

Alors, Maga longea la rive jusqu'à l'estuaire, et là, il vit un bateau qui s'était échoué. N'apercevant personne à bord, il y pénétra et le découvrit plein de bijoux, de coupes en or, ainsi que d'une multitude de pierres précieuses. Après avoir ordonné à ses gens de recueillir le trésor et de l'emporter dans sa demeure, il repartit vers l'amont et retourna où il avait rencontré le petit animal. « Eh bien ! lui dit celui-ci, est-ce que tu me crois, à présent ? – Certes, oui, répondit Maga. Mais qui es-tu donc, toi qui as une si étrange allure et qui me parles ainsi, me dévoilant les choses cachées ? – As-tu entendu parler de Rucht et de Friuch, les porchers de Connaught et de Munster ? – Oui, et je sais aussi que leur dispute n'aura aucune fin parce qu'ils sont égaux en habileté. Mais quel rapport avec toi ? – Sous la forme que j'ai revêtue aujourd'hui, je suis l'un de ces porchers, mais on me connaît maintenant sous le nom de Crunniuc. Maintenant, je vais te dire autre chose, Maga, fils de Daré : demain, l'une de tes vaches viendra boire à la rivière et, ce faisant, m'avalera. Alors, elle deviendra grosse et donnera naissance à un veau de belle taille et de couleur noire qu'on appellera le Brun de Cualngé. Sache également que demain, dans une fontaine du Connaught, un autre ver, semblable à moi, sera absorbé lui aussi par l'une des vaches qui appartiennent à la reine Maeve. Elle aussi deviendra grosse et donnera également naissance à un veau que, eu égard à ses cornes magnifiques, on appellera le Beau Cornu d'Aé. Enfin, viendra un jour où ces deux taureaux serviront de prétexte à une guerre impitoyable. Cette guerre se terminera par un affrontement entre les deux taureaux, mais ni l'un ni l'autre ne survivront à cette violence. Ainsi se termineront nos épreuves. Tel est l'avenir, Maga, fils de Daré. Je ne saurais t'en dire davantage. »

Alors, le petit animal aux multiples couleurs disparut sous les eaux du Glass Gruind, laissant Maga, fils de Daré, tout songeur et mélancolique.

Au même moment, en ce même jour, la reine Maeve était allée se rafraîchir à la source de Uaran Garan en Connaught. Elle portait à la main un vase en bronze blanc, destiné à lui faciliter ses ablutions. Elle le plongea donc dans la source, et un petit animal qui ressemblait à un ver s'y trouva pris. Elle resta un certain temps à l'examiner, car il était de forme étrange et multicolore. Or, soudain, l'animal se mit à parler : « Reine, tu es puissante et respectée mais, un jour, il te manquera quelque chose, et alors tu te lanceras dans une guerre impitoyable pour acquérir cette chose qui te fera défaut. – Que veux-tu dire par là, petit animal qui me parais si pitoyable ? demanda la reine, au comble de l'étonnement. – En fait, loin d'être un petit animal pitoyable, je suis capable de revêtir toutes les formes que je veux. Mais le destin est ainsi fait que je ne trouverai pas la paix tant que je vivrai. Veux-tu connaître tous les aspects qui ont été les miens depuis que les hommes d'Irlande ont jeté un sort sur moi ? – Parle, petit animal, et dis-moi ce que tu sais. »

Il lui raconta alors qui il était, la raison de sa querelle avec son ami, les métamorphoses qu'ils avaient tous deux subies et les luttes inexpiables auxquelles ils s'étaient livrés sans parvenir jamais à se départager.

« Mais, dit Maeve, quand donc trouverez-vous le repos, ton camarade et toi-même ? – Le dénouement est proche, maintenant, et tu y joueras un grand rôle, ô Maeve. Sache que, demain, l'une de tes vaches viendra se désaltérer à cette source et, en buvant, elle m'avalera. Elle deviendra grosse et donnera naissance à un jeune taureau doté de cornes si magnifiques qu'on l'appellera le Beau Cornu d'Aé. Mais sache aussi qu'en Ulster, dans le Glass Gruind, se trouve actuellement un autre ver en tous points semblable à moi. Demain, il sera avalé par l'une des vaches de Maga, fils de Daré, laquelle mettra bas un taureau noir qu'on appellera le Brun de Cualngé. Et tu désireras ce taureau, reine Maeve, parce qu'il sera aussi superbe et aussi puissant que le Beau Cornu d'Aé. Et pas un seul taureau d'Irlande n'osera mugir que n'aient d'abord mugi le Brun de Cualngé et le Beau Cornu d'Aé. »

Ayant prononcé ces paroles, le petit animal aux multiples couleurs sauta hors du vase et disparut dans les profondeurs de la source. Et la reine Maeve revint toute pensive dans la forteresse de Cruachan [1].

Le soir de ce même jour, Ailill et Maeve se trouvaient dans leur maison, à l'intérieur de la forteresse, avec tous leurs familiers, faisant cuire la nourriture dans le chaudron. Et comme, la veille, il avait, avec ses guerriers, fait

---

1. D'après le récit « les deux Porchers », contenu dans le *Livre de Leinster* et le manuscrit Egerton 1782, édité par Windish, *Irishe Texte*, vol. III. Traduction française de d'Arbois de Jubainville dans *Les Druides et les Dieux à forme d'animaux*. Autre traduction française par Ch.-J. Guyonvarc'h dans *Textes mythologiques irlandais*, Rennes, 1980. Ce récit sert, entre cent autres, de prologue à la célèbre épopée de *La Razzia de Cualngé*, qui met aux prises les hommes d'Ulster et les autres peuples d'Irlande pour la possession du « Brun de Cualngé ».

deux prisonniers, le roi prit la parole : « Celui qui ira mettre un brin d'osier autour du pied de l'un des captifs, dit-il, aura la récompense de son choix. »

Grandes étaient les ténèbres, cette nuit-là. Tous les hommes voulurent y aller, mais chacun d'eux revint au plus vite sans avoir mis le brin d'osier autour du pied du prisonnier, dans la maison des tortures. Tous avaient eu peur des fantômes qui rôdaient dans la forteresse. Alors, le jeune Néra se leva et dit : « C'est bon, j'y vais. Mais je réussirai. – Si tel est le cas, dit Ailill, tu auras ma bonne épée à la poignée d'or. »

Néra revêtit donc une solide armure et s'en fut vers la maison où l'on gardait les prisonniers. Mais son armure tomba trois fois. « A moins que tu n'y mettes un clou convenable, dit l'un des captifs, tu essaieras en vain jusqu'à demain de la faire tenir. » Néra plaça un clou dans l'armure, et celle-ci tint bon. « Tu es courageux, ô Néra, reprit le captif. – Certainement, répondit Néra, et cela me permettra de recevoir l'épée à poignée d'or du roi Ailill. – Ecoute, dit encore le captif. Par ta vraie valeur, prends-moi sur ton dos pour que je puisse aller boire avec toi. J'avais très soif lorsqu'on m'a pendu ici. – Viens sur mon dos, répondit Néra. Mais où vais-je te porter ? – Dans la plus proche maison. »

Comme ils approchaient de celle-ci, ils la virent soudain cernée par un courant de feu. « Il n'y a rien de bon pour nous dans cette maison, dit le captif, car il n'existe pas de feu sans sobriété. Allons dans une autre, celle qui est la plus proche de nous. »

Mais quand ils arrivèrent près d'elle, ils la virent entourée d'un lac. « N'allons pas dans cette maison, dit le captif. Elle n'a sûrement pas de cuve, sinon pour se laver ou se baigner, ou encore pour faire la vaisselle après une nuit de sommeil. Allons à une autre. »

Ils entrèrent donc dans une autre et, là, le captif déclara qu'elle contenait de quoi étancher sa soif. Néra le déposa sur le sol. Dans la pièce se trouvaient effectivement des cuves pour se baigner et se laver, mais chacune d'elles contenait un breuvage. En outre, un baquet à lessive se dressait au milieu de la salle. Après avoir bu une gorgée dans chacun des récipients, le captif souffla la dernière goutte hors de ses lèvres sur les habitants de la maison, lesquels en moururent tous. Sur ce, Néra ramena le prisonnier vers la maison des tortures.

Mais il vit alors une chose surprenante : à la place de la forteresse, la colline était brûlée devant lui et, dans le monceau de têtes fichées sur des pieux qui l'occupaient, il reconnut les têtes d'Ailill, de Maeve et de tous leurs familiers.

Cependant, comme une foule de guerriers s'engageaient dans l'ombre, il les suivit à l'intérieur du tertre. Une fois dedans, tous ces hommes allèrent trouver le roi et lui montrèrent les têtes qu'ils avaient emportées. Quant à Néra, il demeurait prudemment à l'écart. « Qu'avez-vous fait à l'homme qui vous accompagnait ? leur demanda le roi. – Nous ne lui avons rien fait, car il n'était pas avec les autres, répondirent-ils. – Faites-le venir devant moi afin que je lui parle. » Ils entraînèrent Néra vers le roi qui lui demanda : « Comment es-tu venu jusqu'ici ? – Je l'ignore, répondit Néra. J'ai suivi les guerriers qui ont assailli et brûlé la forteresse. – C'est bon, reprit le roi. Va dans cette maison là-bas. Une femme seule t'y accueillera. Dis-lui que c'est moi qui t'envoie vers elle, et viens chaque jour m'apporter un fagot de bois. »

Il en fut ainsi. La femme lui souhaita la bienvenue, et il coucha avec elle cette nuit-là. Et, chaque jour, dès lors, il apporta un fagot de bois à la maison du roi. Mais, chaque jour, il voyait un aveugle qui, portant un boiteux sur son dos, sortait de la maison du roi et se rendait auprès d'un mur, devant la maison. « Est-ce là ? demandait l'aveugle. – Sûrement, répondait le boiteux. Maintenant, allons-nous-en. »

Fort étonné de cet étrange comportement, Néra finit par demander à la femme ce qu'elle savait à son sujet. « Le boiteux et l'aveugle s'approchent de la couronne qui se trouve cachée dans le mur, répondit-elle. Cette couronne est un diadème en or que le roi arbore lors d'une fête, car elle est magique et donne la puissance à qui la porte. On l'a cachée dans ce mur afin que personne, hormis le roi, n'y puisse toucher. – Mais pourquoi, reprit Néra, viennent-ils à deux s'assurer que la couronne est toujours là ? – Ce n'est pas difficile : comme l'un est aveugle et ne voit rien, que l'autre est boiteux et ne peut marcher, le roi est sûr que la couronne ne sera pas dérobée. – Une chose me tracasse encore, reprit Néra. Je me demande ce qui s'est passé le jour où j'ai pénétré dans le tertre. J'ai vu que la forteresse de Cruachan avait été détruite et incendiée, et que les gens de ton peuple ont tué Ailill et Maeve, ainsi que toute leur maisonnée. – Ce n'est pas exact, répondit la femme. C'est une armée d'ombres qui est allée dans la forteresse. Mais ce que tu as vu se réalisera si tu n'avertis pas les tiens. – Mais comment faire ? – Lève-toi et va vers eux. Ils entourent toujours le chaudron, et ce qu'il contient n'a pas encore été mangé. Dis-leur de se tenir sur leurs gardes, à la prochaine nuit de *Samain*, car les hommes du tertre doivent attaquer à ce moment-là la forteresse de Cruachan et tous ceux qui s'y trouvent. Ce que tu as vu n'est pas encore. Conseille aussi à Ailill et à Maeve de venir attaquer le tertre la veille de *Samain*, car il a été prédit depuis longtemps que ce tertre serait détruit par Ailill et Maeve et qu'ils s'empareraient de la couronne du roi Briun. Cette couronne leur conférera la suprématie sur tous les autres peuples de l'Irlande. – Mais comment sauront-ils que je suis vraiment venu dans le tertre ? demanda Néra. Ils croiront que je raconte des histoires. – Emporte des fruits d'été, dit la femme. Sache aussi que je suis enceinte de toi et que je donnerai naissance à un fils. Quand ton peuple viendra pour détruire le tertre, envoie un message pour me prévenir, afin que je puisse me mettre à l'abri, ainsi que ton troupeau. Et, toi-même, tu pourras revenir ici quand tu le voudras. Maintenant, pars vers les tiens. »

Après avoir cueilli des primeroses, de l'ail sauvage et des fraises, Néra s'en revint vers la forteresse. Il lui semblait avoir séjourné trois jours dans le tertre. Or, en arrivant dans la maison, il trouva Ailill et Maeve, ainsi que leurs familiers, autour du chaudron. « As-tu accompli ce que j'ai demandé ? dit Ailill. – Oui, répondit Néra, mais il m'est arrivé d'étranges aventures. Je suis allé dans un beau pays où se trouvaient de grands trésors, des pierres précieuses, de riches ornements, de bonnes nourritures et des breuvages enivrants. Mais ceux qui y vivent viendront, la prochaine nuit de *Samain*, vous tuer et brûler la forteresse, à moins que vous n'alliez vous-mêmes, la veille, détruire le tertre. – Certes, dit Ailill, nous irons sans faute avant qu'ils ne viennent nous attaquer. Il est bon que tu aies fait ce voyage, ô Néra. Tu auras mon épée à la poignée d'or en récompense de ce que tu as fait. »

Trois jours avant *Samain*, Ailill avertit Néra qu'il était temps pour lui d'aller, comme convenu, protéger la femme et ses biens. Néra revint donc dans le tertre, et la femme lui souhaita la bienvenue. « Rends-toi maintenant dans la maison du roi, lui dit-elle, car je suis allée là-bas chaque jour porter un fagot de bois à ta place, en prétendant que tu étais malade. Et voici ton fils. »

Néra prit son fils dans ses bras, puis il alla porter un fagot de bois à la maison du roi, comme si de rien n'était. Ensuite, il rassembla son troupeau et sortit du tertre avec la femme et son fils.

La veille de *Samain*, Ailill et Maeve rassemblèrent les hommes de Connaught et allèrent assaillir le tertre. Après l'avoir détruit, ils emportèrent toutes les richesses qu'il recélait. Et voilà comment Ailill et Maeve eurent la couronne de Briun qui leur conférait la suprématie sur tous les autres peuples de l'Irlande.

Quant à Néra, il repartit dans le tertre avec sa femme, son fils et son troupeau, et il y vécut depuis lors. [1]

En ce même temps, dans le Munster, régnait un roi nommé Failbé qui avait deux fils, Rib et Ecca. Ayant eu le malheur de perdre sa femme, leur mère, il avait épousé une jeune fille de grande beauté qu'on nommait Ebliu. Or, cette Ebliu jeta ses regards sur le cadet des fils, Ecca, et elle en devint follement amoureuse. Elle était pleine d'attentions envers lui et lui manifestait tant d'intérêt qu'il finit par s'apercevoir que cette affection, loin d'être celle qu'une mère porte à son fils, était entachée de désir.

Il fit alors ce qu'il fallait pour éviter de se trouver en présence d'Ebliu, car il ne voulait pas causer le moindre tort à son père. Il s'en allait fréquemment à la chasse avec les jeunes gens de son âge et rentrait le plus tard possible à la maison royale. Mais c'était là peine perdue, car Ebliu le guettait, et elle s'arrangeait toujours pour l'approcher dans des attitudes qui ne laissaient aucun doute sur les tourments d'amour qui l'accablaient. Ainsi advint-il qu'Ecca se laissa prendre à la séduction d'Ebliu et partagea sa couche.

Cela dura un certain temps sans que personne se fût aperçu de rien. Mais, un jour, le roi Failbé, rentrant à l'improviste, surprit sa femme et son fils alors qu'ils étaient ensemble au lit. Sa douleur et sa colère furent si grandes qu'il envisagea d'abord de tuer les deux coupables. Puis, il se calma et se contenta de les maudire en leur ordonnant de quitter immédiatement le Munster.

Ainsi Ecca, fils de Failbé, quitta-t-il le pays de son

---

1. D'après le récit *Echtra Nerai* (les Aventures de Néra), conservé dans le manuscrit Egerton 1782, et publié par Thurneysen dans *Die Irische Helden und Königssage*. Version française de J. Markale dans *Les Cahiers d'Histoire et de Folklore*, vol. VI, Analyse et résumé dans J. Markale, *L'Épopée celtique d'Irlande*, nouv. éd., Paris, 1993.

père en compagnie d'Ebliu, avec tous les serviteurs qui leur étaient attachés. Et son frère aîné, Rib, qui ne s'entendait guère avec le roi Failbé, le suivit aussi.

La troupe des exilés se dirigea vers le nord, espérant par là trouver un lieu agréable pour y résider. Mais les druides qui les escortaient leur dirent qu'il ne serait pas bon que les deux frères fussent ensemble dans la même résidence.

Ils décidèrent donc de se séparer et, tandis qu'Ecca continuait sa route vers le nord, Rib et ses gens s'en allèrent vers l'est. Après une longue errance, ils découvrirent un bel endroit dans la plaine d'Arbthenn. « Voici qui nous convient, dit Rib à ses compagnons. Cette bonne plaine riche en herbe verte nous permettra de faire paître nos troupeaux sans jamais craindre que nous manque la nourriture. Et nous pourrons nous abreuver tant que nous voudrons à cette source qui jaillit du sol vers le ciel. »

Ils établirent donc leur camp dans la plaine d'Arbthenn, bien décidés à s'y fixer définitivement. Mais, le soir même, quand ils allèrent chercher de l'eau à la source, celle-ci déborda brusquement et les noya tous. Et c'est depuis ce temps qu'il y a un lac au milieu de la plaine d'Arbthenn.

Quant à Ecca, Ebliu et tous leurs gens, ils poursuivirent leur marche en direction du nord, mais sans trouver de lieu où s'installer. Ils allèrent ainsi pendant de longues journées, s'arrêtant à peine quelques heures chaque nuit pour reposer leurs membres fatigués et soigner leurs chevaux épuisés à force de tirer de lourds chariots. Parvenus de la sorte à la vallée de la Boyne, ils se retrouvèrent dans une prairie que surplombait la colline où se dressait le tertre de la Brug, brillant et étincelant dans la lumière du soleil couchant.

« Nous sommes harassés et n'en pouvons plus de marcher, dit Ecca. Arrêtons-nous ici, car cet endroit est frais et plaisant, et nous pourrons y dresser nos tentes sur la pente de la colline, à l'abri du vent. »

Ils commencèrent à s'installer mais, du haut du tertre, Angus, fils de Dagda, les avait vus, et il fut furieux que les intrus fussent sur son domaine sans s'être même souciés de lui demander son avis. Aussi, sortant de sa demeure, vint-il vers Ecca et, après lui avoir violemment reproché son indélicatesse, le somma-t-il de partir immédiatement avec tous ses gens, parce qu'il n'entendait sûrement pas laisser altérer la pureté de l'herbe qui poussait sur la pente. Cela fait, il regagna la Brug.

Comme le soir tombait, Ecca ne pouvait se résoudre à reprendre la route. Il décida finalement que l'on resterait en ce lieu pour n'en partir que le lendemain matin. On monta sommairement les tentes et, comme tous étaient très fatigués, ils s'endormirent profondément.

Ils étaient encore plongés dans le sommeil quand Angus survint parmi eux, plus en colère que jamais. Il fit une incantation sur les chevaux d'Ecca et d'Ebliu, et tous les chevaux périrent immédiatement. « Tu as commis là une bien mauvaise action, ô fils de Dagda, lui dit Ecca. Nous n'avions nulle intention de te nuire. Nous étions simplement harassés et ne demandions qu'à nous reposer sur ton domaine jusqu'au matin. – Je ne vous avais pas permis de rester, cria le Mac Oc. C'est votre faute si j'ai dû jeter un charme sur vos chevaux pour les faire périr. Ne vous en prenez donc qu'à votre outrecuidance. – Tu es mal venu de nous lancer ce vil reproche ! répliqua Ecca avec véhémence. D'abord, tu as failli aux devoirs d'hospitalité. Ensuite, tu nous a privés de nos chevaux. Comment ferons-nous, maintenant, pour tirer nos chariots avec tous ce qu'ils contiennent ? – Vous n'avez qu'à les tirer vous-mêmes ! » répondit Angus.

Ils commencèrent donc à ranger leurs tentes et quand tout fut en ordre, ils se mirent courageusement à traîner les chariots. Mais le terrain n'étant pas plat, ils eurent grand-peine à les faire changer de place. Depuis l'entrée de sa demeure, Angus les observait, non sans ironie, mais prêt à leur renouveler ses reproches s'ils ne parvenaient pas à quitter sa terre. Cependant, à force de les voir s'acharner avec tant d'ardeur, il prit pitié d'eux, descendit la colline et alla les rejoindre. « Attendez ! s'écria-t-il. Je vais vous donner un cheval en compensation de ceux que j'ai fait mourir. C'est un cheval fort et puissant qui vous permettra de tirer tous vos chariots ensemble. »

Il rentra dans la Brug et revint peu après avec un magnifique cheval gris, au pelage luisant, à la crinière argentée et aux pattes fortes et saillantes. Et, avec le cheval, il y avait des harnais d'argent que rehaussaient des boucles en or incrustées de pierres précieuses de toutes les couleurs. « Je te cède ce cheval sans contrepartie, dit-il à Ecca, mais je dois te donner un avertissement. Ce cheval n'appartient pas à la race des chevaux que tu connais. Il te faudra veiller à ce qu'il ne cesse jamais de marcher au pas, nuit et jour, sans même s'arrêter. Ne lui accorde aucun instant de repos car, si tu le faisais, il en résulterait une grande catastrophe, et cette catastrophe serait suivie d'une mort certaine pour toi-même et les tiens. »

Là-dessus, les exilés reprirent leur voyage et virent qu'en effet le cheval, à lui seul, tirait sans effort l'ensemble des chariots, et ils en furent émerveillés. Ils pénétrèrent en Ulster et se retrouvèrent bientôt dans une plaine très verdoyante entourée de collines, la plaine de Neagh. « Voici un bel endroit pour nous établir, dit Ecca. Nous aurons de l'herbe en abondance pour faire paître nos troupeaux, et le terrain est déjà si bien aplani qu'il nous sera facile d'y bâtir nos maisons. »

Ils déchargèrent les chariots mais, dans leur affairement, omirent de surveiller le cheval. Celui-ci s'arrêta de marcher, et au moment même où il le fit, une fontaine jaillit sous ses jambes, déversant l'eau à profusion. Alors, Ecca se souvint de l'avertissement d'Angus et, fort troublé du phénomène qui s'était produit, fit construire à la hâte, avec des pierres solides, une maison autour de la fontaine et sceller une porte qui en fermait soigneusement l'entrée. Aussitôt, l'eau cessa de couler et d'inonder le terrain avoisinant. Et Ecca décida d'édifier sa propre demeure près de la fontaine afin de mieux la surveiller.

Tous s'étant mis à l'ouvrage, Ecca choisit, parmi ses serviteurs, une femme en qui il avait toute confiance, et il la chargea de prendre soin de la fontaine, lui ordonnant d'en tenir toujours la porte étroitement close, excepté quand les gens de la forteresse viendraient y puiser. [1]

De la sorte se construisit une ville autour de la forteresse d'Ecca. Lui et ses gens rassemblèrent de grands troupeaux qui allaient paître l'herbe abondante de la plaine où l'on cultivait également du blé. Ebliu donna à Ecca deux filles qui furent appelées Ariu et Libane. De nombreux chefs d'Ulster vinrent trouver Ecca et lui rendirent hommage, tant et si bien qu'il eut la souveraineté sur la moitié de la province. Et chacun vanta les mérites d'Ecca, fils de Failbé.

Une fois nubile, Ariu épousa un poète du nom de Curnan, qui parcourait volontiers le pays en tous sens pour déclamer ou chanter des prophéties qui semblaient dépourvues de toute signification : aussi l'appelait-on Curnan le Simple. Il répétait sans cesse qu'un jour un lac surgirait à cause de la fontaine et qu'il était urgent de faire des bateaux. « Je vois la mort et la destruction dans cette plaine, disait-il. Je vois des torrents d'eau surgissant de la terre, des torrents impétueux et profonds. Je vois notre chef et tous ses hôtes engloutis sous la fureur des eaux. Je vois également Ariu, ma bien-aimée, emportée

---

1. Une autre version du même récit attribue l'aventure non à Ecca mais à son frère Rib. C'est Mider, le père adoptif d'Angus, qui lui donne le cheval, avec le même avertissement. Mais le cheval se met à uriner si abondamment que Rib doit l'enfermer dans une maison. Trente ans plus tard, l'urine déborde et noie tout le pays (*Revue celtique*, tome XV, d'après le manuscrit de Rennes des *Dindsenchas*, série de notices mythologiques sur les lieux d'Irlande).

par les vagues. Hélas ! je ne peux même la sauver. Tout le monde périra dans cette plaine, à l'exception de Libane et de moi-même. Triste destin... Et je vois Libane à l'est et à l'ouest : elle nagera longtemps, très longtemps sur le grand océan, près des rivages mystérieux et des îlots obscurs, et dans les grottes profondes sous les eaux. Hélas ! cette ville disparaîtra, et seul je resterai pour pleurer ceux qui ne sont plus... ! » Telle était la lamentation que chantait constamment Curnan le Simple aux gens qu'il croisait. Mais personne ne voulait l'entendre, et l'on se détournait, sitôt qu'on l'apercevait.

Or, un jour, la femme qui avait été chargée de la surveillance de la fontaine oublia de refermer la porte. Aussitôt, l'eau surgit de la maison de pierre et envahit la plaine, au point de former là le grand lac qu'on appelle le Lough Neagh. Ecca, fils de Failbé, Ebliu, toute sa famille et tous ses gens furent noyés, sauf sa fille Libane et son gendre Curnan le Simple [1].

Car Libane eut beau être emportée par les flots, elle ne périt pas noyée. Elle descendit au plus profond du lac avec son petit chien et y vécut une année entière dans une grotte. Mais, à la fin de l'année, elle s'ennuya de sa réclusion et exprima le désir d'être un saumon pour pouvoir nager dans les eaux profondes des estuaires et parcourir

---

1. On aura reconnu dans cette histoire le thème de la célèbre légende bretonne de la Ville d'Is, engloutie dans les flots de la mer par la faute de la princesse Dahud qui a donné les clefs des écluses protégeant la cité. Au pays de Galles, on retrouve cette tradition à propos de la baie de Cardigan, où la catastrophe résulte du débordement d'un puits dont la femme, chargée de le surveiller, a oublié de fermer la porte. Et l'on peut également rappeler la tradition concernant le pays de Lyonesse, englouti par la mer au large de Penzance dans le Cornwall. Ce thème de la ville engloutie paraît constant dans le légendaire celtique. Voir J. Markale, *Les Celtes et la civilisation celtique*, Paris, Payot, 1994 (chap. consacré au « Mythe celtique des origines ») et, surtout *La Femme celte*, Paris, Payot, 1992 (chap. consacré à « la Princesse engloutie »).

avec ses semblables la mer claire et verte. De fait, elle n'eut pas plus tôt exprimé ce vœu qu'il fut exaucé, mais son visage et ses seins conservèrent l'aspect de ceux d'une jeune femme [1].

Libane erra ainsi pendant trois cents ans dans tous les lacs et toutes les rivières d'Irlande. Elle longea les rivages dans la mer profonde et houleuse. Elle revenait souvent dans le lac Neagh et, là, elle chantait une lamentation sur le sort de son père Ecca et de toute sa famille. Puis, elle repartait par les estuaires et reprenait sa course autour de l'Irlande.

Or, un jour qu'elle se trouvait dans une rivière où l'eau n'était pas profonde, elle fut pêchée par le saint homme Congal qui vivait dans un ermitage selon la foi du Christ. Congal fut aussi surpris qu'émerveillé par un être si étrange et si beau. Libane lui conta les événements dont elle avait été le témoin. Là-dessus, Congal lui ayant demandé si elle voulait recevoir le baptême, elle accepta humblement, priant Dieu de l'accueillir dans la paix éternelle. Il la baptisa donc, et aussitôt mourut Libane, fille d'Ecca, devenue Muirgen, la « Fille de la Mer ». [2]

---

1. Cet être mi-femme mi-poisson n'est pas une sirène, en dépit de l'opinion courante : une sirène, à l'origine, est en effet un monstre féminin ailé qui, installé sur les écueils, attire les navigateurs pour mieux les noyer. Libane est au contraire le modèle parfait d'un type mélusinien (encore que Mélusine ait une queue de serpent et non de poisson). Il faut signaler que ce thème a été souvent exploité par les sculpteurs irlandais du Moyen Age : en témoignent les représentations si mystérieuses, dites improprement « sirènes », qu'on peut voir à l'extérieur de la cathédrale anglicane de Galway, et surtout celle, très étonnante, qui se trouve sur un contrefort, à l'intérieur de la magnifique église romane de Clonfert (comté de Galway), laquelle est placée d'ailleurs sous le vocable de saint Brendan le Navigateur.

2. D'après le récit *L'inondation du lac Neagh*, contenu dans le *Leabhar na hUidré*, manuscrit de la fin du XIᵉ siècle, édité avec traduction anglaise par J. O' Beirne-Crowe dans *Kilkenny Archaeological Journal*, Kilkenny, 1870. Autre traduction anglaise par P. W. Joyce dans *Old Celtic romances*, Dublin, 1879.

CHAPITRE X

Pour l'amour de Finnabair

Il y avait, en ce temps-là, un jeune héros, nommé Fraech, qui était le plus beau de tous les hommes d'Irlande et de Bretagne. Il avait pour père Idach de Connaught et pour mère Befinn, sœur de Boann, des tribus de Dana. Befinn lui avait offert dix vaches féeriques, blanches avec des oreilles rouges, et qui produisaient du lait en grande abondance. Autour de lui, dans sa maison, se trouvaient cinquante fils de rois, tous de même âge, de même taille et de même aspect que lui, ainsi que trois harpistes qui jouaient merveilleusement. Sa richesse était grande, et sa renommée s'étendait bien au-delà du Connaught.

Il arriva que Finnabair, fille d'Ailill et de Maeve, qui régnaient alors sur la province, s'éprit de Fraech sans l'avoir jamais vu, à force d'entendre conter sur lui mille traits plaisants. Fraech fut informé des bonnes dispositions de la jeune fille à son endroit ; il décida d'aller la voir pour lui parler. Il en discuta avec ses gens, et ceux-ci approuvèrent son projet. « Mais, ajoutèrent-ils, avant d'aller chez Ailill et Maeve, va trouver la sœur de ta mère, et prie-la de t'accorder des présents féeriques. »

Il se rendit donc à la résidence de cette dernière. Boann

l'accueillit avec bienveillance et lui accorda ce qu'il demandait : ainsi emporta-t-il cinquante manteaux, bleus comme le dos d'un scarabée, qu'ornaient des broches rouges, cinquante tuniques blanches brodées d'animaux d'or et d'argent, cinquante boucliers d'argent rehaussés de bordures rouges, des pierres précieuses qui brillaient dans la nuit comme les rayons du soleil et cinquante épées à poignée d'or. Il menait également cinquante chevaux portant au col des clochettes d'or, des caparaçons de pourpre, des harnais d'or et d'argent relevés de têtes d'animaux et munis de cinquante fouets en laiton blanc qui se terminaient par un crochet d'or. Il emmenait encore sept chiens de chasse équipés de chaînes d'argent à pommes d'or, sept sonneurs de cor aux longs cheveux dorés, vêtus de robes multicolores et de manteaux brillants, et trois druides qui précédaient la troupe, couronnés de diadèmes d'argent rehaussés d'or.

Comme ils approchaient de Cruachan où résidaient Ailill et Maeve, le guetteur posté sur la tour de la forteresse les vit déboucher dans la plaine et, allant trouver le roi et la reine, s'écria : « Je viens de voir approcher une compagnie telle que je n'en ai jamais vue depuis que vous avez souveraineté sur le Connaught. Je le jure par le dieu que jure ma tribu, je n'ai jamais vu et ne verrai jamais compagnie plus brillante et plus riche : la brise qui passe sur eux est plus légère que celle qui émane d'une cuve d'hydromel. Quant aux tours et aux jeux auxquels se livre le jeune homme qui se trouve au milieu de cette compagnie, je n'en ai jamais vus de pareils : il jette son javelot à une portée de lui et, avant que l'arme n'atteigne le sol, sept chiens aux chaînes d'argent la saisissent au vol. »

En entendant pareil éloge, les gens qui se trouvaient dans la forteresse de Cruachan se précipitèrent vers les remparts pour admirer la troupe qui arrivait, et ils y mirent tant de hâte qu'ils s'écrasèrent les uns les autres et qu'il en mourut seize. Puis on vit des choses surprenantes : les arrivants débridèrent leurs chevaux dans la prairie et lâchèrent les chiens qui, prenant leur course, rabattirent en un instant sous les murs de Cruachan sept daims et sept renards. Sur ce, les chiens repartirent jusqu'au marais et en ramenèrent sept loutres qu'ils déposèrent à la porte de la première enceinte. Alors, les membres de la troupe s'assirent sur l'herbe fraîche et attendirent.

On vint les trouver de la part d'Ailill et de Maeve, et on leur demanda qui ils étaient et d'où ils venaient. Ils répondirent que Fraech, fils d'Idach, souhaitait leur rendre visite. On alla donc en informer le roi et la reine. « Qu'il soit le bienvenu, ainsi que toute son escorte ! » dit Ailill.

On les fit entrer et on leur accorda une maison pour se reposer. Ils y trouvèrent, du foyer à la muraille [1], sept lits dorés comportant tous un fronton de bronze et des cloisons d'if rouge autour desquelles couraient des bandes de bronze. Sept bandes de cuivre partaient aussi du chaudron jusqu'au toit de la maison. Celle-ci, construite en sapin, était couverte de bardeaux. Elle avait seize fenêtres toutes encadrées de cuivre.

Une baguette d'argent, depuis le fronton, rejoignait les traverses de la maison et l'entourait d'une porte à l'autre.

Après avoir suspendu leurs armes dans la maison, Fraech et ses compagnons entreprirent de retirer de leurs coffres les pierres précieuses. Et lorsqu'Ailill et Maeve vinrent les saluer et leur souhaitèrent la bienvenue, on parla de choses et d'autres assez longuement, puis la reine dit : « J'aimerais jouer aux échecs avec ce jeune homme. – Eh bien, s'il le désire, soit, consentit le roi, mais il conviendrait cependant qu'on préparât à manger pour nos hôtes. »

---

1. Le foyer se trouve au centre de la salle, la fumée s'échappant par une ouverture pratiquée dans le toit.

On apporta un jeu d'échecs. L'échiquier était splendide, tout en bronze blanc, avec des coins en or, et les pièces étaient d'or et d'argent. Maeve se mit à jouer avec Fraech et, pendant ce temps, les gens de la maison faisaient cuire le gibier. « Que tes harpistes nous jouent quelque chose maintenant, dit Ailill à Fraech. – Jouez donc », dit Fraech aux harpistes.

Chaque harpe était enveloppée dans un sac en peau de loutre, bordé de cuir écarlate incrusté d'or et d'argent. Les harpes étaient d'or, d'argent et de bronze blanc relevés de figures d'oiseaux et de chiens. Quand on touchait les cordes, ces figures couraient en rond autour des hommes. Les harpistes se mirent à pincer les cordes, et douze hommes de la maison d'Ailill et de Maeve moururent à force de pleurer et de s'attrister.

Excellents mélodistes, ces musiciens étaient frères, et on les appelait Pleureur, Rieur et Endormeur. On les nommait ainsi à cause des airs qu'avait chantés la harpe de Dagda en leur honneur. En effet, celle-ci, lors de leur naissance, avait pleuré de tristesse aux premières douleurs de la mère, avait souri et s'était réjouie à la délivrance des deux premiers fils, mais joué un air de sommeil pour le troisième, car le travail fut pénible, et la mère s'endormit. En se réveillant, elle voulut donc commémorer ce qu'elle avait ressenti lors de ses couches.

Quant à Maeve et à Fraech, ils jouèrent aux échecs pendant trois jours et trois nuits, sans même se rendre compte de l'obscurité, parce que les pierres précieuses leur fournissaient toujours une douce lumière. Enfin, Fraech se leva.

« Il suffit, dit-il, que j'aie gagné cette partie. Si je ne te demande pas ta mise, n'en sois pas froissée. – Depuis que tu te trouves dans cette maison, répondit Maeve, jamais jour ne m'a semblé si long ! – Ce n'est pas étonnant, repartit Fraech, voilà trois jours et trois nuits que nous jouons ! »

Maeve se leva, honteuse d'avoir laissé les jeunes sans manger. Mais on lui dit qu'ils avaient été servis d'abondance. Alors, elle demanda qu'on leur distribuât davantage encore de mets et de boissons, afin qu'ils fussent pleinement rassasiés. Puis, Ailill et elle prirent à part Fraech et lui demandèrent pour quelle raison il était venu à Cruachan. « Je désirais vous faire visite, répondit Fraech. – C'est un honneur que tu nous fais, reprit Ailill, et nous sommes heureux de te connaître. Sache que ta présence ici vaut mieux que ton absence. – Je resterai donc une semaine avec vous », dit Fraech.

Ainsi séjourna-t-il dans la forteresse de Cruachan pendant toute la durée d'une semaine. Ses compagnons allaient chasser chaque jour et rapportaient du gibier en abondance, et les gens de Connaught venaient les visiter. Mais Fraech était fort ennuyé de n'avoir toujours pas rencontré Finnabair, car il avait entrepris ce voyage pour elle seule, et il s'étonnait qu'Ailill et Maeve ne la lui eussent pas présentée.

Or, un matin où il s'était levé dès les premiers rayons du soleil et s'en était allé dans la cour se laver à la fontaine, Finnabair vint dans le même but, en compagnie de sa servante. Aussitôt, Fraech lui prit les mains. « Reste pour parler avec moi, lui dit-il, car je suis ici pour toi. – Je le sais, répondit-elle, et je serais trop heureuse de demeurer en ta compagnie, mais je ne le puis. Mon père et ma mère m'ont bien recommandé de ne pas me montrer à toi. – Accepterais-tu de t'enfuir avec moi ? demanda Fraech. – Je ne m'enfuirai certainement pas, dit Finnabair, car je suis fille de roi et de reine. Ce n'est pas par mépris pour toi, sache-le bien, car ta richesse et ta réputation te permettraient de m'obtenir de ma famille. Et c'est avec toi que je préférerais aller, car je t'ai aimé dès que j'ai entendu parler de toi. Prends cet anneau. Il sera un gage entre nous. Ma mère me l'a donné à garder, et si on me demande pourquoi je ne le porte pas, je dirai que je l'ai perdu. »

Là-dessus, ils se séparèrent. Mais on avertit Ailill et Maeve que leur fille avait eu un entretien avec Fraech. « Je crains fort, dit le roi, que notre fille ne s'enfuie avec ce jeune homme. – On pourrait la lui accorder en tout honneur, dit Maeve, à condition qu'il accepte de donner un bon douaire et de nous accompagner s'il nous arrive d'entreprendre une expédition guerrière. » Au même moment, Fraech entrait dans la maison. « Votre conversation est-elle secrète ? demanda-t-il. – Si elle l'était, tu ne pourrais y participer, répondit Ailill. Viens donc t'asseoir avec nous, et dis-nous ce que tu désires. – Voici, dit Fraech. Voulez-vous me donner votre fille ? »

Ailill et Maeve se consultèrent du regard.

« Nous te l'accorderons, reprit Ailill, pourvu que tu acceptes de nous donner le douaire que je te réclamerai. – Que réclames-tu donc ? – Trois vingtaines de chevaux gris foncé, avec des mors d'or et d'argent, douze vaches laitières dont chacune donnera du lait pour cinquante personnes et aura un veau blanc aux oreilles rouges. Je te demande également de jurer que tu nous accompagneras dès que nous aurons besoin de ta présence dans une expédition guerrière. Accepte nos conditions, et notre fille t'appartiendra. – Par mon épée et par mes armes ! s'écria Fraech, je jure que je ne donnerais jamais pareil douaire, fût-ce pour Maeve de Cruachan ! » Alors, il les quitta, fort en colère, et sortit de la maison.

Ailill et Maeve reprirent leur conversation. « Cela va mal pour nous, dit Ailill, car, maintenant, il est capable d'enlever notre fille, ce qui nous vaudra honte et déshonneur parmi les rois et les nobles d'Irlande. Mieux vaudrait, à mon sens, nous jeter sur lui et le tuer sur-le-champ avant qu'il ne nous cause du tort. – Ce serait une mauvaise action, dit Maeve, car il est notre hôte, et nous lui devons assistance et protection. Il n'en résulterait que du déshonneur pour nous. – Je nous épargnerai le déshonneur, reprit Ailill, par la manière dont j'agirai. »

Là-dessus, tous deux sortirent de la forteresse et regardèrent les chiens chasser. Vers le milieu de la journée, les chasseurs s'en allèrent vers le lac pour s'y rafraîchir, et Ailill et Maeve les suivirent. « On m'a raconté, dit Ailill à Fraech, que tu es un très habile nageur. Plonge donc dans le lac, que nous puissions t'admirer. – Comment est ce lac ? demanda Fraech. – Comme les autres, répondit Ailill. On ne lui connaît aucun danger, et l'on s'y baigne fréquemment. »

Fraech ôta ses vêtements et plongea dans les eaux, laissant sa ceinture sur le rivage. Ailill s'approcha, se baissa, prit la ceinture, ouvrit la bourse qu'elle contenait, y découvrit l'anneau de Finnabair et, le reconnaissant aussitôt, le lança d'un geste brusque loin dans le lac.

Cependant, Fraech, tout en nageant, n'avait rien perdu de la scène. Il suivit l'anneau des yeux et vit un saumon bondir hors de l'eau et l'avaler. Sans perdre un instant, il se précipita sur le poisson, le saisit par les ouïes, l'emporta à terre et le déposa dans un endroit caché sur la rive, au milieu des roseaux. Puis il se prépara à sortir du lac. « Un instant ! lui cria Ailill. Vois-tu ce sorbier, là-bas, de l'autre côté du lac ? Je trouve ses baies très jolies. Avant de nous rejoindre, va donc jusque-là et rapporte-m'en une branche. »

Fraech nagea jusqu'à l'autre extrémité du lac, atteignit le sorbier, en brisa une branche et, la portant sur son épaule, il traversa en sens inverse pour l'offrir au roi. Pendant ce temps, Finnabair était venue jusqu'au rivage. Elle regardait nager Fraech et admirait sa souplesse, son agilité et sa beauté : elle n'avait jamais vu de corps aussi blanc, de chevelure noire aussi harmonieuse, de visage aussi fin, d'yeux aussi bleus, de bouche aussi vermeille. Elle sentait son cœur tout ému et se prenait à rêver.

Cependant, Fraech s'était rapproché du rivage. Il jeta la branche de sorbier aux pieds d'Ailill. « Ces baies sont superbes ! s'écria Ailill. Assurément, je n'en ai jamais vues de plus splendides. Je t'en prie, Fraech, va nous chercher une autre branche. »

Fraech fit demi-tour et entreprit de traverser le lac. Mais, quand il fut au milieu, il sentit qu'une bête monstrueuse surgissait des profondeurs et l'attaquait.

« Jetez-moi une épée ! hurla-t-il. La bête me tient ! »

Mais il ne se trouvait sur la rive aucun homme qui osât lui lancer une arme, par crainte d'Ailill et de Maeve. Alors, Finnabair se dévêtit en un tournemain et plongea dans le lac avec l'épée de Fraech. Quand il vit sa fille agir de la sorte, Ailill lui décocha un javelot à cinq pointes. Le javelot traversa les deux tresses de la jeune fille, mais Fraech le saisit de sa main droite et le retourna contre Ailill avec une telle précision que le trait traversa la robe de pourpre du roi. Finnabair tendit alors l'épée à Fraech. « O Finnabair ! dit-il, tu es vraiment la blanche apparition [1] qui vient me sauver ! »

Avec son épée, Fraech eut tôt fait de couper la tête de la bête et la ramena sur le rivage. Mais il était épuisé, et son corps blanc portait de nombreuses blessures. Ailill ordonna qu'on le transportât dans la forteresse.

« Qu'on le soigne ! ajouta-t-il, et qu'on prépare un bain, afin de lui laver ses plaies. Qu'on lui apporte également du bouillon pour le réconforter. » Puis il dit à Maeve : « Je n'aurais pas dû me comporter de la sorte, car ce jeune homme n'est pas coupable et, au surplus, il nous a montré son courage. Je me repens de ma mauvaise action. Quant à notre fille, elle nous a trahis en lui apportant l'épée. Ses lèvres mourront avant demain soir, car il est impossible de tolérer plus longtemps tant d'audace et d'orgueil. »

Ils rentrèrent alors dans la forteresse. On avait mis Fraech dans le bain, et des femmes se pressaient autour de lui pour le frotter, les autres pour lui laver la tête. On

---

1. C'est le sens du nom gaélique *Finnabair*, strict équivalent du gallois *Gwenhwyfar*, c'est-à-dire Guenièvre, l'épouse du roi Arthur.

lui fit boire du bouillon, puis on le retira de la cuve et on le coucha dans un bon lit.

Au même instant, retentit une grande lamentation qui se répandait autour de Cruachan, et l'on vit bientôt dans la prairie trois cinquantaines de femmes vêtues de tuniques de pourpre, coiffées de coiffures vertes et qui portaient au poignet des bracelets d'argent. On envoya aussitôt quelqu'un leur demander pourquoi elles se lamentaient si fort et qui elles étaient. « Nous nous lamentons à propos de Fraech, le fils d'Idach et de Befinn dont il est le fils favori, lui, le jeune homme le mieux aimé de toutes les tribus de Dana. »

Mais Fraech avait entendu la lamentation. « Soulevez-moi, dit-il à ceux qui l'entouraient. Je reconnais là la lamentation de ma mère et des femmes de Boann. Emmenez-moi jusqu'à elles. » On le transporta donc à l'extérieur de la forteresse, dans la prairie. Dès que les femmes le virent, elles l'entourèrent et, l'emmenant, disparurent dans la brume qui s'était brusquement levée et enveloppait Cruachan.

Mais, le lendemain, vers le milieu de la matinée, on vit revenir Fraech en compagnie des cinquante femmes. Il était guéri, ne montrait plus ni blessures ni fatigue. Les femmes qui l'escortaient étaient toutes du même âge, de la même taille, de la même beauté, d'un aspect féerique, et nul n'aurait pu les distinguer les unes des autres. Peu s'en fallut que les gens ne périssent étouffés, tant ils se pressaient pour les contempler. Elles quittèrent Fraech à la porte de la première cour et, après avoir pris congé de lui, rebroussèrent chemin. Mais elles continuèrent si bien leur lamentation, tout en s'en allant, que les gens qui se trouvaient dans la cour à ce moment-là devinrent fous. Et c'est de cette histoire que provient la « Lamentation des Fées » bien connue de tous les musiciens d'Irlande [1].

---

1. Cette « Lamentation des Fées » est en effet un air traditionnel des plus anciens et qui demeure familier à toutes les classes du peuple irlandais.

267

Là-dessus, Fraech rentra dans la maison d'Ailill et de Maeve. Toute l'assemblée se leva pour l'accueillir et lui souhaita la bienvenue comme s'il était revenu d'un autre monde[1]. Le roi et la reine se levèrent également et lui exprimèrent leurs regrets et leurs excuses pour ce qu'ils lui avaient fait. Il les salua à son tour et fit la paix avec eux. Ensuite, on se mit à festoyer.

Cependant, Fraech manda un jeune homme de sa troupe et lui dit : « Va-t'en sur le bord du lac, à un endroit où je suis allé au milieu des roseaux. J'y ai laissé un saumon. Porte-le à Finnabair, et prie-la de le préparer et de le faire bien cuire. Dis-lui aussi que l'anneau se trouve à l'intérieur. Je crois qu'il en sera beaucoup question ce soir. »

L'ivresse s'empara bientôt d'Ailill et de Maeve, et ils prirent tous deux plaisir à écouter les chants et la musique. Alors, le roi demanda à son intendant de lui faire apporter tous ses bijoux. On s'exécuta et on les étala devant lui. « Quelles merveilles ! s'exclamèrent les convives. Nous n'avons jamais vu pareilles richesses ! – Qu'on fasse venir Finnabair ! » ordonna Ailill.

Quelques instants plus tard, vêtue d'une robe brodée d'or, Finnabair se présenta devant son père et toute l'assemblée. « Ma fille, lui dit le roi, où est l'anneau que ta mère t'a donné à garder l'an dernier ? L'as-tu encore ? Dans ce cas, apporte-le-moi pour que ces jeunes gens puissent en admirer la finesse. – Je ne sais ce qu'il est devenu, répondit Finnabair. – Dans ce cas, répliqua Ailill, il faut que tu le cherches. Si tu ne le retrouves pas, je te

---

1. Ce qui est le cas : Fraech a été emmené dans le « pays des Fées » autrement dit dans le *sidh*, l'Autre Monde censé exister sous les tertres mégalithiques. Dans d'autres récits concernant Ailill et Maeve, tout laisse à penser que leur forteresse de Cruachan est bâtie au-dessus d'un cairn, dans lequel il est possible de pénétrer à certaines occasions, et d'où le peuple féerique peut surgir à tout moment pour se mêler aux humains.

jure que ton âme s'en ira de ton corps ! – Cela n'est pas juste, protestèrent les jeunes gens. Tu as ici assez de richesses pour que tu ne tiennes pas compte de cet anneau. – Il n'est pas d'objet précieux que je ne sois prêt à donner pour ta fille, intervint Fraech, car elle m'a apporté mon épée pour me permettre de me défendre. Elle m'a sauvé la vie, et je lui en sais gré. – N'insiste pas, dit Ailill. Tu n'as point de joyau qui puisse la sauver si elle ne m'apporte l'anneau que je lui demande. – Puisqu'il en est ainsi, dit Finnabair, je vais aller le chercher. – Non pas ! cria Ailill. Je sais très bien que si tu quittes cette salle, tu t'enfuiras et ne reparaîtras jamais devant moi. Si tu penses te dérober si facilement à ton sort, tu te trompes. Mais je consens que tu envoies quelqu'un s'en occuper pour toi. »

Finnabair en chargea donc sa servante. « Je jure par le dieu que jure ma tribu, reprit Finnabair, que, si cet anneau est retrouvé, je ne resterai pas un instant de plus en ton pouvoir, dussé-je n'avoir plus dès lors d'autre occupation que la débauche. – Si l'on retrouve l'anneau, s'écria Ailill, je ne t'empêcherai même pas d'aller retrouver le garçon d'écurie. »

Au même moment, la servante revint, portant un plat dans ses mains. Sur ce plat, tous virent que reposait un saumon bien préparé et bien cuit, avec un assaisonnement au miel et aux épices. Et, sur le saumon, se trouvait l'anneau d'or. Ailill et Maeve le considérèrent avec stupeur, puis ils regardèrent Fraech. Celui-ci porta la main à sa ceinture. « Il me semble, dit-il, que lorsque j'ai plongé dans le lac, à ta demande, j'avais laissé ma ceinture sur le rivage. Dans la ceinture se trouvait ma bourse et, dans ma bourse, cet anneau. Par ta vraie royauté, Ailill, dis-nous ce que tu as fait de l'anneau. » Le roi parut fort embarrassé. « Je ne le cacherai pas, finit-il par dire. Cet anneau m'appartenait, et je l'avais donné à Finnabair. Mais je me suis aperçu qu'elle te l'avait remis. Voilà pourquoi, quand tu as plongé dans le lac, je l'ai repris dans ta bourse et l'ai jeté au milieu des eaux. Ce qui m'étonne, c'est de le voir ici devant moi. Sur ton honneur, ô Fraech, explique-nous ce prodige. – Ce n'est pas difficile, répondit Fraech. En me donnant cet anneau, ta fille s'est engagée avec moi, et voilà ce qui te gênait. Tout en nageant, je t'ai vu le prendre et le jeter au milieu des eaux. Mais j'ai également vu ce saumon l'avaler. Alors je me suis saisi du poisson ; je l'ai ramené sur le rivage en prenant grand soin de l'y dissimuler. Tout à l'heure, avant le festin, j'ai envoyé quelqu'un le prendre pour le remettre à ta fille. Et c'est elle qui, en faisant cuire le poisson, a découvert l'anneau. Et c'est ainsi qu'il se trouve à présent devant toi. »

Ailill, affreusement gêné, regardait Maeve qui ne disait mot, puis son regard se reportait sur Fraech, mais il demeurait incapable de parler. « Roi Ailill, reprit Fraech, tous ceux qui se trouvent ici ont entendu les paroles que tu as prononcées tout à l'heure. Tu as dit à ta fille que si l'anneau était retrouvé, elle pourrait s'en aller avec n'importe qui, même avec le garçon d'écurie, as-tu aussi précisé. – Tu sais bien, s'écria Finnabair, que nul autre que toi n'aurait ma pensée ! – Hé bien, soupira Ailill, je vois qu'il me faut me résoudre à te donner ma fille. Je n'exigerai qu'une seule chose : jure de nous accompagner dans toute expédition guerrière pour laquelle nous aurons besoin de ton aide. » [1]

Fraech demeura donc dans la forteresse de Cruachan et y dormit avec la jeune fille. Le lendemain matin, il prit congé du roi et de la reine de Connaught et, avec tous ses gens et Finnabair, regagna sa demeure.

---

1. Comme dans les récits des *Deux Porchers*, et des *Aventures de Néra* cette *Courtise de Finnabair* constitue l'un des nombreux prologues à la célèbre épopée de la *Razzia des Bœufs de Cualngé*. Fraech y participera et y périra, d'ailleurs, de la main du héros Couhoulinn.

Peu de temps après, à l'appel d'Ailill et de Maeve, il vint les aider dans une expédition guerrière. Mais, lorsqu'il fut de retour, il s'aperçut qu'on lui avait volé ses vaches, et que sa femme avait disparu. Sa mère vint lui parler. « Il n'a pas été heureux, dit-elle, le voyage que tu as entrepris. Il te causera bien des ennuis. Tes vaches ont été volées, et Finnabair a été enlevée. Trois de tes vaches sont dans l'Ecosse du nord, chez les Pictes. Les autres, ainsi que ta femme, se trouvent dans les montagnes des Alpes [1]. – Je pars à leur recherche ! s'écria Fraech. – N'y va pas ! dit sa mère. Tu risquerais ta vie. Je te donnerai d'autres vaches. – Mais que fais-tu de Finnabair ? – Il est, en Irlande, d'autres femmes aussi belles et aussi nobles qu'elle, et je me charge de t'en trouver une qui te convienne. – Tes paroles ne serviront à rien, dit Fraech, car je partirai quand même à la recherche de Finnabair et de mes vaches. »

Il quitta donc sa mère et, accompagné de trois neu- vaines d'hommes, d'un faucon et d'un chien en laisse, fit si bien qu'il parvint dans la province d'Ulster. Là, il ren- contra Conall Cernach [2] et se lia d'amitié avec lui. Aussi lui fit-il part de sa quête. « Ton entreprise ne te profitera guère, dit Conall, car je vois sur toi beaucoup d'ennuis et de tourments. – Viendrais-tu avec moi, si grand que soit le péril ? demanda Fraech. – Je n'ai jamais rien refusé à quiconque s'est lié d'amitié avec moi, répondit Conall. Je t'accompagnerai, où que tu ailles. »

Ensemble, ils traversèrent donc la mer et le nord de l'île de Bretagne, franchirent la mer de Wight, errèrent

---

1. Les récits irlandais comportent toujours un jeu de mots entre les Alpes et le nom *Alba* qui désigne la Grande-Bretagne.

2. Ce Conall Cernach est l'un des principaux personnages du cycle épique d'Ulster. Compagnon d'armes du héros Couhoulinn, il sera lui aussi l'un des protagonistes de la *Razzia des Bœufs de Cualngé*. De nombreux récits le font intervenir dans les circonstances les plus diverses.

longtemps en Gaule et parvinrent enfin dans les montagnes des Alpes. Une fois là, ils aperçurent une jeune fille qui gardait des moutons.

« Allons lui parler, dit Conall, tandis que nos jeunes gens resteront ici. Elle pourra sans doute nous renseigner sur ce pays. » Ils allèrent donc parler à la jeune fille et en apprenant qu'ils venaient d'Irlande, elle se mit à pleurer. « Pourquoi verses-tu des larmes ? demanda Fraech. — Ma mère vient d'Irlande, comme vous, répondit-elle, mais elle n'est pas ici de son plein gré, soyez-en certains. Vous voici dans un pays affreux et terrible, peuplé de jeunes guerriers cruels et rusés qui vont de tous côtés enlever des trésors, des vaches et des femmes. — Qu'ont-ils enlevé dernièrement ? demanda Conall. — Ils ont pris la femme et les vaches de Fraech, fils d'Idach, du Connaught en Irlande. La femme se trouve dans la forteresse que vous voyez sur la hauteur, et ses vaches sont en train de paître sur le versant de la montagne. — Que nous conseilles-tu de faire ? dit Fraech. — Je pense, répondit la fille, que vous devriez aller trouver la femme qui garde les vaches. Expliquez-lui pourquoi vous êtes ici. Elle vient d'Irlande, et elle en sait plus que moi. »

En se hâtant, Fraech et Conall eurent tôt fait d'aborder la femme qui gardait les vaches sur le versant de la montagne. Elle leur souhaita la bienvenue et leur demanda d'où ils venaient : « Nous venons d'Irlande, lui répondit Fraech, et nous voulons reprendre la femme qu'on garde dans la forteresse, ainsi que les vaches qu'on m'a dérobées. Connais-tu un moyen d'entrer dans la place ? »

En entendant ces paroles, la femme poussa trois cris de lamentation. « Hélas ! s'écria-t-elle ensuite, c'est pour votre malheur que vous êtes venus dans ce pays. Cette forteresse est gardée par un serpent monstrueux qui ne laisse entrer que ceux qu'il connaît. Tous les autres, il se jette sur eux et les dévore, et je ne connais personne qui soit parvenu à lui échapper. Mais qui êtes-vous donc, vous qui êtes assez téméraires pour espérer pénétrer dans cette forteresse ? – Voici Fraech, fils d'Idach, de Connaught, et moi je suis Conall Cernach, compagnon de la Branche Rouge [1], en Ulster. C'est Finnabair, fille d'Ailill et de Maeve, qui est retenue prisonnière dans la forteresse, et les vaches données à Fraech par sa mère, Befinn, des tribus de Dana, se trouvent parmi le troupeau que tu gardes. »

A ces mots, la femme se précipita et, jetant ses bras autour du cou de Conall Cernach, manifesta une joie exubérante. « Que t'arrive-t-il ? demanda Conall, fort surpris de son comportement. – Je vais vous expliquer, répondit-elle. Si j'ai tant de joie, c'est que la destruction de cette forteresse est proche. Une prédiction court en effet le pays, qui te désigne comme l'homme qui doit achever les aventures douloureuses qui sont les nôtres. Elle ajoute qu'il te suffirait de mettre ta ceinture autour de la tête du serpent pour que celui-ci s'endorme immédiatement. – Vraiment ? s'écria Conall. Dans ce cas, allons-y tout de suite ! – Non pas, dit la femme, car les guerriers qui gardent la forteresse sont aussi dangereux que le serpent. Il faut attendre la nuit. Je vais rentrer dans ma maison mais, ce soir, je ne trairai pas les vaches, et je prétendrai que les veaux ont besoin de téter toute la nuit. Je laisserai donc la porte de la cour ouverte, car c'est moi qui la ferme tous les jours avant la tombée de la nuit. Vous entrerez ainsi dans la forteresse lorsque la garnison sera endormie. Ensuite, vous agirez comme bon vous semble. »

Ils attendirent donc que la nuit fût tombée et se présentèrent à la porte de la forteresse. Le serpent, d'un bond terrible, se précipita vers eux, mais Conall eut le temps de lui entourer la tête de sa ceinture, et il s'endormit aussi-

---

1. Sorte de fraternité guerrière d'Ulster qui, groupée autour du roi Conor (Conchobar mac Nessa), tenait ses réunions dans une maison dite « la Branche Rouge », où étaient exposés les trophées acquis au cours des batailles.

tôt. Alors, ils pénétrèrent plus avant, tuèrent la garde, délivrèrent Finnabair et s'enfuirent en emportant les plus précieux joyaux que recélait la place. Ils avaient allumé un grand feu qui se propagea sur toute la montagne, et ils partirent après avoir pris soin de rassembler les vaches de Fraech. Puis ils ne tardèrent guère à atteindre un port, et ils s'embarquèrent sur la mer, avec Finnabair et les vaches qu'avait données Befinn à son fils.

Seulement, il en manquait encore trois. Aussi se rendirent-ils en Ecosse, chez les Pictes du nord. Non sans peines infinies, ils découvrirent enfin l'endroit où se trouvaient les vaches, réussirent à s'en emparer et pillèrent la forteresse du voleur. Après quoi, ils gagnèrent le rivage et naviguèrent sur la mer jusqu'aux côtes d'Irlande, qu'ils atteignirent à l'endroit qu'on appelle Bennchur.

C'est là que se séparèrent Fraech et Conall Cernach, après s'être renouvelé leur serment d'amitié. Conall regagna sa forteresse, et Fraech, en compagnie de Finnabair, traversa l'île avec son troupeau et rentra dans sa maison où personne ne l'attendait plus. [1]

---

1. D'après le récit intitulé *Tain bô Fraich* (Razzia des bœufs de Fraech) contenu dans le manuscrit XL, conservé à la Bibliothèque des avocats d'Edinburgh, et qui date du XVIe siècle, édité avec traduction anglaise par A.-O. Anderson dans *Revue celtique*, tome XXIV (1903). Traduction française par Georges Dottin dans *L'Épopée irlandaise*, Paris, 1980.

CHAPITRE XI

La Terre des Fées

Par un beau jour du début de l'été, Bran, fils de Fébal, se promenait seul sur la prairie qui s'étendait au bas de sa forteresse. Le soleil brillait, la brise soufflait légère. Tout à coup, Bran entendit de la musique derrière lui. Il se retourna pour savoir qui jouait ainsi mais, dès qu'il se fut retourné, le même chant retentit encore derrière lui. Cela dura un certain temps, mais il finit par s'allonger sur l'herbe et s'endormit, tant la mélodie était douce et harmonieuse.

Quand il émergea de son sommeil, il aperçut près de lui une branche de pommier avec des fleurs blanches qu'il n'était pas facile de distinguer de la branche elle-même. Il l'emporta dans la forteresse. Quand les Fils de Milé furent dans la salle pour le festin, on vit pénétrer une femme vêtue d'un costume étranger. Elle s'avança vers Bran et se mit à chanter :

« *Voici une branche du pommier d'Emain* [1]
que je t'apporte, semblable aux autres :
elle a des rameaux d'argent blanc

---

1. C'est l'un des noms gaéliques de la Terre des Fées, qui correspond à l'île d'Avalon de la légende arthurienne.

et des sourcils de cristal avec des fleurs.
Elle vient d'une île lointaine
autour de laquelle brillent les chevaux de mer
dans leur course avec l'écume des vagues.
Quatre piliers supportent cette île,
ce sont quatre piliers de bronze
qui brillent à travers les siècles du monde,
en un lieu où jaillissent de nombreuses fleurs.
C'est une terre de bonté et de beauté
où pleuvent les cristaux et les pierres précieuses.
La mer jette la vague contre la terre
et y dépose les cheveux de cristal de sa crinière.
Inconnues sont ici la douleur et la traîtrise :
ni chagrin, ni deuil, ni mort,
ni maladie, ni faiblesse,
tel est le signe d'Emain.
Beauté d'une terre merveilleuse
dont tous les aspects sont aimables,
en un étrange pays
où la brume est incomparable... »

Une fois son chant terminé, l'inconnue s'éloigna, et personne ne sut où elle était allée. Mais elle avait emporté la branche de pommier, qui, d'elle-même, avait sauté des mains de Bran dans les siennes, sans que Bran eût la force de l'en empêcher. Il fut très impressionné par ce qui s'était passé, et les paroles qu'avait chantées la femme lui revenaient sans cesse à l'esprit. Il ne put dormir de toute la nuit, et le matin, de bonne heure, il alla trouver un druide réputé pour sa sagesse et qui résidait dans le pays de Corcomroe [1].

---

1. Dans le comté de Clare, au sein d'une vallée verdoyante mais solitaire que domine le massif calcaire désertique du Burren. C'est à Corcomroe que fut bâtie, au XIIIᵉ siècle, la plus occidentale des abbayes cisterciennes. Tout autour subsistent de nombreux vestiges mégalithiques et celtiques.

Ce druide se nommait Nuca. Bran lui demanda ce que signifiaient le chant qu'il avait entendu et la présence de la femme mystérieuse dans la grande maison de sa forteresse. « Ce n'est pas difficile, répondit le druide. Cette femme venait d'Emain, c'est-à-dire de l'île des Pommiers. Et, en te présentant une branche de pommier d'Emain, elle t'a invité à aller la rejoindre là-bas. – Vraiment ? s'étonna le fils de Fébal. Et où se trouve cette île dont tu me parles ? – Elle se trouve quelque part sur le grand océan, vers l'endroit où le soleil s'enfonce dans les flots. On n'en connaît pas le chemin et personne n'y peut aborder sans guide. – Dans ce cas, que dois-je faire ? insista Bran. – Désires-tu vraiment rejoindre cette femme dans l'île d'Emain ? – Assurément, répondit Bran, car je ne retrouverai plus jamais le sommeil maintenant qu'elle m'a visité, si je ne peux la revoir. »

Le druide se plongea dans une grande méditation, puis il indiqua à Bran le jour où il pourrait commencer la construction d'un bateau, et il précisa même le nombre de compagnons qu'il lui faudrait emmener avec lui, à savoir seize hommes, pas un de plus, sous peine de grands ennuis. Enfin, il lui précisa quel jour serait le plus favorable pour s'embarquer, et de quel port il convenait de partir.

Bran revint donc chez lui et, au jour marqué par le druide Nuca, il ordonna d'entreprendre la construction d'un bateau à trois coques. Cela fait, il choisit entre ses familiers ceux qui pourraient l'accompagner dans cette navigation hasardeuse et les rassembla. Parmi eux, se trouvaient un certain German, que Bran aimait comme un frère, ainsi que Nechtân [1], fils de Collbran, qui connaissait bien l'art de naviguer. Et il emmena cette troupe

---

1. Nechtân est un nom gaélique dérivé du latin *Neptunus*, ce qui indique clairement la qualification maritime du personnage.

au port de Cloghan [1] pour y achever les derniers préparatifs.

Ils embarquèrent au jour qu'avait déterminé le druide
Nuca, mais, à peine se furent-ils éloignés du rivage et
eurent-ils hissé les voiles, que les trois frères de lait de
Bran arrivèrent sur la grève et, de là, crièrent très fort
pour attirer l'attention de celui-ci et le supplier de revenir
les prendre aussi. « Retournez chez vous ! leur cria Bran,
je ne peux prendre à bord plus d'hommes qu'il a été
prévu ! – Dans ce cas, répondirent-ils, nous allons nous
jeter à l'eau, nous suivrons ton sillage sur la mer, et nous
finirons par nous noyer si tu ne nous acceptes pas à bord,
sois-en persuadé ! [2] »

Et, incontinent, ils se jetèrent dans la mer et nagèrent
vers le large. En les voyant si bien décidés à exécuter leur
menace, Bran ordonna de faire demi-tour et, de peur
qu'ils ne fussent noyés, les fit monter à bord.

Ce jour-là, ils ramèrent jusqu'au soir, car le vent n'était
pas suffisant pour les faire avancer. La nuit tombait
lorsqu'ils aperçurent deux petites îles rocheuses et entièrement dépourvues de végétation sur lesquelles se dressaient deux forteresses. Ils y entendirent du bruit, celui
que faisaient les habitants en conversant très fort et en se
vantant à qui mieux mieux d'avoir accompli les actions
les plus héroïques. « Nous pourrions aborder et leur
demander s'ils connaissent la direction de l'île des Pommiers, dit Diuran le Poète. – Tu as raison, répondit Bran.
Allons les trouver. Ils savent peut-être des choses que
nous ignorons. »

---

1. Dans le comté de Kerry, au fond de la Brandon Bay dont
l'appellation évoque la figure de saint Brendan le Navigateur, fonda-
teur historique du monastère de Clonfert, mais sur la renommée
duquel s'est greffé le mythe pré-chrétien de Bran.
2. Il s'agit bel et bien d'une incantation magique : si les trois
frères périssent noyés, la responsabilité en retombera sur Bran qui se
verra déshonoré.

Mais, comme il prononçait ces mots, un vent d'une telle violence s'abattit sur eux qu'ils se trouvèrent ballottés sur les vagues sans plus pouvoir diriger le bateau. Après avoir dérivé toute la nuit, ils ne virent plus, au matin, ni île ni terre ferme, et ils ignoraient absolument tout de leur position.

« Tout cela est de votre faute, dit Bran à ses frères de lait. Vous êtes montés sur ce bateau, alors que le druide Nuca m'avait bien recommandé, sous peine de grands malheurs, de ne pas prendre plus de seize hommes comme compagnons de voyage. Maintenant, il ne nous reste plus qu'à laisser le bateau dériver. Nous verrons bien où il nous mènera. »

Ils ne répondirent pas, car ils se sentaient coupables. Mais les autres compagnons de Bran étaient pleins d'angoisse eux aussi, et ils observèrent tous un grand silence. Ils allèrent ainsi pendant trois jours et trois nuits au gré des courants sans rencontrer de terre. A la fin du quatrième jour, ils entendirent un bruit qui provenait du nord-est. « C'est le bruit des vagues contre un rivage, dit Bran. Dirigeons-nous de ce côté-là, car nous sommes sûrs d'y découvrir quelque chose. »

Ils ne mirent pas longtemps à apercevoir une terre. Comme ils tiraient au sort pour savoir qui descendrait sur le rivage, un énorme essaim de fourmis, chacune d'elles ayant la taille d'un poulain, surgit sur la grève et s'avança dans la mer. Visiblement, ces fourmis géantes entendaient s'en prendre au bateau et en dévorer l'équipage. Bran ordonna de ramer avec vigueur et ils furent bientôt hors de portée, mais ils passèrent encore trois jours et trois nuits à errer sur la mer sans savoir où ils se trouvaient.

Or, au matin du quatrième jour, ils aperçurent dans la lumière du soleil une île haute et grande, avec des terrasses tout autour. Des rangées d'arbres se dressaient sur chacune de ces dernières et, sur les branches, étaient perchés de grands oiseaux. Bran et ses compagnons tinrent conseil pour décider de ce qu'il convenait de faire, mais ils n'arrivèrent pas à prendre de décision. Alors Bran résolut d'aborder lui-même, ce qu'il fit, et très facilement. Il tua des oiseaux et les rapporta au bateau, procurant à tous une nourriture excellente. Et, là-dessus, ils reprirent la mer.

Au milieu de la journée, ils aperçurent une autre île qui leur sembla grande et sablonneuse. Comme ils s'apprêtaient à aborder, ils y virent une bête qui ressemblait à un cheval, mais elle avait les jambes d'un chien, un pelage tout hérissé et des ongles pointus. Visiblement, sa joie était grande, et elle n'attendait que le moment de sauter sur eux pour les dévorer. Bran ordonna de reprendre le large au plus vite mais, quand la bête s'aperçut de leur fuite, elle gagna la grève, se mit à creuser le sable et en retira des galets qu'elle lança contre le bateau. En redoublant de vitesse, les navigateurs parvinrent néanmoins à lui échapper.

Ils arrivèrent peu après en vue d'une autre île, celle-ci très plate. Le sort désigna German pour aller l'explorer, mais Diuran le Poète voulut l'accompagner, disant qu'à deux on courait moins de danger. Une fois débarqués, ils marchèrent avec prudence et débouchèrent sur une vaste prairie où ils remarquèrent d'énormes empreintes qui semblaient avoir été faites par des sabots de chevaux. Il y avait aussi, éparpillées un peu partout, de très grosses coquilles de noix. Et comme il y avait également des ruines de maisons, ils appelèrent leurs compagnons à venir se rendre compte par eux-mêmes. Mais ce spectacle les effraya, car ils ne comprenaient pas ce qui avait pu provoquer ces traces et ces ruines, et ils s'empressèrent de regagner leur bateau.

Quand ils furent assez loin du rivage, ils aperçurent une multitude de chevaux qui se ruaient vers la mer, des chevaux d'une taille extraordinaire et que montaient des espèces d'hommes maigres et noirs qui excitaient leurs

coursiers avec de grands cris. Les navigateurs ne doutè-
rent pas qu'il ne s'agît là d'une réunion de démons ou de
fantômes, et ils s'éloignèrent au plus vite de ce lieu maudit.

Ils abordèrent ensuite une autre île où se dressait sur le
rivage une maison précédée d'un grand porche. Ils virent
également qu'une porte s'ouvrait directement sur la mer,
munie d'un battant de pierre percé d'une ouverture à travers laquelle les vagues lancèrent un saumon. Alors, ils
débarquèrent et pénétrèrent dans la maison. Elle était
déserte, mais quatre lits en occupaient les quatre coins, de
la nourriture était disposée devant chacun, et un bassin de
verre contenant un breuvage apparemment enivrant. Ils
mangèrent cette nourriture, burent la liqueur, puis regagnèrent leur bord sans avoir vu âme qui vive.

Après avoir assez longtemps vagabondé sur la mer, ils
commençaient à souffrir de la faim et de la soif quand ils
découvrirent une autre île dont le rivage était surmonté
d'une haute falaise tombant à pic dans les flots et couverte, au sommet, d'une forêt très dense. Bran descendit
dans l'île et, s'engageant dans cette forêt, y prit en passant un rameau dans sa main. Trois jours et trois nuits, ce
rameau demeura dans sa main tandis que le bateau tour-
nait autour de l'île, et, le quatrième jour, trois pommes
apparurent au bout du rameau. Ils se partagèrent les
pommes et en furent rassasiés.

Ils passèrent aussi à proximité d'une petite île, basse et
belle à voir, où ils aperçurent de grands animaux semblables à des chevaux. Chacun d'eux mordait le flanc
d'un autre et y arrachait un morceau de chair avec sa
peau de telle façon que des ruisseaux de sang cramoisi
coulaient de leurs plaies et se répandaient sur le sol. Les
navigateurs s'éloignèrent en toute hâte, car ils commençaient à désespérer, d'autant plus que, n'ayant plus rien à
manger, ils se sentaient faibles et désemparés.

Or, au moment de leur plus grande détresse, ils arrivèrent en vue d'une nouvelle île où se remarquaient de

nombreux arbres couverts de fruits, notamment de grosses pommes couleur d'or. De petits animaux rouges qu'on aurait pris pour des cochons sauvages se trouvaient sous ces arbres dont ils heurtaient les troncs avec leurs pattes, pour en faire tomber les pommes. Puis, ils mangeaient celles-ci avec une évidente satisfaction. Pendant ce temps, de nombreux oiseaux se baignaient dans les vagues, à proximité de l'île et, lorsque, au soir, les animaux rouges se furent retirés dans des cavernes, ils volèrent jusqu'aux arbres et se mirent à en picorer eux-mêmes les fruits. « Voici qui est favorable, dit Bran. Si ces animaux rouges et ces oiseaux mangent avec tant de plaisir les fruits que portent ces arbres, c'est que ceux-ci peuvent être comestibles aussi pour nous. Allons donc à terre en faire provision. »

Ils débarquèrent sur le rivage et s'étonnèrent grandement de sentir le sol aussi chaud sous leurs pieds. Et, de fait, la chaleur leur devint si insupportable qu'ils durent au plus vite regagner leur bateau ; néanmoins, ils avaient eu le temps d'emporter une grande quantité de pommes qui leur permirent de manger et de boire pendant plusieurs jours.

Alors qu'ils commençaient à souffrir à nouveau du manque de nourriture et qu'ils avaient du mal à respirer tant la puanteur de la mer était affreuse, ils abordèrent sur une île étroite où s'élevait une forteresse entourée d'une muraille aussi blanche que si on l'avait construite en chaux ou en pierre de craie, et d'une hauteur impressionnante, car elle touchait presque aux nuages. Comme elle comportait une porte ouverte, ils la franchirent et virent de grandes maisons toutes blanches, elles aussi. Ils pénétrèrent dans celle qui leur paraissait la plus vaste et n'y trouvèrent personne, sauf un petit chat qui jouait sur les piliers dressés aux quatre coins de la salle en sautant de l'un à l'autre. Tout en regardant les nouveaux arrivants, il ne paraissait nullement effrayé, car il continuait à jouer comme si de rien n'était.

Mais ils découvrirent autre chose. Il y avait trois rangées d'objets sur l'un des murs de la maison, d'une porte à l'autre : une de broches d'or et d'argent dont les épingles étaient fichées dans le mur ; la suivante de torques d'or, chacun ayant la dimension d'un cercle de cuivre ; la dernière, enfin, d'épées très grandes, dont les poignées d'or étaient incrustées de pierres précieuses. S'avançant davantage dans la salle, ils aperçurent au milieu, sur le foyer, un bœuf rôti, du lard cuit et de grands vaisseaux emplis d'un breuvage à l'odeur agréable. « Cela nous est-il destiné ? » demanda Bran, se tournant vers le chat.

Le chat le regarda un instant, puis il reprit son jeu en sautant d'un pilier à l'autre. Bran comprit alors que ce repas avait été préparé à leur intention. Ils mangèrent et burent autant qu'ils le purent, puis ils s'endormirent sur des lits qui se trouvaient là. Le lendemain matin, quand ils se réveillèrent, ils versèrent les boissons dans des pots et ramassèrent les reliefs de nourriture afin de les emporter. Mais, au moment de sortir, l'un des frères de Bran dit : « J'aimerais bien emporter l'un de ces colliers. – N'en fais rien, dit Bran, car je me doute que cette maison n'est pas sans gardien. Ces objets n'ont été placés ici qu'afin d'exciter notre convoitise. »

Mais, sans vouloir rien entendre, son frère s'empara d'un torque et, au même instant, le chat, qui jouait toujours d'un air aussi tranquille, bondit sur lui, telle une flèche cruelle, et le malheureux s'embrasa si bien qu'en une seconde il n'était plus qu'un tas de cendres. Alors, le chat remonta sur l'un des piliers, et Bran tenta de le calmer par de douces paroles, tout en remettant le collier à sa place. Puis, les navigateurs retournèrent à leur bateau, fort attristés de la perte de leur compagnon.

Ils furent à nouveau trois jours entiers sur la mer avant d'apercevoir une île que partageait en deux parties égales une palissade hérissée. D'un côté de celle-ci paissait un troupeau de moutons blancs, de l'autre un troupeau de moutons noirs, tandis qu'un gros homme faisait le va-et-vient pour partager les bêtes. Quand il prenait un mouton blanc et le jetait par-dessus la palissade, l'animal devenait noir en touchant le sol, mais s'agissait-il d'un mouton noir, celui-ci devenait blanc [1].

A ce spectacle, Bran et ses compagnons furent effrayés. « Méfions-nous de ce sortilège, dit Bran. Nous allons faire une expérience : jetons quelque chose de noir du côté des moutons blancs, et nous verrons bien ce qui se passera. »

Prenant un rameau dont l'écorce avait noirci, ils le jetèrent sur la partie de l'île où se trouvaient les moutons blancs, et, instantanément, le rameau devint tout blanc. Ils lancèrent alors un autre rameau qui était blanc du côté des moutons noirs, et le rameau devint tout noir. « Vraiment, dit Bran, cette expérience est concluante. Ne restons pas plus longtemps dans ces parages, car il risquerait de nous arriver une mauvaise aventure. »

Peu après, ils parvinrent en vue d'une autre île sur laquelle étaient rassemblées de grandes foules d'hommes et de femmes. Tous étaient entièrement noirs, tant sur leurs corps que sur leurs vêtements. Des filets également noirs recouvraient leurs têtes, et ils ne cessaient de se lamenter. « Que l'un d'entre nous s'y rende et leur

---

1. Un épisode similaire se trouve dans le récit gallois de *Peredur*. Voir J. Markale, *Le Cycle du Graal*, sixième époque : « Perceval le Gallois ». Ce changement de couleur exprime le passage d'un monde dans l'autre, et la palissade symbolise la frontière entre le monde humain des Fils de Milé et celui, complètement féerique, des tribus de Dana. On a souvent appelé cet épisode le « Gué des Âmes », par référence au texte gallois où c'est en traversant un estuaire que les moutons changent de couleur. Ici, il faut comprendre que Bran et ses compagnons sont aux limites du monde humain, dans une zone ambiguë où se manifestent des personnages ou des événements extraordinaires, tandis qu'eux-mêmes ne sont pas encore prêts à franchir la frontière. Ainsi s'explique leur longue errance sur la mer avant d'atteindre l'île des Fées.

demande ce qu'ils ont à se lamenter de la sorte, dit Bran. Et, par la même occasion, qu'il les questionne au sujet de l'île où nous devons aller. »

Le sort désigna le deuxième frère de lait de Bran. Il aborda et se dirigea vers les gens en noir. Mais, sitôt qu'il fut parmi eux, il se mit à se lamenter lui aussi. Bran envoya deux hommes pour le ramener ; mais ceux-ci, loin de le reconnaître parmi les autres, se mirent eux-mêmes à pleurer et à se lamenter. Alors Bran dit : « Que quatre hommes se rendent là-bas avec des chaînes et, de force, en ramènent nos compagnons. Qu'ils ne regardent pas la terre, qu'ils se couvrent le nez et la bouche pour éviter de respirer les miasmes de cette île et ne regardent personne d'autre que ceux qu'ils viennent chercher ! »

Diuran, Nechtân, German et le troisième frère de Bran se rendirent à terre et, non sans d'infinies précautions, enchaînèrent les deux hommes qu'on avait envoyés au secours du premier. Mais ils ne purent découvrir celui-ci, tant il avait déjà pris l'apparence de tous les autres. Quand on demanda aux deux rescapés ce qu'ils avaient vu, ils répondirent qu'ils ne s'en souvenaient plus. Et, très chagrinés par la perte du deuxième frère de lait de Bran, les navigateurs quittèrent rapidement les abords de l'île des lamentations.

Ils ne tardèrent pas à découvrir une autre île d'assez modestes dimensions, et où s'élevait une forteresse, à la porte apparemment en bronze, à laquelle on ne pouvait accéder que par un pont de verre. Bran et ses compagnons abordèrent et se dirigèrent vers la forteresse, bien décidés à parler à ceux qui devaient y habiter. Mais, dès qu'ils s'engagèrent sur le pont de verre, ils tombèrent tous à la renverse, étant incapables de tenir debout sur cette surface très glissante [1].

---

1. En raisonnant logiquement, l'épisode peut contenir une allusion à quelque terre arctique et, dans ce cas, le pont est recouvert d'une couche de glace. Mais nous sommes dans le domaine du mythe, et la

Ils se trouvaient dans cette position fort embarrassante quand ils virent une femme sortir de la forteresse, un seau à la main. Lorsqu'elle fut arrivée à la partie la plus basse du pont, elle souleva une plaque de verre et remplit son seau à une fontaine qui jaillissait d'en dessous du pont. Puis, sans même paraître s'apercevoir de la présence de Bran et de ses compagnons, elle rebroussa chemin et rentra dans la forteresse. « Que quelqu'un vienne parler à Bran, fils de Fébal ! » s'écria d'une voix très forte Diuran le Poète. La femme qui venait de rentrer, rouvrit la porte et regarda au-dehors. « Bran, fils de Fébal, vraiment ? » dit-elle d'un ton ironique avant de disparaître une nouvelle fois à l'intérieur.

En rampant, Bran et ses compagnons parvinrent jusqu'à la porte de bronze. Avec leurs épées et leurs boucliers, ils la heurtèrent longtemps dans l'espoir qu'on viendrait leur ouvrir. Mais le bruit qu'ils faisaient sur le bronze se transforma en une douce musique qui les endormit jusqu'au matin.

A leur réveil, ils virent la même femme sortir de la forteresse, son seau à la main. Elle fit la même chose que la veille au soir : elle remplit le seau à la fontaine qui jaillissait de sous le pont. Nechtân ne put y tenir : « Que quelqu'un vienne parler à Bran, fils de Fébal ! » cria-t-il.

La femme parut d'abord ne rien entendre mais, au moment où elle refermait la porte, elle se retourna et dit simplement : « Bran, fils de Fébal, me semble très beau. »

---

logique y est tout autre. En fait, comme dans la légende arthurienne, ce pont de verre est une frontière entre les deux mondes, et il est analogue au célèbre « Pont de l'Épée » que doit franchir Lancelot pour délivrer la reine Guenièvre de la forteresse de Gorre, *c'est-à-dire de Verre*, où la retient prisonnière Méléagant, sorte de dieu des enfers. On remarquera que, dans l'épisode ici présenté, Bran et ses compagnons ne pénétreront jamais dans la forteresse, signe évident qu'elle n'est pas l'*Emain Ablach* où ils doivent aller. Voir J. Markale, *Le Cycle du Graal*, troisième époque : « Lancelot du Lac ».

Et elle disparut à l'intérieur. Alors Bran et ses compagnons recommencèrent à frapper la porte de bronze avec leurs armes. Mais la musique qu'ils provoquaient, ce faisant, les terrassa jusqu'au matin suivant.

Trois jours et trois nuits, ils furent ainsi, sans nourriture ni breuvage. Au matin du quatrième jour, la femme alla vers eux. D'une grande beauté, elle portait un manteau blanc, un collier d'or autour de son col, un diadème d'argent sur sa chevelure noire. Elle était chaussée de sandales d'argent blanc qui faisaient ressortir le rose de ses pieds et, sur son manteau, était épinglée une broche d'argent cloutée d'or. Et son manteau, légèrement ouvert par la brise du matin, laissait voir une chemise de soie très fine sur sa peau blanche. « Bienvenue à toi, Bran, fils de Fébal », dit-elle.

Ensuite, elle dit le nom de chacun des compagnons de Bran. « Voilà longtemps, reprit-elle, que nous savions que tu viendrais. Mais, n'en sois pas offensé, noble Bran, tu ne pourras entrer dans cette forteresse. »

Elle les conduisit dans une grande maison qui se trouvait sur le rivage, tout près de la mer, et elle tira elle-même leur bateau sur le sable. En pénétrant dans la maison, ils virent une couche destinée à Bran et une couche pour trois de ses gens. Là-dessus, la femme les quitta pour retourner à la forteresse.

« Eh bien, dit Diuran à Bran, n'est-ce pas celle que tu as vue dans ta demeure et que nous recherchons depuis si longtemps ? – Ce n'est pas elle, dit Bran, et cette île n'est pas celle où nous devons aller. Il n'y a pas de pommiers ici, et rien ne ressemble à la description que m'a faite la femme avant de me reprendre la branche du pommier d'Emain. – C'est dommage, dit Nechtân, car cette femme est bien belle, et elle ferait une épouse très convenable pour toi. »

Sur ce, celle-ci revint. Elle leur apportait un panier qui contenait une nourriture qui ressemblait à du fromage ou à du lait caillé. Elle distribua la nourriture à chacun d'eux, et chacun y trouvait le goût et la saveur qu'il désirait. Ensuite, elle alla remplir son seau sous la même dalle du pont de verre et en donna le contenu à Bran. Puis, elle alla remplir le seau pour les autres et, quand elle les vit tous rassasiés, elle les quitta pour regagner la forteresse.

« Vraiment, dit Nechtân à Bran, cette femme serait une épouse digne de toi. – Ce n'est pas elle qui est venue m'apporter la branche d'Emain », répondit Bran.

Les compagnons de Bran conversèrent entre eux hors de la présence de leur chef. Leurs errances commençaient à les lasser et, faute de savoir comment retourner en Irlande, ils auraient bien voulu demeurer quelque temps dans cette île où l'on prenait si grand soin d'eux.

« Et si nous demandions à cette femme d'accepter de coucher avec Bran ? leur dit alors Nechtân. – Oui, répondit Diuran, mais comment le faire sans l'offenser ? »

La femme revint le matin suivant, apportant de la nourriture dans son panier et de la boisson dans son seau. Diuran lui dit : « Prouveras-tu ton affection pour Bran en couchant avec lui ? Pourquoi ne pas rester ici ce soir ? – Est-ce une question à poser à cette femme ? s'écria Bran, plein de colère. Je n'aurais garde, moi, de la poser ! La vraie question est celle-ci, ô femme : dans quelle direction devons-nous aller pour atteindre Emain Ablach, la Terre des Fées où m'attend celle qui est venue m'apporter une branche de pommier ? »

La femme se mit à sourire : « Demain, dit-elle, tu auras une réponse à ce sujet. »

Cette nuit-là, Bran et ses compagnons dormirent profondément dans la maison. Mais, quand ils s'éveillèrent, ils s'aperçurent qu'ils se trouvaient dans leur bateau, au milieu de la mer. Jamais ils ne retrouvèrent l'île mystérieuse, ni la forteresse, ni le pont de verre, ni la maison où, près du rivage, ils avaient dormi, ni la femme qui leur avait servi une nourriture et une boisson merveilleuses.

L'accablement tomba sur eux et Bran eut beau les rassurer en leur disant que toutes les aventures étaient autant de signes destinés à les guider vers Emain, ils demeurèrent tristes et désemparés aussi longtemps que le bateau dériva sur les vagues. Soudain, ils aperçurent une île d'où surgissaient des bruits étranges, comparables à ceux que produisent les forgerons en frappant l'enclume de leurs marteaux. Ils s'approchèrent et découvrirent en effet quatre forgerons qui travaillaient là. Ils se trouvaient tout près du rivage, quand ils entendirent l'un d'eux dire : « Sont-ils à votre portée ? – Oui, répondit un autre. Mais qui sont ces gens-là ? – Des petits garçons, dit le troisième. – Et sur un petit bateau », ajouta le quatrième.

En entendant cet échange, Bran fut pris d'une grande inquiétude. « Eloignons-nous d'ici, dit-il, mais sans retourner le bateau. Ramons en arrière de façon qu'ils ne s'aperçoivent pas de notre fuite. »

Ils ramèrent donc en sens inverse. Le premier homme qui avait parlé dans la forge demanda aux autres : « Sont-ils arrivés au port maintenant ? – Non, répondit le deuxième. Ils sont immobiles. Ils n'avancent plus. » Quelques instants plus tard, le premier forgeron reprit la parole : « Que font-ils maintenant ? – Je pense, dit le deuxième, qu'ils sont en train de s'enfuir. Ils sont plus loin du port qu'ils ne l'étaient tout à l'heure. »

Alors, les forgerons se ruèrent sur le rivage, tenant en leurs poings d'énormes masses de fer rouge et ils jetèrent celles-ci dans la mer en direction du bateau. Elles ne l'atteignirent pas, mais tout autour, la mer se mit à bouillir, tandis que les rameurs s'épuisaient à gagner le grand large.

Du coup, ils pénétrèrent dans une mer qui ressemblait à du verre de couleur verte. Si grande était sa limpidité que les navigateurs pouvaient voir les cailloux du fond. Mais ils n'aperçurent aucune bête, aucun poisson, aucun monstre au-dessous d'eux, rien d'autre, parmi les rochers,

que du gravier et du sable de couleur verte. Ils voyagè-
rent ainsi pendant un long moment, émerveillés par la
beauté et la splendeur transparente de l'eau.

Mais, bientôt, celle-ci devint semblable à un nuage, et
ils se demandèrent si leur bateau n'allait pas s'y engouf-
frer, tant elle paraissait légère et inconsistante. Ils regardèrent au-dessous d'eux et virent un beau pays verdoyant et
des toits de forteresses. Ils aperçurent également une bête
monstrueuse dans les branches d'un arbre et des troupeaux
de bœufs dans la prairie, tout autour. Un homme, armé
d'une épée, d'une lance et d'un bouclier, se tenait là. Mais
quand il aperçut l'énorme bête dans l'arbre, il s'enfuit à
toutes jambes. La bête, alors, tendit son cou hors des frondaisons, posa sa tête sur le dos du plus gros bœuf du
troupeau et, l'attirant vers elle, le dévora en un instant.
Aussitôt, les autres bœufs s'enfuirent au triple galop. A ce
spectacle, Bran et ses compagnons furent saisis d'une terreur d'autant plus grande qu'ils croyaient bien que le
bateau ne pourrait jamais traverser cette mer si légère.
Mais, après de rudes moments d'angoisse, ils franchirent
ces parages périlleux et se retrouvèrent sur une mer normale : cependant l'eau semblait immobile. Ils restèrent de
longues heures sans que le bateau pût avancer, quelques
efforts qu'ils fissent en ramant vigoureusement. Alors, le
vent se leva, gonfla leur voile, et ils se remirent à voguer
sur les flots.

Ils abordèrent bientôt dans une île couverte d'arbres
qui ressemblaient à des saules ou des coudriers, mais qui
portaient des fruits merveilleux et de grosses baies. Ils en
secouèrent quelques branches puis tirèrent au sort pour
savoir lequel d'entre eux goûterait aux fruits, et le sort
tomba sur Bran. Il écrasa quelques-unes des baies dans
une coupe et en but le jus. Alors, il tomba dans un profond sommeil qui dura depuis cette heure-là jusqu'à la
même heure le lendemain. Entre-temps, ses compagnons
s'inquiétèrent, se demandant s'il était mort ou vivant, car

une écume rouge lui maculait la commissure **des** lèvres. Mais il s'éveilla frais et dispos, et il leur dit : « Vous pouvez en prendre, ils sont excellents. »

Ils en ramassèrent donc autant qu'ils purent pour en charger le bateau : mêlé à de l'eau, le jus ferait une boisson agréable et enivrante. Et ils allaient partir, quand apparut une sorte de nuage dans le ciel, et ce nuage venait vers eux. Mais ils comprirent qu'il s'agissait d'un énorme oiseau et, terrifiés à l'idée qu'il allait fondre et refermer sur eux ses serres monstrueuses, ils se précipitèrent à couvert, traversèrent le bois et se retrouvèrent au centre de l'île. Il y avait là un petit lac au bout duquel se posa l'oiseau, tenant en son bec une branche aussi colossale qu'un chêne, mais d'une espèce inconnue. Cette branche comportait de nombreux rameaux très larges auxquels pendaient, en guise de fruits, des grappes d'espèces de baies jaunes, qu'on discernait à peine à travers les feuilles, tant celles-ci étaient fraîches et drues.

Bran et ses compagnons surveillaient l'oiseau, se demandant ce qu'il allait faire. Mais il ne bougeait pas, et, en l'examinant mieux, ils virent que son plumage était en piètre état, rongé par la vermine. L'un des hommes s'approcha prudemment de l'oiseau, lequel demeura immobile ; puis il revint vers ses compagnons, et tous s'apprêtaient au départ, lorsque surgirent au-dessus d'eux deux grands aigles, qui se posèrent à leur tour près de l'énorme oiseau. Après avoir pris un peu de repos, ils se mirent à becqueter son plumage, comme pour le soulager des parasites qui l'infestaient.

Tous deux procédèrent ainsi jusqu'au milieu de la journée. Ensuite, ils se mirent à manger les baies que portait la branche, avant de recommencer à picorer la pourriture et la vermine de leur voisin, le défaisant même de ses vieilles plumes. Enfin, ils saisirent les fruits, les écrasèrent contre des pierres et les jetèrent dans le lac de telle sorte que l'eau écuma et devint toute jaune. Alors, le grand oiseau se leva et, dévalant la rive, se baigna. Aussitôt, les deux aigles s'envolèrent dans le ciel et disparurent par où ils étaient venus.

Au bout d'un moment, le grand oiseau sortit du lac et, après s'être ébroué vigoureusement, s'immobilisa sur le rivage comme pour dormir. De plus en plus intrigués par son comportement, Bran et ses compagnons n'osaient toutefois approcher, et ils se contentaient de regarder à travers les arbres. C'est ainsi qu'ils virent le grand oiseau s'agiter enfin, déployer ses ailes et, soudain, s'envoler, d'un vol plus rapide et plus puissant qu'au moment de son arrivée, puis disparaître dans le ciel dans la direction d'où il était venu.

« A l'évidence, dit Diuran le Poète, il est venu ici se rajeunir. Allons nous baigner dans le lac, nous aussi, afin d'y recouvrer nos forces comme lui. – Garde-t'en bien ! s'écria Bran, ce serait dangereux, car l'oiseau a laissé tout son venin dans le lac, et tu risques d'être atteint. – Ce qu'il a fait, je peux le faire aussi ! répliqua Diuran. Je vais me baigner. »

Ayant dit cela, il ôta ses vêtements et plongea dans les eaux, y demeura quelques instants, but deux ou trois gorgées puis regagna la berge. Et, de ce jour, il eut des yeux excellents, des dents très saines, et nulle maladie ne vint jamais le tourmenter. Aucun de ses compagnons, toutefois, n'osa imiter son exemple, et ils regagnèrent tous leur bateau, se contentant d'emporter les baies rouges cueillies dans le bois.

Le lendemain matin, alors qu'ils voguaient paisiblement, ils virent avec stupéfaction un homme qui conduisait sur les vagues un char tiré par deux chevaux. L'inconnu se dirigea vers le bateau et engagea la conversation avec Bran.

« Bienvenue à toi, Bran, fils de Fébal, ainsi qu'à tous tes compagnons. – Comment me connais-tu ? s'étonna Bran. Et qui es-tu ? – Je suis Mananann, fils de Lîr, des tribus de Dana, et je suis venu jusqu'à toi pour te dire que, bientôt, tu toucheras au but que tu t'es fixé. – Mais, reprit Bran, par quel prodige peux-tu faire galoper tes chevaux sur la mer ? – Il ne faut pas toujours croire ce que l'on voit, répondit Mananann. Tu trouves déjà merveilleux que ton bateau soit capable de flotter sur la mer mais, à mes yeux, ce que tu appelles la mer est une plaine fleurie sur laquelle roule mon char tiré par deux bons chevaux. Ce qui te paraît la mer claire, ô Bran, fils de Fébal, m'est une agréable plaine émaillée de fleurs. Tandis que tu vois des vagues autour de toi, moi, dans cette plaine immense et merveilleuse, je vois des troupeaux qui paissent tranquillement l'herbe verte et moelleuse qui ne manque jamais, été comme hiver. Les poissons que tu vois à travers les flots me sont des oiseaux qui chantent dans les arbres, et l'écume des vagues, ce sont pour moi des fruits d'or qui mûrissent toute l'année. Oui, Bran, c'est sur le haut d'un bois que navigue ton bateau, frôlant la cime des arbres : un bois couvert de fruits admirables se trouve sous la proue de ton bateau, un bois rempli de fleurs odorantes, de fruits parfumés, et dont les feuilles sont de la couleur de l'or le plus pur. »

Bran et ses compagnons écoutaient avec étonnement ce que disait Mananann. Celui-ci fit plusieurs fois le tour du bateau, ses chevaux galopant à toute allure parmi les vagues qui projetaient jusque sur la voile de blancs embruns.

« Je dois te quitter maintenant, reprit Mananann. Vous avez tous enduré le froid, la faim et la soif, je le sais, mais cette épreuve était peut-être nécessaire pour vous permettre d'apercevoir l'île des Femmes à travers la brume. Il arrive en effet souvent que l'on passe tout près de ce que l'on cherche sans même s'en rendre compte. Adieu, Bran, fils de Fébal, que tes compagnons et toi-même rament fermement vers l'île des Femmes, Emain si agréable à ses hôtes. Vous n'en êtes pas loin, et tu l'atteindras avant le coucher du soleil. »

Sur ce, Mananann disparut de leur vue dans un éblouissant jaillissement d'écume. Alors, ils se mirent tous à ramer, pleins de confiance et d'espoir, avec une nouvelle ardeur. Et, de la sorte ils arrivèrent en vue d'une île dont, par prudence, ils firent le tour. Ils y virent une troupe d'hommes et de femmes qui s'esclaffaient et qui, tout en regardant Bran et ses compagnons, ne cessaient pourtant de deviser avec de grands éclats de rire. « Ce n'est certes pas l'île des Femmes, dit Bran. Mais il nous faut savoir qui sont ces gens et ce qui les rend si joyeux. »

On tira au sort pour savoir lequel d'entre eux mettrait pied à terre, et le sort désigna le troisième des frères de lait de Bran. Il débarqua donc mais, dès qu'il fut au milieu des rieurs, il se mit à parler et à rire autant qu'eux. Et ses compagnons eurent beau le héler, point de réponse : il se contentait de les regarder et de se moquer d'eux. Alors, Bran se souvint des avertissements du druide Nuca : il lui fallait en tout et pour tout seize hommes à bord pour compagnons. Maintenant que les trois frères de lait avaient disparu, tout était rentré dans l'ordre. Non sans tristesse, Bran décida donc d'abandonner ce troisième frère sur l'île des Rieurs, et ils reprirent la mer en ramant courageusement.

Bientôt, ils parvinrent en face d'une grande île où se remarquaient une vaste plaine, de beaux bois drus d'arbres fleuris et un large plateau tapissé d'herbe tendre. Près de la mer se dressait une forteresse, grande, haute et puissante. Ils abordèrent et se dirigèrent vers elle. La porte en était ouverte, et ils pénétrèrent dans la cour, où se dressait une maison dont la porte était également ouverte. En regardant à l'intérieur, ils virent dix-sept lits richement ornés de belles tentures le long des murs. Ils virent aussi seize filles qui préparaient un bain. N'osant pas entrer, cependant, ils s'assirent dans la cour, face au seuil.

Le soleil commençait à décliner sur l'horizon lorsque survint une femme montée sur un cheval de race. La cavalière portait une capuche bleue, un manteau de pourpre brodé, des bracelets niellés d'or, des sandales d'argent. Elle descendit de cheval devant eux et, aussitôt, l'une des seize filles prit la monture par la bride et l'emmena dans une écurie. Alors, la femme s'avança vers Bran, et il reconnut en elle celle qui lui avait apporté la branche de pommier d'Emain puis lui avait fait entendre la musique des fées.

« Ton arrivée est la bienvenue, ô Bran, fils de Fébal, dit-elle. Voilà longtemps que j'attendais ce moment. Seul l'espoir de te recevoir dans cette île m'avait poussée à venir te trouver dans ta forteresse. Bienvenue aussi à tes compagnons qui ont eu le courage de te suivre au cours de ta longue navigation. Car il n'est certes pas facile de découvrir cette terre où je règne sans partage, dans la paix et la joie, sans conflit, sans chagrin, sans tristesse ni maladie. Mais à présent que vous voici, il convient que vous entriez dans cette maison. »

Une fois qu'ils y eurent pénétré, ils se baignèrent dans les cuves qu'on leur avait préparées. Puis, la reine s'assit avec ses seize filles autour d'elle dans une partie de la maison, tandis que Bran se tenait dans l'autre avec ses seize compagnons autour de lui. On apporta à Bran un plateau d'argent chargé de mets exquis et une coupe de verre emplie d'une liqueur savoureuse. Et de même servit-on un plateau et une coupe à trois de ses compagnons. Quand ils eurent mangé et bu, la reine se leva et dit : « Comment mes hôtes vont-ils dormir ? – Comme il te plaira, répondit Bran. – Eh bien ! dit la reine, que chacun prenne la femme qui se trouve en face de lui et l'emmène dans une chambre. » Car il y avait dix-sept chambres équipées chacune d'un bon lit, dans cette maison. Ainsi, les seize compagnons couchèrent-ils avec les seize filles de la reine, et Bran dormit avec celle-ci.

Le lendemain matin, la reine dit à Bran : « Reste avec

moi sur cette île, ô Bran, fils de Fébal, et la vieillesse ne t'atteindra jamais. Tu seras toujours aussi jeune que tu l'es actuellement, et ta vie n'aura pas de fin. Et les plaisirs que tu as goûtés la nuit dernière, tu les goûteras toutes les nuits. Reste. Tu as déjà trop longtemps erré d'île en île au milieu des dangers et des angoisses. – Mais qui es-tu donc, ô femme ? » demanda Bran. La reine éclata de rire. « Que t'importe ! s'écria-t-elle. On m'a déjà donné tant de noms que je ne sais lequel retenir d'entre eux. Sache seulement que je suis avec toi et que rien de mal ne peut désormais t'advenir. Tous ceux qui demeurent en cette île me respectent et respectent mes hôtes. Je suis leur reine et je leur rends la justice chaque jour pour que leur vie soit toujours calme et heureuse, sans dispute et sans conflit d'aucune sorte. »

Sur ces mots, la reine prit congé de Bran et s'en fut hors de la forteresse, sur la grande prairie, devant l'assemblée de son peuple.

Bran et ses compagnons séjournèrent dans cette île pendant les trois mois de l'hiver, et il leur sembla que ces trois mois avaient duré trois ans. Mais, à la fin, la nostalgie s'empara de Nechtân, fils de Collbran. « Nous sommes ici depuis longtemps, dit-il un jour à Bran. Pourquoi ne rentrons-nous pas chez nous ? – Tu parles de manière déraisonnable, répondit Bran, car nous ne trouverons nulle part ailleurs de vie aussi agréable que celle que nous menons ici. »

Cependant, les compagnons de Bran commençaient à murmurer et à accuser leur chef, subjugué par la reine de l'île, de ne pas vouloir les ramener dans leur pays. « Grand est l'amour de Bran pour cette femme, dit German. Puisqu'il en est ainsi, laissons-le avec elle, reprenons notre bateau et repartons pour l'Irlande. »

Or, Bran avait entendu la conversation. « Vous ne partirez pas sans moi, dit-il. Je vois que vous voulez retourner dans votre pays : si vous persistez dans votre projet, sachez-le, je m'en irai avec vous, car le devoir d'un chef est d'être toujours parmi ses compagnons. »

Ils préparèrent donc en secret leur départ. Un jour, après que la reine fut partie présider l'assemblée de son peuple, Bran et les siens montèrent sur leur bateau et s'éloignèrent du rivage. Mais la reine, qui rentrait au même moment dans la forteresse, aperçut le bateau qui prenait le large, avec Bran et ses compagnons. Elle fit bondir son cheval jusqu'au rivage et, arrivée là, lança une pelote de fil à bord. Bran saisit la pelote, et celle-ci lui colla à la main. Alors, la reine n'eut plus qu'à tirer sur le fil pour ramener les fugitifs au port. « Pourquoi partir ainsi ? leur demanda-t-elle. Vous auriez pu au moins m'en parler, au lieu de vous enfuir comme des voleurs. »

Comme tous baissaient la tête d'un air confus, Bran finit par prendre la parole : « Mes compagnons voulaient revoir leur pays, et moi, je ne pouvais les abandonner. – Ton sentiment est honorable, Bran, fils de Fébal, reprit la reine, mais savez-vous que vous couriez à de grands dangers ? Si vous voulez retourner en Irlande, vous partirez demain, au petit matin. Je vous dois cependant un avertissement : lorsque vous serez sur le rivage de l'Irlande, ne descendez pas de votre bateau et ne mettez jamais le pied sur la terre, quoi qu'il arrive. »

Ils partirent le lendemain, après avoir pris congé de la reine de l'île et des seize filles et, le vent étant favorable, ils arrivèrent rapidement en vue des côtes d'Irlande et abordèrent en un lieu nommé depuis lors le Ruisseau de Bran [1]. Or, il se tenait une grande assemblée sur le rivage, et on leur demanda qui ils étaient.

---

1. Il s'agit de Brandon Creek, dans la baie de Brandon, au nord de la péninsule de Dingle. C'est de cet endroit que la tradition fait partir saint Brendan pour sa navigation à la recherche du Paradis, preuve que le mythe de Bran et la pieuse légende de saint Brendan sont étroitement liés.

Bran leur répondit, mais les gens à terre semblèrent ne pas comprendre ses paroles. Il insista, précisa qui il était, où il résidait, quels rois régnaient sur le pays. « Nous ne connaissons pas ceux dont tu parles », répondirent-ils. Alors, un vieillard s'avança sur le bord de l'eau. « J'ai entendu conter, dans mon enfance, que, voici trois cents ans, un chef du nom de Bran, fils de Fébal, était parti sur la mer et n'était jamais revenu. Est-ce toi ? Tu me parais bien jeune pour être celui que tu prétends. – C'est pourtant moi, dit Bran, et mes compagnons sont là pour en témoigner. »

A ce moment-là, Nechtân, fils de Collbran, n'y tint plus et sauta hors du bateau. Mais à peine ses pieds eurent-ils touché terre qu'il tomba en cendres, comme s'il avait été enseveli depuis des siècles.

Alors, Bran chanta une lamentation sur Nechtân, fils de Collbran. Puis, après avoir raconté aux gens du rivage toutes ses aventures, il prit congé d'eux, fit mettre à la voile et, bientôt, son bateau disparut dans la brume. Personne, depuis lors, ne l'a jamais revu, mais chacun sait que Bran, fils de Fébal, se trouve dans la Terre des Fées, quelque part dans le grand océan, auprès de la grande reine qu'est Morrigane, fille d'Ernmas. [1]

---

1. Synthèse entre deux récits : *Imramm Brain* (Navigation de Bran), contenu dans divers manuscrits, édité par K. Meyer et A. Nutt, avec traduction anglaise dans *The Voyage of Bran* ; *Imramm Mailduin*, édité par K. Meyer dans *Zetschrift für Celtische Philologie*, vol. XIII, traduction française de D'Arbois de Jubainville dans *L'Épopée celtique en Irlande*, vol. V de son « Cours de littérature celtique ».

CHAPITRE XII

Etaine et le Roi des Ombres

Un jour, Mider de Bri Leith, des tribus de Dana, avait décidé de rendre visite à son fils adoptif, Angus, fils de Dagda, qu'il avait élevé et pour lequel il éprouvait une vive affection. Il vint donc, au moment de la fête de *Samain*, à la résidence d'Angus, à Brug-na-Boyne, et trouva le Mac Oc occupé depuis la colline à regarder deux troupes de jeunes gens qui jouaient sur la pente, tandis qu'Elcmar, frère de Dagda, campé sur la colline de Cletech, au sud, observait lui aussi la scène.

A ce moment-là, une querelle éclata entre les jeunes gens, et Angus allait se précipiter vers eux pour les séparer avant que l'affaire ne devînt sanglante quand Mider le retint. « N'y va pas ! lui dit-il, de peur qu'Elcmar ne descende et s'en mêle aussi. Elcmar n'est pas bien disposé envers toi depuis que tu l'as chassé de la Brug. C'est moi qui irai calmer ces jeunes fous. »

Il se rendit donc auprès des querelleurs et tenta de les apaiser, mais ce n'était guère facile et, au milieu de la confusion ambiante, l'un d'eux lança une pointe de coudrier sur Mider, ce qui lui arracha un œil. Alors, Mider revint vers Angus, avec son œil au creux de la main, et il était triste et furieux tout à la fois.

« Je voudrais n'être jamais venu te rendre visite ! s'écria-t-il, et je me repens de mon voyage, puisqu'il m'a valu cette humiliation. Quant à ma blessure, elle m'empêche désormais de voir le pays dans lequel je me trouve, et je ne suis pas sûr de pouvoir revenir dans le mien... – Tes paroles sont injustes, ô Mider, répondit Angus, et elles m'affligent infiniment. J'irai prier Diancecht de venir te soigner. Il saura te guérir, et tu verras à nouveau ce pays aussi nettement que tu verras le tien. »

Là-dessus, le Mac Oc se hâta d'aller trouver Diancecht et lui dit ce qu'il attendait de lui. Diancecht le suivit donc à la Brug et entreprit de soigner immédiatement Mider, dont l'œil fut bientôt guéri. « Fort bien, dit Mider, mon voyage sera donc bon et agréable, puisque me voici remis de ma blessure. – Ce sera encore plus vrai, reprit Angus, si tu demeures ici pendant une année, jusqu'à la prochaine fête de *Samain*. Tu seras mon hôte et auras tout loisir de visiter ma terre et de t'entretenir avec mes amis. – Je ne saurais rester, répondit Mider, à moins d'obtenir une compensation pour le dommage et la honte que j'ai subis. – Et quelle est cette compensation ? demanda le Mac Oc. – Ce n'est pas difficile : un char de la valeur de sept filles esclaves, un manteau qui puisse me convenir et la plus belle fille d'Irlande. – Je possède le char et le manteau que tu souhaites, dit Angus. – Mais, reprit Mider, il me faut aussi la jeune fille qui surpasse toutes celles d'Irlande en beauté et en sagesse. – Où se trouve-t-elle ? – En Ulster. Il s'agit d'Etaine, fille d'Echraide, roi du nord-est. Elle est incontestablement la plus aimable, la plus sage et la plus belle fille de toute l'Irlande. »

Sans perdre un instant, le Mac Oc se mit en route pour l'Ulster et arriva bientôt à Mag Inis, où résidait le roi Echraide. On lui souhaita la bienvenue, et il resta là trois nuits. On lui demanda pourquoi il était venu. Il répondit qu'il désirait obtenir Etaine, la fille du roi. « Tu ne l'auras pas, répondit Echraide, car, si je te l'accorde, je n'obtiendrais plus rien de toi, vu les pouvoirs magiques que tu détiens. Et, s'il advient quelque déshonneur à ma fille, personne, parmi les tribus de Dana, ne voudra m'en payer la compensation. – Il n'en sera pas ainsi, je te l'assure, dit Angus. Cependant, si tu refuses de me donner ta fille, je puis te l'acheter sur l'heure. – Cela, dit le roi, je le veux bien. – Quel est ton prix ? – Ce n'est pas difficile : il suffira que tu défriches dans mes terres douze plaines qui sont couvertes de forêts afin d'en faire de bons pâturages pour mes troupeaux, des lieux qui conviennent à la construction de maisons et puissent servir de terrains de jeu ou d'assemblées. – Cela sera fait », répondit le Mac Oc.

Au lieu de retourner chez lui, il se rendit auprès de son père, Dagda, auquel il fit part de son problème. Dagda lui promit que le travail exigé par Echraide serait accompli. Et, de fait, dès le lendemain, les douze plaines étaient défrichées. Alors, Angus retourna chez Echraide et lui réclama Etaine.

« Tu ne l'auras pas, dit le roi, à moins que tu ne transformes en douze rivières tout ce que ce pays possède de sources, de marais et de tourbières, de façon que leurs eaux se jettent dans la mer. Ainsi, draineront-elles mes terres tout en procurant des poissons en abondance aux tribus et aux familles de mon pays. – Cela sera fait », répondit le Mac Oc.

Il alla de nouveau trouver son père, lui exposa la situation, et Dagda fit si bien que douze grandes rivières se formèrent à travers le pays d'Echraide avant de se jeter dans la mer par de larges estuaires, chose que l'on n'avait jamais vue avant ce jour-là. Quand tout ce travail fut terminé, Angus retourna chez le roi Echraide et lui réclama Etaine. « Par le dieu que jure ma tribu, dit le roi, tu n'auras pas ma fille cette fois-ci, car si je te l'accordais

aujourd'hui, demain je n'obtiendrais plus rien de toi.
– Que veux-tu donc ? demanda le Mac Oc. – Ce n'est pas
difficile : je veux l'équivalent du poids de ma fille en or
et en argent. A cette condition, tu pourras emmener
Etaine. – Tu auras ce que tu demandes », répondit Angus.

On fit venir la jeune fille, et on la pesa dans la maison
d'Echraide. Alors, Angus fit apporter l'équivalent de son
poids en or et en argent et le remit à Echraide. « Es-tu
satisfait maintenant ? dit-il au roi. Il me semble que j'ai
dû payer un bon prix. Jamais personne n'a payé si cher
pour une jeune fille d'Irlande. – Tu peux l'emmener,
répondit Echraide. Seulement, souviens-toi que tu te
portes garant de son honneur et de sa santé. »

Le Mac Oc emmena donc Etaine et regagna Brug-na-
Boyne où l'attendait Mider. En le voyant, Etaine fut si
frappée de sa prestance et de sa beauté qu'elle sentit son
cœur se remplir d'amour. Quant à lui, il contemplait avec
ravissement le fin visage de la jeune fille et l'élégance
de son maintien. Et son cœur, lui aussi se sentit dévoré
d'amour.

Etaine et Mider dormirent donc ensemble cette nuit-là.
Le lendemain, Angus donna à Mider le manteau et le char
qu'il avait promis et Mider, désormais satisfait, demeura
une année entière en compagnie de son fils adoptif à la
Brug. Au bout de ce temps, il annonça au Mac Oc son
intention de retourner dans sa propre résidence, au tertre
de Bri Leith. « Je ne peux t'en empêcher, dit Angus, mais
prends bien soin de la femme que tu emmènes. Celle qui
t'attend là-bas [1] est redoutable et experte en magie, car

---

1. Dans le droit celtique, l'homme peut avoir une ou plusieurs
concubines, même s'il est marié, à condition que l'épouse légitime
accepte la personne que lui présente le mari. Ce concubinage est en
quelque sorte légal, car il est soumis à un véritable contrat qui protège
la concubine : ce contrat est valable un an jour pour jour et peut être
renouvelé. Tel est ici le cas.

elle a été élevée par le druide Bresal, l'un des plus habiles qui soient parmi les tribus de Dana. »

Le Mac Oc, en effet, se défiait fort de Fuamnach, femme de Mider. Elle était la fille de Beothach, du clan de Iarbonel, et, grâce aux leçons de Bresal, connaissait comme personne les sortilèges et savait les mettre en œuvre contre quiconque lui déplaisait.

Après avoir promis de prendre garde à elle, Mider partit avec Etaine pour le tertre de Bri Leith. Fuamnach les y accueillit et leur souhaita la bienvenue. Elle rendit compte à son mari de ce qui s'était passé sur ses terres pendant son absence. « Viens donc, ô Mider, dit-elle, afin que je te montre ta maison et les étendues de terre que tu possèdes, et afin que la fille du roi puisse contempler tes richesses. »

Mider fit donc le tour complet de ses domaines, et Fuamnach lui montra, ainsi qu'à Etaine, tout ce qui avait été fait au cours de l'année écoulée. Puis, elle les ramena à la maison et les fit entrer dans la chambre où elle dormait. « C'est dans la chambre d'une femme noble que tu es venue, dit-elle à Etaine. Mais sache que tu peux maintenant en disposer à ta guise. »

Mais à peine Etaine fut-elle assise sur le bord du lit que Fuamnach, la frappant avec une baguette de coudrier pourpre, la transforma en une flaque d'eau qui se répandit au milieu de la maison. Son forfait accompli, Fuamnach sortit au plus tôt et s'enfuit de la forteresse pour se réfugier dans la demeure de son père adoptif, le druide Bresal.

Cependant, la chaleur du feu et de l'air, la fermentation du sol opérèrent si bien leur effet sur l'eau que la flaque répandue dans la maison se transforma en un ver, lequel, bientôt, devint une mouche pourpre. Celle-ci avait la taille d'une tête humaine, et on n'avait jamais vu au monde plus bel insecte. Le son de sa voix et le bourdonnement de ses ailes produisaient une musique plus douce que celle des harpes ou des cornemuses, et ses yeux brillaient comme des pierres précieuses dans l'obscurité. Le parfum qui émanait de lui était si agréable qu'il faisait passer la faim et la soif à tous ceux qui l'approchaient. Les gouttelettes que sécrétaient ses ailes guérissaient de tous leurs maux ceux qui étaient atteints d'une maladie ou d'une quelconque langueur. Elle accompagnait Mider en tous lieux, sans le quitter jamais, où qu'il allât. Et Mider se réjouissait de sa présence, car il savait qu'Etaine était présente sous cette forme. Or, comme il l'aimait passionnément, il ne prit pas de femme tant que cette mouche fut avec lui, et il se nourrissait de sa seule contemplation. Il s'endormait à son bourdonnement, et elle se chargeait de le réveiller lorsqu'approchait quelqu'un qui déplaisait à son ami.

Quand Fuamnach entendit parler de la mouche qui ravissait tant Mider, elle comprit tout de suite qu'il s'agissait d'Etaine. Elle s'avisa alors d'aller rendre visite à Mider, mais elle vint à Brug-na-Boyne en compagnie de trois chefs des tribus de Dana, à savoir Dagda, Ogma et Lug au Long Bras, afin de les avoir pour garants de sa propre sécurité.

Mider fit à Fuamnach de violents reproches et lui dit que, si elle ne s'était pas entourée de trois garants, il ne l'aurait jamais laissée repartir en vie. Elle répliqua qu'elle n'éprouvait aucun remords de l'action qu'elle avait commise, qu'elle aimait mieux se faire du bien à elle-même que d'en faire à quelqu'un d'autre et que, quelque forme que revête Etaine, elle ne lui voudrait jamais que du mal. Et, sur ce, prononçant des incantations que lui avait apprises son maître, Bresal, elle déchaîna un vent druidique qui emporta la mouche dans un grand tourbillon hors de la forteresse de Bri Leith. Et ce vent était si fort et si terrible que la malheureuse Etaine ne put trouver d'endroit, ni cime d'arbre, ni sommet de colline, où se poser pendant sept ans, sauf sur les rochers de la mer et les grandes vagues qui déferlaient jusqu'au rivage. Mais, un jour, elle heurta le Mac Oc, alors que celui-ci se promenait sur la prairie que dominait la forteresse de Brugna-Boyne. Et le Mac Oc reconnut Etaine sous sa forme de mouche pourpre.

Il lui souhaita la bienvenue et, l'enveloppant dans les plis de son manteau pour la protéger du vent qui continuait à souffler, l'emporta à l'intérieur de la forteresse. Là, il plaça l'insecte dans sa chambre de soleil [1], qui était toujours inondée de lumière et qui contenait des herbes odorantes et merveilleuses. Et, dès lors, il dormait chaque nuit à côté d'elle et la soignait avec le plus grand soin pour lui permettre de reprendre ses couleurs et sa vivacité.

Or, Fuamnach entendit parler de l'honneur avec lequel Angus traitait Etaine, en sa demeure de la Brug. Aussi lui envoya-t-elle un messager pour le prier de se rendre à Bri Leith où elle irait elle-même pour faire sa paix avec Mider et son fils adoptif : s'ils consentaient à cette paix, elle rendrait à Etaine sa forme humaine. Tout heureux de ces bonnes dispositions, le Mac Oc se hâta vers le rendez-vous.

Mais Fuamnach, loin de s'y rendre aussi, s'en alla droit à la Brug et, pénétrant dans la forteresse, gagna aussitôt la

---

1. Mentionnée dans d'autres récits irlandais, ainsi que dans le texte français de la *Folie Tristan*, cette « Chambre de Soleil » évoque un antique rituel de regénération par le soleil. Or, la scène se passe à Brug-na-Boyne, c'est-à-dire dans le cairn mégalithique de Newgrange, et ce n'est pas un hasard. En effet, au solstice d'hiver, les premiers rayons du soleil levant pénètrent dans le tertre de Newgrange par une ouverture pratiquée au-dessus de l'entrée, remontent le long du couloir et parviennent dans la chambre funéraire qu'ils illuminent d'une étonnante clarté pendant quelques minutes. Or, dans cette chambre, se trouvaient des vasques de pierre sur lesquelles avaient été placés des ossements et des cendres. Il est indéniable qu'il s'agissait d'un rite symbolique de renaissance. Ce qui est remarquable, ici, c'est que le mythe et la réalité archéologique concordent parfaitement. Voir J. Markale, *Dolmens et Menhirs, la civilisation mégalithique*, Paris, Payot, 1994.

chambre de soleil. Là, elle prononça ses terribles incantations, et le vent druidique expulsa l'insecte qui se remit à
errer au-dessus de l'Irlande. Il y subit le froid, la pluie et
s'en trouva si affaibli qu'il finit par tomber sur le toit
d'une maison dans laquelle des hommes et des femmes
d'Ulster étaient en train de boire. Etaine était si démunie
et si languissante qu'elle avait pris la taille menue d'une
mouche ordinaire, et c'est dans cet état que, passant à travers le trou de la cheminée, elle aboutit dans la coupe d'or
que tenait à la main la femme d'Etar, l'un des champions
d'Ulster. Celle-ci, sans y prendre garde, l'absorba avec le
breuvage. Et, cette nuit-là, la femme d'Etar fut enceinte.
Neuf mois plus tard, elle donna naissance à une fille que
l'on nomma Etaine, fille d'Etar.

Entre-temps, Mider et Angus, ayant vainement attendu
Fuamnach, n'avaient pas manqué de s'alarmer. « Elle
nous a tendu un piège, dit le Mac Oc, c'est évident. Si elle
a appris qu'Etaine se trouvait chez moi, elle est capable
de lui faire du mal. Il me faut retourner d'urgence à la
Brug. »

Lorsqu'il arriva dans la forteresse, il ne trouva pas
Etaine dans la chambre de soleil. Il comprit alors que
Fuamnach était venue et avait à nouveau suscité un vent
druidique pour emporter l'insecte. Animé d'une grande
colère, il se lança aussitôt sur les traces de Fuamnach et la
rejoignit juste au moment où elle allait pénétrer dans la
maison du druide Bresal. « Maudite femme ! s'écria-t-il.
En tant que garant de l'honneur et de la sécurité d'Etaine,
je vais te châtier pour le crime que tu as commis envers
elle ! »

Et, se jetant sur elle, il lui coupa la tête puis regagna
Brug-na-Boyne en emportant celle-ci.

Quant à Etaine, elle fut élevée avec soin par Etar à Inber
Cichmaine, où l'entouraient cinquante filles de chefs.
Etar les nourrissait et habillait celles-ci pour qu'elles pus-
sent constamment veiller sur Etaine. Celle-ci grandissait

en sagesse et beauté et tous les hommes d'Ulster van-
taient ses mérites et son charme.

Un jour, alors que les jeunes filles se baignaient dans
l'estuaire, elles aperçurent un cavalier qui, sortant de
l'eau, se dirigeait vers elles. Il montait un cheval brun très
agile, puissant, large, à la crinière et à la queue frisées. Il
était enveloppé d'un manteau vert dont les vastes plis,
rehaussés d'une broche en or, laissaient deviner une chemise des plus fines ornée de broderies rouges. Il tenait à
la main une lance à cinq pointes et entièrement cerclée
d'or, et un bouclier d'argent bordé d'or était pendu à son
épaule. Un bandeau lui ceignait le front, pour empêcher sa
chevelure blonde de lui retomber sur le visage. Il s'arrêta
devant les jeunes filles et leur chanta un chant étrange
qu'elles ne comprirent pas. Mais toutes furent émues par
la beauté du cavalier et elles en devinrent amoureuses.
Pourtant, il les quitta. Elles ne surent ni d'où il était venu
ni où il était allé, mais il s'agissait de Mider, venu de Bri
Leith pour contempler Etaine, car il ne l'avait jamais
oubliée et l'aimait avec autant de passion qu'autrefois.

A cette époque, le roi suprême d'Irlande était Eochaid
Airem, fils de Finn. Or, l'année qui suivit son accession à
la royauté, il fit annoncer partout en Irlande qu'à Tara se
tiendrait un festin lors de la fête de *Samain* : tous les
nobles et les rois des Fils de Milé étaient tenus d'y assister, car en cette occasion seraient discutées les grandes
affaires et fixés les impôts que chacun devrait payer au roi
suprême. Mais les hommes d'Irlande répondirent qu'ils
n'iraient pas au festin de Tara aussi longtemps que les y
convoquerait un roi sans épouse digne de lui. Car Eochaid
Airem n'était pas marié, et il n'y avait pourtant pas de
chef ou de noble en Irlande qui n'honorât le festin de Tara
sans une femme à ses côtés. Eochaid envoya donc ses serviteurs et ses messagers dans toutes les provinces en quête
d'une femme qui fût digne d'un roi suprême. Quand ils
revinrent, il lui dirent qu'ils en avaient trouvé une qui

répondait exactement à ses vœux : Etaine, fille d'Etar, en Ulster.

Eochaid Airem se rendit lui-même au lieu qu'on lui avait indiqué dans l'espoir de rencontrer la jeune fille. Il passait dans une vallée verdoyante quand il vit une fille au bord d'une fontaine. Munie d'un peigne d'argent magnifique que relevaient des ornements d'or, elle se lavait dans un bassin d'argent sur les bords duquel se trouvaient quatre oiseaux d'or et de pierres précieuses. Elle était vêtue d'un beau manteau brodé de pourpre claire, où luisaient des broches d'argent, et une épingle d'or brillait sur sa poitrine. Une longue chemise de soie verte bordée d'or rouge et agrafée d'or et d'argent lui drapait le corps, et le soleil qui la moirait y jetait des éclats splendides. Deux tresses belles comme l'or lui ceignaient la tête, et quatre fermoirs les maintenaient de chaque côté, tandis qu'une perle d'or étincelait au sommet de chacune.

La jeune fille, au même instant, dénoua ses cheveux pour les laver et, les prenant à deux mains, les fit retomber jusque sur son sein. Ses mains étaient plus blanches que la neige d'une nuit et ses joues plus rouges qu'une digitale pourpre. Elle avait une bouche fine et régulière, des dents brillantes comme des perles. Plus gris que jacinthe étaient ses yeux. Rouges et fines étaient ses lèvres, légères et douces ses épaules, tendres, doux et blancs ses bras. Ses doigts étaient longs, minces et blancs. Elle avait de beaux ongles rouge pâle. Son flanc était féerique, plus blanc que neige ou qu'écume de mer. Ses cuisses étaient tendres et blanches, ses mollets étroits et vifs, ses pieds fins, délicats et blancs ; sains et riches étaient ses talons, et très blancs et ronds ses genoux.

Eochaid Airem fut émerveillé d'une si parfaite harmonie. Il s'approcha de la jeune fille et la salua. Elle répondit à son salut. Sur ce, il lui demanda qui elle était, et elle répondit qu'elle était Etaine, fille d'Etar, champion d'Ulster.

« Jeune fille, veux-tu m'épouser ? demanda-t-il. – Qui es-tu donc ? – Je suis Eochaid Airem, roi suprême d'Irlande, et je suis venu jusqu'à toi pour te demander en mariage. – Ce n'est pas à moi de te répondre, dit-elle, mais à mon père. »

Le roi se hâta d'aller trouver Etar, et celui-ci consentit à lui accorder sa fille si le roi voulait bien lui donner un douaire convenable. Eochaid lui donna sept filles esclaves et un magnifique troupeau de vaches blanches. Et il emmena Etaine à Tara.

Les hommes d'Irlande, ayant appris que le roi avait maintenant une épouse, vinrent au festin de Tara. Ils arrivèrent quinze jours avant *Samain* et restèrent quinze jours après. Ils admirèrent tous la beauté et la noblesse d'Etaine et répétaient entre eux que jamais roi d'Irlande n'avait eu de femme aussi merveilleuse.

Cependant, Eochaid Airem avait un frère qui se nommait Ailill Anglonnach. Et lorsque celui-ci vit Etaine pour la première fois, pendant le festin de Tara, il en devint immédiatement amoureux. Il ne cessait de la regarder et de soupirer, tant et si bien qu'à la fin sa femme lui dit : « Que regardes-tu ainsi, ô Ailill ? Ce sont certainement des marques d'amour que ces longs regards et ces soupirs-là ! »

Ailill, tout honteux, se fit en lui-même de grands reproches. Et il évita désormais de regarder du côté d'Etaine. Mais, quand les hommes d'Irlande se furent séparés après le festin de Tara, Ailill ne les suivit pas. Pénétré de douleur, de jalousie, d'envie, il tomba dans une maladie de langueur. Eochaid Airem, son frère, s'inquiéta de son état et fit venir son médecin, Fachtna. Le médecin posa la main sur la poitrine d'Ailill, et celui-ci poussa un grand soupir. « Je ne crois pas que tu sois malade, dit Fachtna. Tu es atteint de quelque chose qui ressemble à de la jalousie. »

Tout éperdu de honte qu'il fût en entendant ces paroles,

Ailill se garda bien de révéler au médecin ce qui le tourmentait. Aussi, Fachtna le quitta-t-il sans avoir pu le guérir. Or, Eochaid Airem devait partir pour accomplir son circuit royal à travers les provinces d'Irlande. Mais la santé de son frère l'alarmait si fort qu'il dit à Etaine :

« Femme, occupe-toi de mon frère Ailill et soigne-le du mieux que tu pourras, car je le crois bien malade. Et si, par malheur, il meurt, creuse sa tombe toi-même et fais écrire son nom en *ogham* sur le pilier que tu ordonneras d'ériger à cet emplacement. »

Une fois qu'Etaine eut promis de s'occuper d'Ailill, Eochaid partit donc visiter chacune des provinces d'Irlande. Alors, Etaine vint chaque jour au chevet d'Ailill pour lui laver la tête et lui couper sa part de nourriture. Mais Ailill dépérissait de plus en plus, et Etaine craignit de le voir succomber. « Ecoute, lui dit-elle un soir, je me doute que ta maladie résulte d'une pensée que tu n'oses pas avouer. Je suis sûre que, si tu m'en parlais, je pourrais faire quelque chose pour te guérir. – Oh ! oui, femme ! répondit Ailill, tu pourrais faire quelque chose pour me guérir, mais je n'ose révéler la cause de mon mal. – Dis-moi le fond de ta pensée. – Je ne te dirai rien », s'obstina Ailill.

Pourtant, au bout de quelques jours durant lesquels elle n'avait cessé de le harceler à chacune de ses visites, il se décida à parler. « Si tu veux savoir la cause de mon mal, dit-il, je vais te la révéler : c'est toi. Dès l'instant où je t'ai vue pour la première fois, plus aucune mélodie n'est venue sur ma harpe, et j'ai cessé d'être maître de mon cœur comme de mes sens. C'est une bien triste situation, ô femme du roi, car mon corps et mon esprit sont malades, et rien ne pourrait les guérir, hormis le remède que tu m'apporterais toi-même. Sache-le, mon amour est un chardon piquant, c'est un désir de force et de violence, il est aussi vaste que les quatre parties de la terre, aussi infini que le ciel. C'est la brisure du cou, c'est une

310

noyade dans l'eau de la mer, c'est une bataille contre une ombre, c'est une course vers le ciel, c'est une course aventureuse sous la mer, c'est un amour pour une ombre qui s'enfuit sans cesse et qui revient chaque fois me hanter. »

Ainsi s'exprima Ailill Anglonnach, fils de Finn, frère du roi suprême d'Irlande, Eochaid Airem. Et, après avoir parlé, il se cacha le visage, tant l'emplissait de honte le sentiment qu'il éprouvait pour la femme de son frère. « Il est triste que tu sois resté tant de temps sans dire la cause de ton mal, murmura Etaine, car nous aurions pu le guérir bien avant. – Tu pourrais me guérir complètement, si tu le voulais, reprit Ailill. – Je le veux bien, dit Etaine. Cette nuit, lorsque tout le monde sera endormi, viens me rejoindre dans la maison qui se trouve en dehors de la forteresse. Je m'y rendrai, et je ferai en sorte de te guérir. »

Ailill prit grand soin de veiller, ce soir-là. Mais, quand vint le moment de partir pour le rendez-vous, le sommeil s'empara de lui, et il dormit jusqu'au lever du jour. Quant à Etaine, qui était allée dans la maison, en dehors de la forteresse, elle vit arriver un homme qui avait l'apparence d'Ailill et semblait faible et fatigué, mais elle devina qu'il n'était pas Ailill. « Ce n'est pas à toi que j'ai donné rendez-vous, dit-elle, mais à un homme que j'ai promis de guérir de son mal, car il souffre d'un cruel amour pour moi. – Le rendez-vous que tu as donné à cet homme n'est pas convenable, dit l'inconnu, et celui que tu attendais sera guéri demain, je te l'assure. C'est moi qui l'ai endormi et qui suis venu à sa place afin de t'épargner le déshonneur et la honte. – Mais qui es-tu donc ? s'écria Etaine. – Ne me reconnais-tu pas ? Quand tu étais Etaine, fille d'Echraide, tu m'appartenais, et, depuis ce temps-là, je n'ai cessé de t'aimer. Mider de Bri Leith est mon nom, tu le sais bien. – Qu'est-ce donc qui nous a séparés, toi et moi, reprit Etaine, si nous avons été comme tu dis ? – Les artifices de Fuamnach et les incantations du druide Bresal. T'en souviens-tu, ô Etaine, toi, la plus aimée et la plus digne d'être aimée ? – Je m'en souviens, en effet, dit Etaine, mais tout cela se perd dans des brumes lointaines. C'est comme si des ombres se profilaient devant moi sans que je puisse les reconnaître. Et comment feras-tu pour guérir Ailill Anglonnach ? – Je mettrai sur lui un rêve dans lequel il croira t'avoir tenue dans ses bras toute la nuit. O femme tant aimée, viendras-tu avec moi ? – Où me conduiras-tu ? » demanda Etaine.

Alors Mider chanta ce chant :

« O belle femme tant aimée, viendras-tu avec moi
dans la terre merveilleuse où l'on entend des musiques,
où l'on porte des couronnes de primevères sur les cheveux,
où, de la tête aux pieds, le corps est couleur de neige,
où personne ne peut être triste ou malheureux,
où les dents sont blanches et les sourcils noirs,
où les joues sont rouges comme la digitale en fleur ?
L'Irlande est belle, mais peu de paysages
sont aussi beaux que ceux que tu verras
dans la grande plaine où je t'emmènerai.
La bière d'Irlande est forte, mais la bière
de la Grande Terre est encore plus enivrante.
C'est un pays merveilleux que tu connais déjà :
les jeunes n'y vieillissent jamais,
il y coule des ruisseaux d'hydromel,
les hommes y sont charmants, sans défaut,
et l'amour n'y est pas défendu...
O femme tant aimée, quand tu seras dans mon pays,
tu porteras une couronne d'or sur la tête,
tu y mangeras du porc frais toute l'année,
tu y boiras de la bière et du lait, ô femme,
belle femme tant aimée, viendras-tu avec moi ? »

« C'est impossible, répondit Etaine. Je suis mariée au roi suprême d'Irlande et ne peux le quitter. – Cependant, reprit

Mider, si je t'obtenais du roi d'Irlande, viendrais-tu avec moi ? – Oui », répondit simplement Etaine. Alors, Mider disparut, et Etaine ne sut pas où il était allé.

Au petit matin, elle vit Ailill Anglonnach qui venait vers elle, bien portant et le visage radieux. « O femme ! s'écria-t-il, tu m'as guéri de mon mal, et je ne sais comment te prouver ma reconnaissance. – Je sais ce que tu feras, dit-elle. Tu ne parleras à personne de ce qui s'est passé cette nuit entre nous. »

Quelques jours plus tard, Eochaid Airem revint de son circuit royal dans les provinces d'Irlande. En voyant son frère guéri, il fut tout heureux et remercia sa femme des soins qu'elle lui avait prodigués. Alors, Ailill Anglonnach retourna chez lui, et ne fut plus jamais malade.

Le lendemain, Eochaid Airem se leva très tôt et monta sur la terrasse de Tara pour contempler la plaine sous le brillant soleil d'été. Il regardait tout autour de la forteresse quand il aperçut un guerrier étrange qui s'en approchait. Ce guerrier était revêtu d'une tunique pourpre, et sa chevelure blonde ondoyait jusqu'à ses épaules. Il avait l'œil brillant et bleu, et sa main tenait une lance à cinq pointes ; un bouclier d'argent bordé d'or et de pierres précieuses était suspendu à son cou. Eochaid ne le reconnut pas, mais il savait que cet homme ne se trouvait pas, le soir précédent, dans la salle des festins de Tara. « Bienvenue au guerrier que je ne connais pas, dit Eochaid. – Moi, je te connais, répondit l'autre. Tu es Eochaid Airem, roi suprême de toute l'Irlande. – C'est exact, mais quel est ton nom ? – Il n'est guère célèbre, chez les Fils de Milé. Sache que l'on m'appelle Mider de Bri Leith. – Et que désires-tu ? – Je voudrais jouer aux échecs avec toi, répondit le guerrier. – En vérité, repartit Eochaid, je suis très bon aux échecs, et je ne refuse jamais une partie qu'on me propose. Mais la reine dort encore, et c'est chez elle que se trouve mon échiquier avec toutes ses pièces. – Peu importe, répliqua le guerrier, j'ai ici un jeu d'échecs qui n'est pas de moindre valeur. »

Il disait vrai. Car il exhiba un échiquier d'argent dont chaque angle était illuminé par une pierre précieuse. Puis, d'un sac en mailles de bronze, il retira les pièces, qui étaient d'or. Enfin, il disposa le jeu sur le sol de la terrasse. « Nous pouvons jouer à présent, dit-il. – Je ne jouerai pas sans enjeu, répondit Eochaid. – Quel sera-t-il ? demanda Mider. – Cela m'est égal. – Fort bien. Si tu gagnes, reprit Mider, tu auras de moi cinquante coursiers gris aux têtes tachetées et rouges, aux oreilles pointues, au poitrail large, aux naseaux très ouverts, aux pattes fines, et très puissants, ardents, rapides, faciles à atteler, ainsi que cinquante rênes émaillées. Ils seront ici demain, à la troisième heure, si je perds cette partie. »

Ils jouèrent donc. Eochaid gagna la partie, et Mider se retira, emportant le jeu d'échecs. Le lendemain, quand Eochaid sortit sur les remparts de Tara, il vit Mider arriver sur la terrasse. Il ne savait d'où il venait ni comment il était arrivé jusque-là. Mais ce qui lui fit plaisir, c'est que Mider poussait devant lui une troupe de cinquante chevaux gris aux rênes émaillées. « C'est bien, dit-il. Tu tiens ta parole. – Ce qui est promis est dû, dit Mider. Jouerons-nous encore aujourd'hui ? – Je le veux bien, répondit le roi, à condition qu'il y ait un enjeu. – C'est tout à fait normal. Si tu gagnes cette partie, tu auras de moi cinquante vaches blanches à oreilles rouges, cinquante portes au ventre gris, cinquante épées à garde d'ivoire et cinquante manteaux bariolés. Cela te convient-il ? – Parfaitement », répondit Eochaid.

Ils jouèrent, et Eochaid gagna la partie. Le lendemain, Mider revint avec tout ce qu'il avait promis. Et il en fut ainsi pendant plusieurs jours : Mider perdait régulièrement, et Eochaid entassait ses richesses dans la forteresse de Tara.

Cependant, l'intendant du roi s'étonnait que tant de trésors eussent été accumulés en si peu de temps. Il interrogea Eochaid là-dessus, et celui-ci lui conta comment il les avait obtenus. « Voilà qui est étrange, dit l'intendant. Si tu m'en crois, méfie-toi de cet homme. Il me paraît avoir de grands pouvoirs magiques. Aussi, la prochaine fois, ne le laisse pas proposer l'enjeu. Impose-lui toi-même de lourdes charges, et nous verrons comment il tient ses engagements. »

Aussi, quand Mider reparut sur la terrasse de Tara pour proposer une nouvelle partie d'échecs à Eochaid, celui-ci lui imposa son propre enjeu, à savoir enlever toutes les pierres de Meath, construire une chaussée sur les marécages de Lamraige et planter une forêt dans la vallée de Breifné. « C'est beaucoup, dit Mider. Néanmoins, j'accepte tes conditions. » Ils jouèrent, et Eochaid gagna la partie. « Tu auras demain ce que tu as demandé, lui dit Mider, mais fais en sorte que ni homme ni femme ne sorte de la forteresse avant le lever du soleil. – Je te le promets, dit Eochaid, personne ne sortira de Tara avant le lever du soleil. »

Mais, loin de tenir sa promesse, le roi envoya son intendant observer ce qui se passerait. L'homme sortit donc en secret de la forteresse et alla voir comment procédait Mider. Il remarqua une foule de gens qui travaillaient durement à construire la chaussée, d'autres qui ramassaient toutes les pierres, d'autres enfin qui plantaient des arbres. Là-dessus, il rentra à Tara et rendit compte à Eochaid des grands efforts faits durant la nuit pour que l'enjeu fût réalisé. Et il ajouta qu'il n'avait jamais vu au monde de pouvoir magique aussi puissant que celui dont il avait été le témoin.

Ils en étaient là de leur conversation quand ils virent arriver le grand guerrier aux cheveux blonds et aux yeux bleus. Il avait une ceinture autour de la taille et paraissait fort en colère. Eochaid en fut quelque peu effrayé, mais il lui souhaita la bienvenue. « Je me moque de tes souhaits, répondit méchamment Mider. Les tâches et les exigences que tu me demandes sont trop dures et trop pénibles. J'étais vraiment disposé à accomplir des exploits pour te plaire, mais tu abuses de la situation. – Allons, calme-toi, dit le roi. Je tenterai de me montrer plus conciliant la prochaine fois. – Jouons-nous encore ? demanda Mider. – Volontiers, répondit Eochaid. Mais quel sera l'enjeu ? – Celui que décidera le vainqueur, dit Mider. – J'accepte reprit le roi. Cela prouve ma bonne volonté vis-à-vis de toi, car ainsi rien n'est fixé d'avance [1]. »

Ils jouèrent donc mais, cette fois, Mider gagna la partie. Eochaid se trouva tout penaud. « Quel est ton enjeu ? demanda-t-il. – Ce n'est pas difficile, répondit Mider ; c'est ta femme, Etaine, fille d'Etar d'Ulster, qui a été ma femme bien avant de devenir la tienne. » Atterré, Eochaid Airem finit par dire : « Accorde-moi un délai. – Je te l'accorde. – Dans ce cas, viens dans un mois, et je satisferai à mes engagements. »

Mider s'en alla, laissant Eochaid à sa grande angoisse. Le roi se doutait bien que Mider l'avait délibérément entraîné dans cette situation catastrophique et qu'il lui serait désormais difficile d'en sortir. Cependant, il n'avait nulle intention de perdre Etaine et de la donner à Mider. Aussi, après de longues réflexions, résolut-il de ne pas tenir ses engagements [2].

---

1. C'est évidemment là où voulait en venir Mider. En perdant de nombreuses parties, alors qu'il est un habile magicien, et en s'acquittant d'enjeux exorbitants, il a endormi la méfiance d'Eochaid et accru sa rapacité, pour mieux le prendre au piège. Dans tous ces récits, les Fils de Milé, c'est-à-dire les Gaëls, sont présentés comme très inférieurs aux personnages des tribus de Dana, ceux-ci étant les anciens dieux druidiques devenus par la suite, et jusqu'à nos jours, les *bonnes gens*, c'est-à-dire les Fées, de la tradition populaire orale de l'Irlande et de l'Écosse.

2. La conclusion de cette histoire, qui serait en réalité « immorale »,

C'est pourquoi, au jour fixé, Eochaid Airem réunit autour de lui, à Tara, l'élite de ses hommes et des guerriers d'Irlande. Il fit en sorte que la forteresse fût cernée de troupes, et que la maison où il se tenait avec Etaine fût remplie d'hommes armés bien décidés à résister à quiconque s'aviserait d'enlever la reine. Les portes de la forteresse avaient été verrouillées, celles de la maison également. Car Eochaid savait que l'homme aux grands pouvoirs magiques serait exact au rendez-vous. Etaine était parmi l'assemblée, ce soir-là, et elle servait les chefs et les seigneurs qui entouraient le roi.

Cela n'empêcha nullement Mider d'arriver, sans qu'on sût comment, au milieu de la maison. Il était toujours aussi beau, mais d'une beauté qui leur parut à tous, ce soir-là, plus étonnante encore que d'habitude, avec ses cheveux blonds, ses yeux bleus et son manteau agrafé d'une broche d'or sertie de pierres précieuses. Etaine sentit son cœur fondre, en le voyant ainsi, seul au milieu d'une assemblée qui lui était hostile, mais elle ne dit rien, se contentant de remplir les coupes de bière et d'hydromel. Tous étaient néanmoins abasourdis qu'il se trouvât là, au milieu de la salle, alors que tous les accès en étaient fermés. Mais Eochaid s'avança vers lui et lui souhaita la bienvenue.

« Je suis ici, dit Mider, pour réclamer l'enjeu dont nous étions convenus et que tu me dois sous peine d'être déshonoré à jamais. – Un roi d'Irlande ne peut livrer sa femme à un autre, répondit Eochaid. Je peux te donner toutes les compensations que tu désireras, mais il est impossible qu'Etaine s'en aille avec toi ce soir. – Tu me l'avais pourtant promis, dit Mider. Tu dois t'acquitter de ta dette devant tous les hommes d'Irlande. – Je ne te

---

se voit justifiée par le comportement du roi qui renie sa parole, une première fois en faisant espionner les travaux entrepris par Mider, une seconde fois en tentant de ne pas acquitter l'enjeu.

céderai pas Etaine, fit Eochaid d'un ton farouche. – Tu ne m'impressionnes pas, lui répondit Mider. Nul ne peut se soustraire à ses obligations et, moins que quiconque, le roi. Ne me suis-je pas moi-même acquitté des enjeux que je te devais, quelques peines qu'il ait pu m'en coûter ? – C'est vrai », finit par admettre Eochaid.

Alors Mider se tourna vers Etaine. « Femme, lui dit-il, est-il exact que tu m'accompagneras, si le roi suprême d'Irlande y consent ? – Oui, répondit Etaine. Je te l'ai promis. – Mais je ne la céderai pas ! s'écria Eochaid avec colère. – Tu te parjures, dit Mider, et tous les hommes d'Irlande sont témoins que tu ne tiens pas ta parole. – Je consens seulement à ce que tu prennes Etaine dans tes bras et lui donnes trois baisers, dit Eochaid. – Je ferai donc comme tu dis », dit Mider.

Il prit ses armes dans sa main gauche et, de la droite, il entoura la taille d'Etaine et lui donna trois baisers. Puis, sans ajouter un mot, il l'emmena par l'orifice du toit, et tous d'eux s'évanouirent dans la nuit.

Les guerriers qui entouraient le roi se levèrent, remplis de honte de n'avoir rien pu faire et ils se précipitèrent hors de la maison, Eochaid avec eux. Et là, ils virent deux grands oiseaux blancs qui, dans le ciel, firent trois fois le tour de Tara avant de disparaître en direction du soleil couchant.

Consternés, ils délibérèrent entre eux et avec le roi sur ce qu'il convenait d'entreprendre pour reprendre Etaine à celui qui l'avait enlevée. « Mider appartient aux tribus de Dana, dit quelqu'un, et les tribus de Dana résident dans les tertres d'Irlande. C'est sûrement dans le tertre le plus proche qu'il s'est réfugié avec la reine. »

Eochaid partit donc, avec l'élite des hommes d'Irlande, pour le tertre le plus proche de Tara, du côté de l'ouest, celui de Ban Finn. Quand ils y furent arrivés, le roi ordonna que l'on creusât le sol du tertre jusqu'à ce que les fugitifs fussent débusqués. On creusa donc toute la nuit, on fouilla les moindres recoins du tertre [1], mais on ne trouva rien et on ne vit personne, car les hommes des tribus de Dana avaient le pouvoir de se rendre invisibles à ceux qui n'étaient pas de leur peuple. Seulement, au matin, on vit s'approcher une vieille femme. « Que cherchez-vous ici, hommes d'Irlande ? demanda-t-elle. – Nous cherchons Etaine, la femme du roi d'Irlande, qui vient d'être enlevée, répondirent-ils. – L'homme qui est venu vers vous et qui vous a enlevé votre reine n'est pas ici, reprit-elle. Vous le trouverez dans sa demeure de Bri Leith. Si vous voulez absolument le rejoindre, allez donc là-bas. »

Ils prirent la direction du nord et, le soir même, parvinrent au tertre de Bri Leith. Ils fouillèrent le sol toute la nuit mais, au matin, s'aperçurent que tout avait été comblé. Ils s'obstinèrent néanmoins durant toute la journée, mais, comme le soleil penchait vers l'horizon, ils virent deux cygnes blancs qui, côte à côte, s'envolaient vers le ciel. Ils tournoyèrent un instant au-dessus de leurs têtes puis, prenant leur route vers le nord, disparurent dans la brume.

Depuis ce temps lointain, quand le soir tombe et qu'une brume légère monte des tourbières, on entend souvent le chant de deux grands cygnes blancs qui évoluent sur les eaux calmes d'un lac ou d'une rivière. Leur chant est si beau qu'on ne peut retenir ses larmes en l'entendant, car c'est la musique des fées qui s'élève ainsi parmi les derniers rayons du soleil. Soudain, on voit alors les deux oiseaux s'envoler, tournoyer un instant dans la brume et

---

1. Il faut remarquer que le nom gaélique *Airem* signifie « celui qui laboure », « celui qui creuse le sol ». Ce n'est certainement pas un hasard, et l'on sait que de nombreux cairns mégalithiques ont été détruits et rasés par des générations d'agriculteurs. D'autre part, une des versions de la légende prétend qu'Eochaid Airem fut le premier en Irlande à mettre des bœufs sous le joug pour leur faire tirer la charrue.

disparaître. Et chacun sait qu'il s'agit d'Etaine, la belle reine de Tara, qui, en compagnie de Mider de Bri Leith, roi des Ombres, s'en va errer dans le ciel, au-dessus de l'Ile Verte, vers le pays de l'Eternelle Jeunesse, là où la tristesse et la douleur sont inconnues et là où les arbres portent des fleurs et des fruits toute l'année [1].

---

1. Synthèse de quatre récits, tous intitulés *Tochmarc Etaine* (Courtise d'Etaine), conservés dans le « Livre de la Vache Brune » (*Leabhar na hUidré*), manuscrit de la fin du XIᵉ siècle, dans le « Livre Jaune de Lecan », manuscrit du XIVᵉ siècle, et dans le manuscrit Egerton 1782. Textes publiés dans différents ouvrages, notamment par Best et Bergin, dans *Eriu*, vol. XII, avec traduction anglaise. Traduction française par Ch.-J. Guyonvarc'h dans *Textes mythologiques irlandais*, Rennes, 1980. Analyse de J. Markale, *L'Epopée celtique d'Irlande*, Paris, 1994. Le personnage d'Etaine symbolise la souveraineté d'Irlande, et il apparaît dans les récits mythologiques et épiques sous de nombreux noms, tels Ethné (mère de Lug), Tailtiu (mère adoptive de Lug), Banba, Fothla, Eriu et, plus tard, dans le cycle d'Ulster, sous celui de la célèbre Deirdré.

TABLE DES MATIÈRES

Avant-Propos :
Aux frontières du réel 7

Prélude :
L'homme des anciens jours 47

    I. Dans les brouillards de l'aube 57
   II. Les tribus de Dana 77
  III. Lug au Long Bras 101
  IV. La grande bataille de Mag-Tured 123
   V. La vengeance de Lug 149
  VI. Les Fils de Milé 171
 VII. L'étrange destinée des enfants de Lîr 197
VIII. Les tribulations du jeune Angus 217
  IX. Démons et merveilles 235
   X. Pour l'amour de Finnabair 259
  XI. La Terre des Fées 275
 XII. Etaine et le Roi des Ombres 299

CHEZ LE MÊME ÉDITEUR

DU MÊME AUTEUR

Le Cycle du Graal
Première époque
LA NAISSANCE DU ROI ARTHUR
Deuxième époque
LES CHEVALIERS DE LA TABLE RONDE
Troisième époque
LANCELOT DU LAC
Quatrième époque
LA FÉE MORGANE
Cinquième époque
GAUVAIN ET LES CHEMINS D'AVALON
Sixième époque
PERCEVAL LE GALLOIS
Septième époque
GALAAD ET LE ROI PÊCHEUR
Huitième époque
LA MORT DU ROI ARTHUR

PETITE ENCYCLOPÉDIE DU GRAAL

———

Histoire de la France secrète
MONTSÉGUR ET L'ÉNIGME CATHARE
Voies nouvelles et pistes oubliées.
•
GISORS ET L'ÉNIGME DES TEMPLIERS
L'éclairage objectif et raisonné du lancinant mystère.
•
LE MONT-SAINT-MICHEL ET L'ÉNIGME DU DRAGON
L'un des plus énigmatiques sanctuaires de l'Occident.
•
CARNAC ET L'ÉNIGME DE L'ATLANTIDE
Une nouvelle hypothèse explosive et passionnante.
•
CHARTRES ET L'ÉNIGME DES DRUIDES
La Déesse des Commencements et la présence indélébile des Druides.
•
BROCÉLIANDE ET L'ÉNIGME DU GRAAL
La forêt fabuleuse, Arthur, les Chevaliers de la Table Ronde, les Dames du Lac…
•
LA BASTILLE ET L'ÉNIGME DU MASQUE DE FER
Une enquête passionnante concernant notamment les célèbres prisonniers de la forteresse.
•
RENNES-LE-CHÂTEAU ET L'ÉNIGME DE L'OR MAUDIT
La mystérieuse destinée de l'abbé Saunière.

———

Bibliothèque de l'Étrange
L'ÉNIGME DU TRIANGLE DES BERMUDES
Nouvelles perspectives exposant tous les grands mythes et légendes de l'humanité.
•
LES MYSTÈRES DE L'APRÈS-VIE
Interrogations et espoirs sur l'existence d'une autre vie après la mort.
•
L'ÉNIGME DES VAMPIRES
Au fil d'expériencse et de récits qui font frémir,
Jean Markale explore en profondeur le phénomène.
•
LES MYSTÈRES DE LA SORCELLERIE
Sorciers et Sorcières sont-ils encore parmi nous ? L'histoire fourmille d'exemples
et de prodiges inquiétants. Des témoignages extraordinaires,
des récits fantastiques, des rapports officiels surprenants…

Achevé d'imprimer en avril 1997
sur presse Cameron
*par **Bussière Camedan Imprimeries***
à Saint-Amand-Montrond (Cher)

N° d'édition : 527. N° d'impression : 4/385.
Dépôt légal : avril 1997.

Imprimé en France